AV

Das Periodical *Medienkomparatistik* eröffnet ein neues Forum für vergleichende Medienwissenschaft. Das Zusammenwirken unterschiedlicher Medien und verschiedener medialer Praktiken spielt nicht nur in der gegenwärtigen Alltagswelt eine zunehmend bedeutende Rolle. Vielmehr hat sich in den letzten Jahren, ausgehend von den literatur-, kunst-, und medienwissenschaftlichen Einzeldisziplinen ein fächerübergreifendes Diskussionsfeld herausgebildet, das sich gezielt Fragen des Medienvergleichs und der Interferenz von Medien widmet. Dieser interdisziplinäre Forschungsbereich erlebt derzeit in den Kulturwissenschaften eine erstaunliche Konjunktur. Neben der vergleichenden Methodologie als wichtige heuristische Grundlage besteht eine weitere Zielsetzung der Medienkomparatistik darin, allgemeine Kriterien zur systematischen Erfassung der einzelnen Medien zu entwickeln und ihre jeweiligen Operationsleistungen in sich wandelnden kulturellen Kontexten zu erkunden. Dabei soll ein weites Spektrum medialer Formen und Verfahren einbezogen werden, das von analogen und digitalen Bild- und Schriftmedien über dispositive Anordnungen bis hin zu diskursiven Wissensformationen reicht.

Welche spezifischen Eigenschaften zeichnen einzelne Medien aus, was trennt und was verbindet sie? Welche produktiven Austauschbeziehungen ergeben sich aus medialen Konkurrenzen und Konvergenzen? Wie lassen sich historische Transformationen medialer Praktiken und Ästhetiken erfassen? Wie können mediale Verhältnisbestimmungen medientheoretisch neu konturiert werden?

Das Periodical erscheint zunächst jährlich in einem Band von ca. 200 Seiten. Da es in einem interdisziplinären Forschungsbereich angesiedelt ist, richtet es sich an verschiedene kulturwissenschaftliche Fachgruppen, wie zum Beispiel Komparatistik, Medienwissenschaft, Kunstgeschichte sowie einzelne Philologien wie Anglistik, Germanistik, Romanistik etc.

Medienkomparatistik

Beiträge zur
Vergleichenden Medienwissenschaft

1. Jahrgang, Heft 1

2019

Herausgegeben von
Lisa Gotto und Annette Simonis

AISTHESIS VERLAG
Bielefeld 2019

Bibliografische Information der Deutschen Nationalbibliothek

Die Deutsche Nationalbibliothek verzeichnet diese Publikation in der Deutschen Nationalbibliografie; detaillierte bibliografische Daten sind im Internet über http://dnb.d-nb.de abrufbar.

© Aisthesis Verlag Bielefeld 2019
Postfach 10 04 27, D-33504 Bielefeld
Satz: Germano Wallmann, www.geisterwort.de
Druck: Majuskel Medienproduktion gmbh, Wetzlar
Alle Rechte vorbehalten

ISBN 978-3-8498-1336-9
ISSN 2627-1591
www.aisthesis.de

Inhaltsverzeichnis

Lisa Gotto und Annette Simonis

Medienkomparatistik – Aktualität und Aufgaben eines interdisziplinären Forschungsfelds

Mit dem vorliegenden Eröffnungsband der *Medienkomparatistik* soll ein neues Forum für medienvergleichende Forschung initiiert werden. Das Zusammenwirken unterschiedlicher Medien und verschiedener medialer Praktiken spielt nicht nur in der gegenwärtigen Alltagswelt eine zunehmend bedeutende Rolle. Vielmehr hat sich in den letzten Jahren, ausgehend von den literatur-, kunst-, und medienwissenschaftlichen Einzeldisziplinen ein fächerübergreifendes Diskussionsfeld herausgebildet, das sich gezielt Fragen des Medienvergleichs und der Interferenz von Medien widmet. Dieser interdisziplinäre Forschungsbereich erlebt derzeit in den Kulturwissenschaften eine erstaunliche Konjunktur. Neben der vergleichenden Methodologie als wichtige heuristische Grundlage besteht eine weitere Zielsetzung der Medienkomparatistik darin, allgemeine Kriterien zur systematischen Erfassung der einzelnen Medien zu entwickeln und ihre jeweiligen Operationsleistungen in sich wandelnden kulturellen Kontexten zu erkunden. Im Folgenden soll einleitend der Versuch unternommen werden, einige wichtige Voraussetzungen, Vorgehensweisen, Aufgaben und Besonderheiten medienkomparatistischer Ansätze zu skizzieren.

1. Was heißt und zu welchem Ende brauchen wir Medienkomparatistik?

Bei der Gründung einer wissenschaftlichen Zeitschrift sehen sich die Herausgeberinnen mit der Frage konfrontiert, welchen besonderen Erkenntnisgewinn die dort erscheinenden Beiträge in Aussicht stellen sollen und worin der spezifische Mehrwert bzw. das Alleinstellungsmerkmal des Projekts gegenüber anderen, bereits vorhandenen Veröffentlichungen mit einer ähnlichen Ausrichtung besteht. Gibt es nicht schon genügend medienwissenschaftliche Publikationsorgane? Welchem Zweck und welchen Zielen soll in einer inzwischen gut aufgestellten medienwissenschaftlichen und medientheoretischen Forschungslandschaft die Gründung eines weiteren Periodicals dienen, das den Schwerpunkt ‚Medienkomparatistik‘ profiliert? Um die angesprochenen Fragen zu beantworten, ist es nötig, die derzeitige Aktualität des Konzepts ‚Medienkomparatistik‘ genauer zu betrachten und den verschiedenen Gründen für dieses Phänomen nachzugehen. Dabei gilt es zum einen, die Spezifik der medienkomparatistischen Dimension herauszuarbeiten, und zum anderen, ihre ausgeprägte interdisziplinäre Komponente aufzuzeigen, die ihr innerhalb eines weit über die Medienwissenschaft im engeren Sinne hinausweisenden Forschungsfelds eine erstaunliche Akzeptanz und Beliebtheit eingebracht hat.

Es liegt nahe zu überlegen, welches die entscheidenden Gründe für die derzeitige Konjunktur der Medienkomparatistik sind und welche Voraussetzungen und Vorteile sie mit sich bringt.

Der Begriff der Medienkomparatistik scheint derzeit in aller Munde[1], gleichzeitig mangelt es bislang noch an einer neueren systematischen Einführung, die die betreffende Konzeption in ihren theoretischen Implikationen genauer beleuchtet.[2] Einer erstaunlichen Fülle von neueren Fallstudien mit medienkomparatistischer Ausrichtung steht ein recht geringer Anteil an Versuchen gegenüber, eine überblickshafte theoretische Fundierung des Konzepts zu leisten. So besteht ein gewisses Dilemma der derzeitigen Diskussionen um medienkomparatistische Fragestellungen darin, dass man glaubt zu wissen, worum es sich im Kern handelt, und dabei zugleich Gefahr läuft, aneinander vorbeizureden. Insofern macht es sich das vorliegende Periodical nicht zuletzt zur Aufgabe, eine Gegenüberstellung und Engführung verschiedener Forschungstendenzen und Auslegungen zu ermöglichen.

Im Folgenden soll ein notwendigerweise vorläufiger Definitions- und Beschreibungsversuch der Medienkomparatistik in einem methodischen Zweischritt unternommen werden: Zunächst geht es darum, die historische und wissensgeschichtliche Dimension zu konturieren und damit zugleich das theoretische Umfeld zu skizzieren, in dem sich der neue Ansatz positioniert. Im Anschluss daran sollen die Entwicklungsfähigkeit medienkomparatistischer Ansätze und die sich daraus ergebenden Forschungsperspektiven eruiert werden.

---

1 Die Bezeichnung „eine medienkomparatistische Analyse" wird in Einleitungen und Klappentexten wissenschaftlicher Studien vielfach verwendet. Nicht selten begegnet das Attribut „medienkomparatistisch" auch im Titel akademischer Qualifikationsschriften, vgl. beispielsweise Marijana Erstić. *Ein Jahrhundert der Verunsicherung: medienkomparatistische Analysen.* Siegen 2017. Siehe auch Sandra Poppe. *Visualität in Literatur und Film: Eine medienkomparatistische Untersuchung moderner Erzähltexte und ihrer Verfilmungen.* Göttingen: V & R, 2007.

2 Insofern leisten die wenigen bislang vorliegenden Versuche Pionierarbeit. Vgl. von literaturwissenschaftlicher Seite: Immacolata Amodeo. „Medienkomparatistik". In: Beate Burtscher-Bechter und Martin Sexl (Hg.). *Theory Studies? Konturen komparatistischer Theoriebildung zu Beginn des 21. Jahrhunderts.* Innsbruck u. a. 2001, S. 147-158 sowie Michael Schaudig. „Medienkomparatistik". In: Helmut Schanze (Hg.). *Lexikon Medientheorie und Medienwissenschaft: Ansätze – Personen – Grundbegriffe,* Stuttgart: Metzler, 2002. S. 223-225. Der Linguist und Kommunikationswissenschaftler Ernest W. B. Hess-Lüttich setzte sich bereits 1989 für die Entwicklung einer Medienkomparatistik ein. Siehe Ernest W. B. Hess-Lüttich. „Intertextualität, Dialogizität und Medienkomparatistik: Tradition und Tendenz". *Kodikas/Code* 12 (1989), S. 191-210, hier besonders S. 207.

2. Wissenschaftsgeschichtliche Dimensionen und interdisziplinäre Horizonte

Ähnlich wie in der Disziplin der Allgemeinen und Vergleichenden Literaturwissenschaft[3], auch Komparatistik genannt, fungiert die Heuristik des Vergleichs als ein zentrales Instrument der Erkenntnisfindung, wenn sie auch keineswegs das einzige oder notwendigerweise privilegierte Verfahren bildet. Was genau leistet, so wäre zu fragen, die Methodik des Vergleichs innerhalb medienwissenschaftlicher Untersuchungen bzw. im Blick auf die Betrachtung differenter Medien? Dabei ergibt sich ein Befund, der für die zentrale Bedeutung des Medienvergleichs sowohl innerhalb der Medienwissenschaft selbst als auch innerhalb eines interdisziplinären Fächerspektrums spricht: Erst durch die vergleichende Gegenüberstellung zweier unterschiedlicher Medien treten deren jeweils spezifische Eigenheiten deutlich hervor; erst durch den Medienvergleich werden die Einzelmedien in ihrer je eigenen medialen Ausprägung beobachtbar. Der Vergleich lässt die Unterschiede und Gemeinsamkeiten der in den Blick genommenen medialen Phänomene und damit zugleich deren jeweilige Spezifika allererst sichtbar werden; zugleich erhöht er die Prägnanz der wahrgenommenen Erscheinungen. Darüber hinaus leistet er eine Sensibilisierung für die prinzipielle Offenheit medialer Systeme, wie Dirk Baecker bemerkt: „Der Vergleich steigert das Kontingenzbewusstsein, weil man sehen kann, dass das, was man vergleicht, auch anders sein könnte, als es ist."[4]

Bekanntlich bildet der Vergleich aufgrund seiner erkenntnisstiftenden Leistung einen wesentlichen Bestandteil der Findungslehre.[5] Dies gilt nicht allein für den Vergleich synchroner Phänomene, sondern auch und gerade in diachroner Hinsicht, wie Evi Zemanek in ihrem Artikel „Was ist Komparatistik?" betont: „Man bedenke nur, abstrakt gesprochen, dass jegliche Bewertung einzelner neuer Phänomene über den Vergleich mit Vorgängigem erfolgt und diese Denkfigur allen historischen und systematischen Ordnungen, mit deren Hilfe wir die Welt begreifen, zugrunde liegt."[6] Die medienkomparatistische Perspektive umfasst insofern eine diachrone Komponente, als sie auch Entwicklungen wie zum Beispiel die Koevolution[7] der Medien in den Blick nehmen kann. Dadurch gewinnt die Gegenüberstellung der Medien eine dynamische Kontur; medienkomparatistische Verfahren passen sich der Beweglichkeit und Prozesshaftigkeit der analysierten medialen Phänomene an.

Auch auf der synchronen Ebene beobachtet die Medienkomparatistik meist keine statischen Gegebenheiten, sondern hat es häufig mit dynamischen

---

3 Vgl. etwa Annette Simonis und Linda Simonis. *Kulturen des Vergleichs*. Heidelberg: Winter, 2016.

4 Dirk Baecker: „Vergleich." In: Nicolas Pethes, Jens Ruchatz (Hg.): *Gedächtnis und Erinnerung. Ein interdisziplinäres Lexikon,* Reinbek bei Hamburg: Rowohlt 2001, S. 631-632, hier: S. 631.

5 Vgl. Evi Zemanek, Alexander Nebrig (Hg.). *Komparatistik*. Berlin: Akademie, 2012, S. 15.

6 Ebd.

7 Zum Begriff der Koevolution vgl. Hartmut Winkler. *Diskursökonomie. Versuch über die innere Ökonomie der Medien*. Frankfurt/M.: Suhrkamp, 2004.

Phänomenen bzw. Prozessen tun, mit den Wechselwirkungen und Spannungen innerhalb eines intermedialen Gefüges, etwa einer gegebenen Medienkombination oder mit den Transformationsprozessen, die transmediale Veränderungen bewirken und einen Medienwechsel nach sich ziehen. Dabei zielt das Erkenntnisinteresse in erster Linie auf die in systematischer bzw. medientheoretischer Hinsicht relevanten Aspekte des wahrgenommenen Beispielfalls.

Die genannte intermediale und transmediale Ausrichtung der Medienkomparatistik lässt bereits erkennen, inwieweit der Vergleich keineswegs das einzige Verfahren bzw. Erkenntnismittel bleibt. Vielmehr geht es ebenso um die Beobachtung von medialen Veränderungen und Entwicklungen, von Wechselwirkungen und Spannungsfeldern, Konkurrenzen und Überlagerungen. Die handliche Bezeichnung Medienkomparatistik subsumiert sehr verschiedene Erkenntnisrichtungen und Anwendungen; die Suggestion einer mehr oder weniger ähnlichen Vorgehensweise soll über die Komplexität der zu analysierenden medialen Phänomene und, damit verbunden, über die erforderliche Beobachtungssubtilität nicht hinwegtäuschen.

Ferner ist in wissenschaftsgeschichtlicher Hinsicht erwähnenswert, dass sich im Fach Komparatistik noch im Vorfeld einer medienwissenschaftlichen Sensibilisierung mit dem Vergleich der Künste[8] bzw. den Inter-Art(s) Studies[9] eine Forschungsrichtung etabliert hat, die in methodologischer Hinsicht und in ihrer analytischen Praxis einige konstitutive Züge der neueren Medienkomparatistik vorwegnimmt. Der genannte Ansatz, der an die frühneuzeitliche Paragone-Debatte[10] und die Vorstellung vom ‚Wettstreit der Künste‘ produktiv anknüpft, widmet sich der (vergleichenden) Gegenüberstellung der Künste (Malerei, Dichtung, Musik, Plastik und Architektur) und den Formen ihres wechselseitigen Zusammenspiels. Dabei fokussiert er mit der ästhetischen Dimension meist gleichzeitig, wenn auch eher implizit, bereits Aspekte der Medialität von literarischen Werken und anderen Kunstwerken wie Bildern, Filmen, Liedern und Vertonungen. Zwar stehen beim Vergleich der Künste meist formalästhetische und stilistische Figuren im Vordergrund, jedoch zeichnen sich insofern deutliche Gemeinsamkeiten mit der Medienkomparatistik ab, als beide Ansätze weniger an inhaltlichen Gesichtspunkten der betrachteten Werke als an

---

8   Siehe Achim Hölter (Hg.): *Comparative Arts. Universelle Ästhetik im Fokus der vergleichenden Literaturwissenschaft.* Heidelberg: Synchron, 2011. Vgl. auch Ansgar Schmitt. *Der kunstübergreifende Vergleich.Theoretische Reflexionen ausgehend von Picasso und Strawinsky.* Würzburg: Königshausen & Neumann, 2001.

9   Vgl. Ulla Britta Lagerroth, Hans Lund, Erik Hedling (Hg.). *Interart Poetics: Essays on the Interrelations of the Arts and Media.* Amsterdam: Rodopi 1997. David Cecchetto, Nancy Cuthbert, Julie Lassonde (Hg.). *Collision: Interarts Practice and Research.* Cambridge 2008.

10   Vgl. dazu ausführlich Ulrich Pfister. „Paragone". In: *Handbuch Rhetorik der Bildenden Künste.* Hg. von Wolfgang Brassat. Berlin: de Gruyter, 2017, S. 283-312, hier 283. Annette Simonis und Linda Simonis: „Der Vergleich und Wettstreit der Künste. Der „Paragone" als Ort einer komparativen Ästhetik". In: Achim Hölter (Hg.): *Comparative Arts. Universelle Ästhetik im Fokus der vergleichenden Literaturwissenschaft.* Heidelberg: Synchron, 2011, S. 73-86.

strukturellen Momenten orientiert sind und nach der dem Einzelwerk überge-
ordneten, ästhetischen, materiellen und medialen Bedingtheit der Gestaltungs-
prinzipien suchen. Aus der erwähnten Vorläuferschaft der Inter-Arts-Konzeption
für die Medienkomparatistik[11] lassen sich in einer wissenschaftsgeschichtlichen
Perspektive nicht allein relevante Parallelen feststellen, sondern, orientiert am
historischen Vorgänger, darüber hinaus auch Perspektiven entwickeln, die einer
künftigen Medienkomparatistik zu Gute kommen und sie bereichern können.
Inwieweit fließende Übergänge zwischen dem älteren Ansatz des Vergleichs der
Künste bzw. der Inter Arts-Konzeption und aktuellen medienkomparatistischen
Perspektiven bestehen, lässt sich im Folgenden an einem Beispiel aus der bilden-
den Kunst veranschaulichen.

Im ausgehenden 19. Jahrhundert hat die frühneuzeitliche Paragone-Kon-
zeption eine bemerkenswerte Wiederaufnahme erfahren.[12] Dies lässt sich an
Werken des französischen Malers und Bildhauers Jean-Léon Gérôme exemplarisch nachvollziehen. Bei einer Gegenüberstellung einer Skulptur und eines
oder mehrerer thematisch zugehöriger Gemälde des genannten Künstlers wird
ersichtlich, inwieweit der Vergleich der Künste und der Paragone bereits medienkomparatistische Fragen implizieren und anregen.

Als bildkünstlerisches Doppeltalent war Gérôme offenbar in beiden Künsten höchst erfolgreich[13], zumal er dem damaligen Zeitgeschmack entsprechend
detailrealistische Werke schuf. Eine sitzende weibliche Plastik, in der Gérôme
den vollendeten Körper einer jungen Frau im Sinne eines gräzisierenden neo-
klassizistischen Ideals[14] verwirklicht hat, wurde 1890 in Paris ausgestellt und
befindet sich heute im Musée d'Orsay. Komplementär dazu hat der Künstler
einen Ausschnitt aus dem Entstehungsprozess seiner Statue in einem Gemälde
festgehalten. In dem Atelierbild, das gleichzeitig ein Selbstporträt des Künstlers
ist und dadurch ausgeprägte selbstreflexive Züge aufweist, wird der Bildhauer
zusammen mit seinem Modell und dem fast fertigen Werk gezeigt.

---

11 Eine ähnliche Auffassung vertreten Sabine Heiser und Christiane Holm in ihrem
    Beitrag „Vom Paragone der Künste zum Paragone der Medien". In: dies. (Hg.),
    Gedächtnisparagone. Intermediale Konstellationen. Göttingen: V&R 2010, 7-25.
12 Vgl. Sabine Schneider. *Verheißung der Bilder. Das andere Medium in der Litera-
    tur um 1900.* Berlin: de Gruyter, 2006, S. 149. Schneider argumentiert schlüssig,
    dass die Medienkonkurrenz mit der bildenden Kunst und Musik um 1900 zu einer
    Ausbildung neuer literarischer Ausdrucksformen geführt habe: „Im Paragone der
    Künste unter den Vorzeichen einer medialen Ausdifferenzierung konturiert die Lite-
    ratur ihre eigenen Mittel."
13 Vgl. den gelungenen Ausstellungskatalog von Laurence Des Cars, Dominique de
    Font-Réaulx, Édouard Papet. *The Spectacular Art of Jean-Léon Gérôme* (1824-1904).
    Lausanne: Skira, 2010.
14 Angeregt wurde Gérôme durch Funde bei archäologische Ausgrabungen in Tanagra,
    Boötien, in Griechenland. Dort wurden aus Terrakotta geformte Frauenfiguren ent-
    deckt und nach ihrem Fundort als Tanagra-Figuren bezeichnet. Vgl. diesbezüglich
    auch Hélène Lafont-Couturier. *Gérôme.* Paris: Herscher, 1998, S. 90: „Les archéo-
    logues viennent de découvrir en Grèce le site de Tanagra, en Béotie: les nécropoles
    du IVe siècle avant J.-C. livrent des figurines en terre cuite coloriée de femmes et
    d'enfants dans la vie quotidienne."

Abb. 1. Fotografie der Plastik „Tanagra" von Jean-Léon Gérôme, 1890.[15]

Als Tanagra-Figuren werden antike, aus Terrakotta geformte und gebrannte Frauenfiguren in sitzender oder stehender Haltung von 15 bis 35 cm Höhe aus der böotischen Stadt Tanagra in Zentralgriechenland bezeichnet. Die Koroplastiken dienten als Grabbeigaben und Glücksbringer.[16]

---

15 https://de.m.wikipedia.org/wiki/Datei:Gérome_Tanagra_1890.jpg. [22.09.2018]
16 https://de.m.wikipedia.org/wiki/Tanagra-Figur. [22.09.2018]

Abb. 2. Jean-Léon Gérôme: Selbstporträt im Atelier oder „Le Travail du Marbre"[17]

Die vergleichende Perspektive und die Relation zwischen den beiden Werken Gérômes, Skulptur und Tafelbild, verdeutlichen zunächst den engen Bezug zum

17 https://de.m.wikipedia.org/wiki/Datei:Working_in_Marble_(Gerome).jpg. [22.09.2018] Vgl. zu diesem Gemälde auch den Kommentar von Patricia B. Sanders (Hg.). Haggin Museum (Stockton, Calif.). 1991, S. 92: „The Artist and His Model commemorates Gerome's completion of a major sculpture, Tanagra, in 1890, and it demonstrates his insistence on working directly from his subject [...]."

Paragone-Diskurs, der dem Gemälde implizit eingeschrieben ist. Bemerkenswert erscheint, dass Gérôme das Ölbild nicht genutzt hat, um sich als Maler bei der Arbeit zu porträtieren und die Besonderheiten dieser Kunst auf einer Metaebene zu reflektieren. Vielmehr wählt er als Sujet des Selbstporträts die Tätigkeit des Bildhauers und fokussiert auf diese Weise die andere Kunstform (oder, in der Terminologie der Paragone-Diskussion: die ‚Schwesterkunst‘). Im Blick auf die Vorstellung von der Konkurrenz der Künste und auf die Prioritätsfrage ergibt sich somit eine beinah paradoxe Konstellation, ein vexierbildhaftes Oszillieren, was die Frage betrifft, ob die Malerei oder die Skulptur die überlegene, höherwertige Kunstform sei. Auf der einen Seite steht die fast fertiggestellte, vollkommene Plastik, die den Frauenkörper in seiner Schönheit optimal zur Schau stellt, thematisch im Zentrum des Gemäldes. Der Kopf der Statue ist in der Bildkomposition bezeichnenderweise genau zwischen dem Künstler und seinem Modell positioniert, außerdem überragt die Skulptur die Modell sitzende Frau, was zur Idee einer Apotheose der Bildhauerkunst passt. Andererseits sind es die spezifischen Mittel der Malerei, die präzisen Linien, die Farbnuancen, die Lichteffekte, durch die der erfolgreiche künstlerische Schaffensprozess, das Gelingen des Werks, überhaupt erst zur Darstellung gelangt. Es handelt sich also bei der Darbietung um eine doppelte Hommage, die offenbar beiden Künsten gleichermaßen gewidmet ist, während die Frage nach der Überlegenheit der einen oder der anderen Kunstform den Betrachter in eine Endlosschleife führt. Die Konzeption des Paragone mündet hier in eine aporetische Konstellation der Unentscheidbarkeit.

Unter medienkomparatistischen Gesichtspunkten lässt sich zunächst die Unterschiedlichkeit der beiden bildkünstlerischen Werke hinsichtlich ihrer jeweiligen Medialität und Materialität beobachten. Die körperhafte Dreidimensionalität der Plastik, ihre räumliche Präsenz sowie die Möglichkeit des Rezipienten, sie sowohl durch die visuelle als auch durch die haptische Erfahrung wahrzunehmen, kennzeichnen ihre medialen und materialen Spezifika. Demgegenüber kann die bildhafte Darstellung im Medium des Ölgemäldes die räumliche Plastizität der Skulptur dem Betrachter lediglich suggerieren, etwa mithilfe der Konstruktionsprinzipien der Zentralperspektive und durch den geschickten Einsatz geeigneter Farbschattierungen. Die Wirkung der Skulptur im Gemälde, ihre Identifikation als Kunstwerk, beruht technisch gesehen vor allem auf der Wahl eines blassen Weißtons, der durch helle Graustufen nuanciert wird und sich dadurch von der wärmeren Hautfarbe, dem ‚natürlich‘ wirkenden Teint des Modells, kontrastiv abhebt. Hinzu kommt ihre hervorgehobene Platzierung zwischen dem Künstler und seinem Modell.

Das gewählte Sujet scheint den Maler Gérôme gerade deshalb besonders fasziniert zu haben, weil ihm die Herausforderung gefiel, die Illusion der perfekten Plastik in einem Medium (dem der Malerei) zu kreieren, dem die genannten plastischen Eigenschaften fehlen. Mit einem solchen Sujet ließ sich die detailrealistische Perfektionierung seiner Kunst bestens unter Beweis stellen.

Eine ähnliche Motivation mag der Wahl des Pygmalion-Stoffs für ein anderes Gemälde Gérômes zugrunde gelegen haben. Hier konkurriert die Malerei im agonalen Wettstreit der Künste implizit mit der Dichtung. Das betreffende Bild

Abb. 3. Jean-Léon Gérôme: Pygmalion und Galatea (ca. 1890).[18]

hält den Höhepunkt der von Ovid überlieferten mythologischen Erzählung über den Bildhauer Pygmalion fest[19], der sich in eine selbstgeschaffene idealisierte Frauenstatue namens Galatea verliebt. Gérômes Gemälde zeigt den Vorgang des Lebendigwerdens der Plastik, deren Oberkörper sich durch einen warmen Teint von der blassgrauen Farbgebung der Beine und Füße abhebt. Hinzu kommt die angedeutete leichte Drehung des Oberkörpers, die mit den statischen, noch auf dem Sockel stehenden Beinen auffallend kontrastiert. Auch diesem Bild ist eine Positionierung innerhalb des Paragone-Diskurses eingeschrieben. Galt die Malerei für viele Kritiker, wie zum Beispiel für G. E. Lessing[20], lange Zeit als

18 https://commons.m.wikimedia.org/wiki/File:Pygmalion_and_Galatea_(Gérôme)_
    front_1.jpg. [22.09.2018]
19 Ovid. *Metamorphosen*. Buch 10.
20 Vgl. Gotthold Ephraim Lessing: *Laokoon oder Über die Grenzen der Malerei und Poesie*. Berlin: Voss, 1766.

genuin statisches Medium, das sich nur für reine Momentaufnahmen eigne und Bewegungsvorgänge sowie zeitliche Abfolgen nicht adäquat darstellen könne, widerspricht Gérôme dem mit seiner Bildkomposition entschieden. Selbstbewusst möchte er zeigen, dass die Malerei der Dichtkunst keineswegs unterlegen ist, wenn es darum geht, Bewegung und Veränderungen darzustellen. Die medialen Eigenschaften der Malerei lassen sich, wie das Pygmalion-Bild verdeutlicht, nicht auf eine bestimmte Zeitstruktur festlegen. Damit ist zugleich die Differenz dynamisch versus statisch als zentrales Kriterium für die Unterscheidung der Medien der Dichtung und der bildenden Kunst widerlegt.[21]

Eine weitere Komplexitätsebene lässt sich aufzeigen, wenn man das Verhältnis beider Gemälde und die zwischen ihnen zirkulierenden Bildbeziehungen genauer betrachtet. Das Werk „Pygmalion et Galatée" (1890) ist als Miniatur in dem Ölgemälde „Le Travail du Marbre" (1890) enthalten, wo es hinter dem arbeitenden Künstler an der Atelier-Wand hängt. Es handelt sich hier nicht nur um eine ‚Bild im Bild'-Konstruktion, sondern auch um eine Abstraktion des Bildschaffens Gérômes, das nicht nur eine, sondern immer schon mehrere Versionen des Werkhaften kennt.[22] Das bereits Entstandene, das noch Entstehende und das zwischen ihnen Stehende werden hier aneinander vermittelt – und keines ist ohne das andere zu haben. Schwankend zwischen Arbeits-, Ausstellungs- und Aufführungsraum präsentiert sich Gérômes Atelier als komplexes Ensemble, das den Rückbezug auf seine medialen Grundlagen und Möglichkeiten in und an sich selbst sichtbar werden lässt.

Wie die beiden Beiträge Gérômes zur Paragone-Debatte zu erkennen geben, lassen sich fließende Übergänge zwischen der Inter Arts-Forschung und dem medienkomparatistischen Ansatz beobachten, die immer dann zur Geltung kommen, wenn die Künste in ihrer spezifischen Medialität und die jeweiligen materialen Eigenschaften der Medien Berücksichtigung finden. Weiterhin erscheint das Ereignishafte und Prozessuale für die medienkomparatistische Betrachtung grundlegend. Es geht hier nicht um das Fertige, sondern um das zu Verfertigende, um etwas, das erst durch das Zusammenwirken mehrerer Komponenten aufgeht und produktiv wird. So steht zu erwarten, dass neben dem Atelier zukünftig auch das Studio, das Labor, die Werkstatt, der Entwurfsraum

---

21 Im Blick auf die dynamische Kunstauffassung Gérômes vgl. auch Marc Gottlieb. „Gérôme's Cinematic Imagination". In: *Reconsidering Gérôme*, Hg. Scott Allan and Mary Morton. Los Angeles: The Paul Getty Museum, 2010, S. 54–64.

22 Dafür spricht auch, dass Gérôme zwischen 1890 und 1892 gleich mehrere Varianten des ‚Pygmalion et Galatée'-Motivs gemalt hat. In jedem Gemälde erscheint die Skulptur aus einer anderen Perspektive, wobei der Betrachter sie zu umrunden scheint. Hier vervielfachen sich die medialen Transpositionen. Deutlich wird dabei einerseits die Reflexion der um 1870 einsetzenden Reihenfotografie als apparatives Experimentalfeld von Statik und Kinetik und andererseits die Antizipation der Kinematografie als technischer Realisierung der fließenden Rundbewegung in Form der 360°-Kamerafahrt. Gérômes Bildkunst erscheint somit als ein Blick zurück nach vorn: Von der antiken Bildhauerkunst über die Malerei bis zur Fotografie und Kinematografie ist sie an einer medientechnischen Schnittstelle situiert, die die Vergangenheit medialer Praktiken mit ihren möglichen Zukünften konfrontiert.

und andere experimentelle Szenarien samt ihren medialen Operationen in das Zentrum des medienkomparatistischen Interesses rücken könnten.

3. Systematische Perspektiven und Entwicklungsfähigkeit des medienkomparatistischen Ansatzes

Während die Allgemeine und Vergleichende Literaturwissenschaft die Systematik und Methodologie des Künste-Vergleich weiter ausdifferenzierte, bildete sich parallel dazu ein erhöhtes Bewusstsein für Medialität und ein neues Interesse an der medialen Verfasstheit ihrer Gegenstände heraus. In den letzten Jahrzehnten richtete sich die Aufmerksamkeit komparatistischer Studien vermehrt auf mediale Gesichtspunkte verschiedenster Art, nicht zuletzt im Fahrwasser der allgemeinen Verbreitung von neuen, insbesondere auch digitalen Medien sowie in Folge einer weiteren interdisziplinären und kulturwissenschaftlichen Erweiterung des Fachverständnisses.

Für die Medienwissenschaft ist ein Denken in medialen Relationen von jeher konstitutiv. So vertrat Marshall McLuhan, einer der Gründungsfiguren der Medientheorie im modernen Sinne, die Auffassung, der Inhalt eines Mediums sei stets ein anderes Medium[23] und legte damit den Grundstein für ein Verständnis, nach dem sich Medien aufeinander beziehen, sich aneinander abarbeiten, sich wechselseitig organisieren und instrumentalisieren.[24] Tatsächlich lässt sich die Tradition einer Beobachtungsperspektive auf Medienverhältnisse noch sehr viel weiter zurück verfolgen, etwa bis zu Platons Schriftkritik und dem dort angestellten Vergleich von Oralität und Literalität, den man als einen der frühesten medienkomparatistischem Debattenbeiträge bezeichnen könnte. Deutlich wird dabei eine grundlegende Tendenz der Verständigung über Medienkonzepte und Medialität: Wann immer ein neues Medium auftritt, wird es über den Vergleich mit den alten identifiziert und damit überhaupt erst definiert. Es erstaunt daher nicht, dass Fragen des Medienvergleichs in Situationen des Umbruchs besonders virulent werden. Wo vertraute Bezugspunkte und Gewissheiten schwinden, tun sich neue Probleme und mit ihnen neue Lösungsvorschläge auf. Das gilt letztlich auch für die Medienwissenschaft und ihr eigenes Fachverständnis. So erfuhr zu einem Zeitpunkt, da die isolierte Untersuchung von Einzelmedien wie Rundfunk, Film oder Fernsehen als disziplinäre Selbstvergewisserung nicht länger ausreichte, die vergleichende Methodologie eine systematische Revitalisierung. Anschließend an die programmatische Ausrichtung des Weimarer *Kursbuch Medienkultur*[25] erklären etwa Irmela Schneider und Björn Bohnenkamp:

---

23 Marshall McLuhan. *Understanding Media. The Extensions of Men.* New York: McGraw-Hill 1964.

24 Zur Fortführung dieses Ansatzes vgl. Jay Bolter, Richard Grusin: *Remediation. Understanding New Media.* Cambridge: MIT Press, 2000.

25 Claus Pias, Joseph Vogl, Lorenz Engell, Oliver Fahle, Britta Neitzel (Hg.): *Kursbuch Medienkultur. Die maßgeblichen Theorien von Brecht bis Baudrillard,* Stuttgart: DVA 1999.

„Aussagen über Medien setzen, so die medienkulturwissenschaftliche Perspektive, nicht ein einzelnes Gegebenes voraus, sondern stellen dieses immer auch her und zwar vor allem im Vergleich."[26] Noch prägnanter formuliert Jürgen Fohrmann (auf den sich beide im Folgenden beziehen): „Alles mithin, was sich über ein Medium sagen lässt, ergibt sich erst aus einem Medienvergleich."[27] In dieser pointierten These wird zugleich eine grundlegende Problematik bei der Definition von Medien ersichtlich, die sich einer allgemein konsensfähigen Festlegung entziehen.[28] Dabei geht es vor allem darum, eine vorschnelle Festschreibung des Medienbegriffs selbst und die damit einhergehende Gefahr einer Ontologisierung des Mediums zu vermeiden. Entsprechend betont Fohrmann, dass die „Funktionen oder die Leistung, die je spezifischen Eigenschaften von Medien nur im Medienvergleich zu rekonstruieren sind"[29], nicht aber medienontologisch bestimmbar seien.

Auch aus systemtheoretischer Perspektive liegen die medialen Eigenschaften häufig im blinden Fleck der Beobachtung, was Joachim Paech folgendermaßen weiterdenkt: „Das Medium selbst ist nicht beobachtbar, weil es nur in der Form erscheint, zu deren Erscheinung es verhilft. Die Beobachtung der Form muß, wenn sie nach dem Medium fragt, sich selbst beobachten, um sich klar zu machen, daß sich die beobachtete Form notwendig ihrer anderen unsichtbaren Seite des Mediums verdankt."[30] Wenn der medienkomparatistische Blick geeignet ist, die Sichtbarkeit des Mediums zu ermöglichen, die Voraussetzung seiner genauere Erfassung und Analyse ist, kommt ihm für die wissenschaftliche Beschäftigung mit Medien bzw. Medialität eine ganz zentrale Aufgabe zu. Gemäß dieser zugespitzten Position erweist sich die Medienkomparatistik als Angelpunkt und systematisches Zentrum der Medientheorie oder Allgemeinen Medienwissenschaft. Selbst wenn man der Medienkomparatistik die erwähnte

---

26 Irmela Schneider, Björn Bohnenkamp. „Medienkulturwissenschaft". In: Claudia Liebrand, Irmela Schneider, Björn Bohnenkamp und Laura Frahm (Hg.). *Einführung in die Medienkulturwissenschaft*. Münster: Lit 2006, S. 35-50, hier S. 44.

27 Jürgen Fohrmann. „Der Unterschied der Medien". In: Jürgen Fohrmann, Erhard Schüttpelz (Hg.). *Die Kommunikation der Medien*. Tübingen: Niemeyer, 2004, S. 5-19, hier S. 7.

28 Wegweisend dazu Lorenz Engell und Joseph Vogl im Vorwort des *Kursbuch Medienkultur*: „Vielleicht könnte ein erstes medientheoretisches Axiom daher lauten, dass es keine Medien gibt, keine Medien jedenfalls in einem substantiellen und historisch stabilen Sinn" (1999, S. 8-11, hier: S. 11).

29 Vgl. ebd. S. 6f. Diesem Grundgedanken lässt sich eine poststrukturalistische Wendung geben: „Der Medienbegriff, vornehmlich die Charakterisierung einer ‚allgemeinen Medialität', erinnert demgemäß an den lediglich relational konzipierten, nicht einholbaren Riss, den die derridasche ‚différance' zugleich öffnet und schließt." (Ralf Mayer. *Erfahrung – Medium – Mysterium. Studien zur medialen Technik in bildungstheoretischer Absicht*. Paderborn: Schöningh, 2011, S. 413)

30 Vgl. Joachim Paech. „Mediales Differenzial und transformative Figurationen". In: Jörg Helbig (Hg.). *Intermedialität. Theorie und Praxis eines interdisziplinären Forschungsgebiets* (Berlin: Erich Schmidt, 1998), S. 14-30, hier S. 17. Vgl. auch Annette Simonis. *Intermediales Spiel im Film: Ästhetische Erfahrung zwischen Schrift, Bild und Musik*. Bielefeld: transcript, 2014, S. 24f.

Vorrangstellung nicht uneingeschränkt zuerkennen möchte, wird nichtsdestoweniger ersichtlich, dass sie bei der Formulierung grundlegender medientheoretischer Probleme und deren Lösung eine wichtige heuristische Funktion übernehmen kann.

So verwundert es nicht, dass die Forderung nach einer systematischen Medienkomparatistik von Seiten der medienwissenschaftlichen Grundlagenforschung Aufwind erhält. Um die damit verbundenen Erwartungen zu erfüllen und auf theoretisch-systematischem Gebiet Pionierarbeit zu leisten, muss die Medienkomparatistik sich „nicht nur auf den Vergleich zweier Werkversionen in zwei Medien, etwa zweier medienspezifischer Textfassungen also, beschränken [...], sondern vielmehr den Vergleich zweier Variationen des Medialen [...] ins Zentrum der Analyse stellen."[31] Es gehört zu ihren unerlässlichen Aufgaben, über die Untersuchung einzelner Fallbeispiele hinauszugehen, um ein theoretisches Problembewusstsein auszubilden und systematische Perspektiven zu entwerfen, auch dann, wenn einzelne Medienphänomene in ihrer historischen Bedingtheit und empirischen Partikularität meist den Ausgangspunkt der Untersuchungen bilden.[32]

Wie die bisherigen Ausführungen gezeigt haben, spielt der Medienvergleich in der Medienkomparatistik eine tragende und konstitutive Rolle. Ähnlich wie wir es von der Komparatistik kennen, bleibt auch die medienkomparatistische Betrachtung indes nicht auf die vergleichende Methodologie beschränkt. Stattdessen umfasst auch sie eine Pluralität verschiedener Ansätze und Zugangsweisen, die häufig miteinander kombiniert werden und gebündelt zum Einsatz gelangen. Medienkomparatistische Untersuchungen betrachten Interaktionen oder Gegenüberstellungen von Medien, Interferenzen zwischen Medien sowie diverse Medienkombinationen und Medienkonstellationen. In den systematisch-methodischen Bereich des Erkenntnisinteresses fallen unter anderem Konzepte der Intermedialität und Transmedialität, des Medienwechsels und Medienkontakts, zu denen es wiederum eigene differenzierte Theoriemodelle gibt.[33] Medienkomparatistische Fragen können teils stärker auf einzelne Bei-

---

31 Ansgar Schmitt. *Der kunstübergreifende Vergleich. Theoretische Reflexionen ausgehend von Picasso und Strawinsky*, Würzburg: Königshausen & Neumann, 2001, S. 164. Schmitt bezieht sich zitierend auf Hess-Lüttich und Schaudig. Vgl. auch Ernest W. B. Hess-Lüttich: „Intertextualität, Dialogizität und Medienkomparatistik", S. 207 und Michael Schaudig. „Medienkomparatistik".

32 Gelegentlich wird die Medienkomparatistik etwas vorschnell und verkürzt auf die Analysepraxis festgelegt. So argumentiert etwa Helmut Schanze in dem zusammen mit Gregor Schwering und Henning Groscurth herausgegebenen *Grundkurs Medienwissenschaften* (Stuttgart: Klett, 2009), S. 47: „Das Paradigma der analytischen Medienwissenschaft bildet die Medienkomparatistik. Hier werden jeweils zwei Medienproduktionssysteme in Beziehung gesetzt, in der Regel ein ‚altes' und ein ‚neues'. Beispiel ist die Analyse von Literaturverfilmungen."

33 Seit Jörg Helbigs richtungweisendem Sammelband *Intermedialität. Theorie und Praxis eines interdisziplinären Forschungsgebiets* (Berlin: Erich Schmidt, 1998) hat sich die Intermedialitätsforschung als interdisziplinäres kulturwissenschaftliches Paradigma etabliert und weiter ausdifferenziert. Aus der Vielzahl der inzwischen erschienen Studien zu diesem Thema seien hier exemplarisch genannt: Joachim

spiele beschränkt bleiben und dadurch medienästhetische Fragen stimulieren und präzisieren, sie können ebenso systematische Probleme behandeln wie die Frage, wie sich zwei Medien in einer Medienkombination hinsichtlich ihrer medialen Eigenschaften zueinander verhalten und verändern. Weiterhin kann sich das medienkomparatistische Erkenntnisinteresse auf die historische Dimension des Medienvergleichs richten und damit Beiträge zu einer komparativen Mediengeschichte leisten.[34]

Resümierend lässt sich festhalten: Medienkomparatistik versteht sich als eine Komparatistik, die sich an und durch Medien vollzieht. Sie will damit den Kernbereich der Komparatistik erweitern und zugleich stärken. Ihre epistemische Stoßkraft gewinnt sie dadurch, dass sie sich nicht auf den Vergleich von Werken beschränkt, sondern ein besonderes Interesse für die Schnitt- und Schaltstellen des Medialen entwickelt. Medienkomparatistische Blick- und Denkweisen sind transhermeneutisch angelegt; sie fragen nicht nach Autoren und Narrationen, sondern nach Berührungsflächen und Vermittlungsterrains. Darüber hinaus konzentrieren sie sich auf die Verlaufsform des Vergleichs, setzen ihn also nicht fraglos voraus, sondern reflektieren ihn selbst als mediales Verfahren. Davon bleibt das medientheoretische Argumentationsfeld nicht unberührt. Wenn es der Medienkomparatistik um mediale Verhältnisbestimmungen geht, dann besteht eine ihrer wichtigsten Aufgaben darin, die komplexe Operation des in Beziehung-Setzens von Beziehungen medientheoretisch neu zu konturieren. Den vielgestaltigen Möglichkeiten, dieses Relationsdenken in Gang zu setzen, ist das Periodical *Medienkomparatistik* gewidmet.

Paech und Jens Schröter (Hg.). *Intermedialität Analog/Digital. Theorien – Methoden – Analysen*. München 2008 sowie Laura Zinn. *Fiktive Werkgenesen. Autorschaft und Intermedialität im Spielfilm der Gegenwart*. Bielefeld: transcript 2017. Zum Konzept der Transmedialität vgl. Uwe Wirth: „Hypertextuelle Aufpfropfung als Übergangsform zwischen Intermedialität und Transmedialität." In: Urs Meyer, Roberto Simanowski, Christoph Zeller (Hg.): *Transmedialität. Zur Ästhetik paraliterarischer Verfahren*. Göttingen 2006, S. 19-38.

34 Vgl. Michael Giesecke. *Die Entdeckung der kommunikativen Welt. Studien zur kulturvergleichenden Mediengeschichte*. Frankfurt/M.: Suhrkamp, 2007, insbesondere den Abschnitt „Prinzipien und Methoden einer komparativen Historiographie kultureller Kommunikation" (S. 246-306).

Jens Schröter (Bonn)

Media and Abstraction

> 'Concrete' and 'abstract' do not desig-
> nate a specific type of character.
> Bruno Latour

1) Introduction

The question to be discussed in this essay concerns the relation between differ-
ent media and the distinction between concrete and abstract entities or objects.[1]
What is the difference between concrete and abstract entities? The *Stanford
Encyclopedia of Philosophy* illustrates the difference in the following way:

> Some clear cases of abstracta are classes, propositions, concepts, the letter 'A', and
> Dante's *Inferno*. Some clear cases of concreta are stars, protons, electromagnetic
> fields, the chalk tokens of the letter 'A' written on a certain blackboard, and James
> Joyce's copy of Dante's *Inferno*.[2]

Although the difference seems intuitively clear, it has stirred up a lot of complicated philosophical discussions, especially in the twentieth century, on the
existence and ontology of abstract entities.[3] One immediately notes that the
examples from the *Stanford Encyclopedia* include for abstracta "the letter 'A', and
Dante's *Inferno*" and for concreta "chalk tokens of the letter 'A' written on a certain blackboard, and James Joyce's copy of Dante's Inferno" – entities that at
least could be included in a discussion on media theory.

But what is the motivation for this paper? To put it bluntly – there seems to be
a certain tendency in recent media studies to reject abstract entities and objects.
And this comes as no surprise, given the insistence on materiality in media studies (but is materiality really identical to concreteness?). To cite a prominent
example: In his *Passage des Digitalen*, right in the foreword, Bernhard Siegert
distances his project to describe the sign-practices of mathematics from the Platonism and intuitionism that is widely common in mathematics and implies that
mathematical objects somehow exist as such, perhaps similar to the 'third world'
of objective knowledge in the sense of Popper. Siegert argues that the "(ideal or
empirical) objects of science" should be understood as "the result of practices
with signs".[4] Important and correct in my mind is the point, that the existence of

---

1 This paper is *not* about the relation of media to abstract representations – an often
discussed case is the role photography played in the emergence of abstract painting.
2 Stanford Encyclopedia of Philosophy. "Abstract Objects". https://plato.stanford.edu/
entries/abstract-objects/, 30.01.18.
3 See: Kit Fine. *The Limits of Abstraction*. Oxford: Oxford University Press, 2002.
4 Bernhard Siegert. *Passage des Digitalen. Zeichenpraktiken der neuzeitlichen Wis-
senschaften 1500-1900*. Berlin: Brinkmann & Bose, 2003. P. 13. On Platonism in

'ideal objects' (that might be understood as abstract objects) is not *denied*, it is described as a *result* of material practices. I will come back to that.

The complete *rejection* of ideal or abstract entities is, it seems to me, especially typical for the reception of Actor-Network-Theory (= ANT) and some strands of Science and Technology Studies (= STS) in recent media studies. Just some examples: In a recent paper on the notion of *dispositif* Markus Stauff sums up certain recent tendencies (but here it is not about mathematical entities but about 'abstractions' like society):

> Instead of taking for granted the existence (and clear identity) of entities like society (or related concepts like the state, the global, capitalism, and organization), [...] Assemblage theory "seeks to replace such abstractions with concrete histories of the processes by which entities are formed and made to endure" (Acuto and Curtis, 2014, p. 7).[5]

Obviously abstractions or abstract entities should be 'replaced' by somehow interconnected and assembled concrete entities.

Here the notion of 'flat ontology', developed as far as I can see by Bruno Latour (very explicitly in *Reassembling the Social*), comes into play.[6] Since in this model every entity has to be on the same plane – the plane of immanence, as perhaps Deleuze would have said – there can be no abstract entities like 'society'. Another example: Tobias Röhl wrote recently, albeit with an important hint to avoid a metaphysics of the concrete: "How can we remain 'ontologically flat' [...] when talking about [...] macro phenomena without resorting to a metaphysical realm of a societal supra-structure?"[7]

There seems to be a difference to the position of Siegert: In ANT (and also some branches of ethnomethodology, as it seems) abstract entities are *rejected or replaced*, while Siegert at least in the quoted statement, describes material and

---

mathematics see: Mark Balaguer. *Platonism and Anti-Platonism in Mathematics*. Oxford: Oxford University Press, 2001.

5 Markus Stauff. "Materiality, Practices, Problematizations. What Kind of *dispositif* are Media?". https://www.academia.edu/34244735/Materiality_Practices_Problematizations._What_kind_of_dispositif_are_media_Extended_preprint_version, 30.01.18. P. 4.

6 See: Bruno Latour. *Reassembling the Social. An Introduction to Actor-Network-Theory*. Oxford: Oxford University Press, 2005. P. 16 and pp.165-172.

7 Tobias Röhl. "From Supra-structure to Infra-structuring: Practice Theory and Trans-situative Order". https://practicetheorymethodologies.wordpress.com/2016/12/16/tobias-rohl-from-supra-structure-to-infra-structuring-practice-theory-and-transsituative-order/, 30.01.18. Röhl quotes Schatzki. It is not possible here to analyze the highly problematic character of the concretist metaphysics proposed by Röhl, in some branches of ethnomethodology and in some readings of ANT. It suffices to say that there is a problematic similarity to methodological individualism that underpins neo-classcial economic theory and therefore neoliberal ideology, see Geoffrey M. Hodgson. "Can Economics Start from the Individual Alone?". *A Guide to What's Wrong with Economics*. Ed. Edward Fulbrook. London: Anthem Press, 2004. Pp. 57-67 and on a more fundamental level see Brian Epstein. "Ontological Individualism Reconsidered". *Synthese* 166.1 (2009): pp. 187-213.

medial *conditions of their possibility*. And that seems to be a far better solution, because ANT seems to run into a self-contradiction: Take the case of Bruno Latour: At first this trend to prefer the concrete seems to be central to his influential *Reassembling the Social* (and other works), in which he repeatedly insists that the abstract notion 'society' should be replaced by the description of concrete networks of human and non-human agents.[8] But: Latour's central imperative is on 'following the actors' and accepting the actor's own metalanguage (as he puts it) as valid. He remarks: "Its main tenet is that actors themselves make everything, including their own frames, their own theories, their own contexts, their own metaphysics, even their own ontologies."[9] This leads him to follow actors even when they posit 'fictional entities' like "spirits, divinities, voices, ghosts, and so on" as real in the sense that they make actors act.

> Is it not obvious that it makes no empirical sense to refuse to meet the agencies that make people do things? Why not take seriously what members are obstinately saying? Why not follow the direction indicated by their finger when they designate what 'makes them act'? [...] Why not say that in religion what counts are the beings that make people act, just as every believer has always insisted?[10]

Interestingly enough, the *Stanford Encyclopaedia of Philosophy* discusses in the lemma on 'abstract objects' explicitly entities conventionally (whatever that means) understood as 'fictional'. If such (presumably abstract) entities like 'divinities' should be accepted, why not 'society' or 'capitalism' (by the way: Capitalism was already explicitly compared to religion by Marx and by Benjamin[11])? Think of the fact, as Giddens has underlined, that actors actually *do* describe what makes them act in terms like 'society' or 'capitalism', these entities *are* part of everyday lingo.[12] And perhaps it is no coincidence that in recent STS, 'imaginaries' are objects worth of study.[13] The self-contradiction in Latour is: If you argue that we should follow the actors and their own metalanguages – how then to exclude a certain class of abstract entities ('society', 'capitalism') postulated by the actors?[14] What about actors that do not want to accept flat ontology and

---

8 Latour. *Reassembling* (see note 6), p. 5: "Even though most social scientists would prefer to call 'social' a homogeneous thing, it's perfectly acceptable to designate by the same word a trail of *associations* between heterogeneous elements."

9 Latour. *Reassembling* (see note 6), p. 147. See also p. 30.

10 Latour. *Reassembling* (see note 6), p. 234 and 235.

11 See: Walter Benjamin. "Capitalism as Religion [Fragment 74]". *The Frankfurt School on Religion. The Key Writings by the Major Thinkers*. Ed. Eduardo Mendieta. New York and London: Routledge, 2005. Pp. 259-262.

12 See: Anthony Giddens. *The Consequences of Modernity*. London: Polity Press, 2009. P. 43.

13 See: Sheila Jasanoff/Sang-Hyun Kim (eds.). *Dreamscapes of Modernity. Sociotechnical Imaginaries and The Fabrication of Power*. Chicago, London: The University of Chicago Press, 2015.

14 See: Bruno Latour. *An Inquiry into Modes of Existence. An Anthropology of the Moderns*. Cambridge/MA and London: Harvard University Press 2013. P. 37. He describes a fictitious anthropologist that is stunned by the fact that her 'informants'

prefer to have a non-flat ontology? You simply cannot postulate a 'flat ontology' in advance *and* 'follow the actors' at the same time.

Of course one has to be careful to differentiate – and this is a central point that needs a far more detailed analysis – different forms of what 'abstract' means: Is the abstractness of 'society' (to take Latours example) really the same as the 'circle-as-such' (see below)? Presumably not.

There is an alternative way to proceed: We could ask: What functions does the talk of 'abstract objects' have in which contexts? Even: What politics are connected to that? Even if we ontologically reject the existence of abstract entities – be it on the grounds of the unavoidable materiality of writing, be it on the grounds of a 'flat ontology' – we might concede that in some operations abstract entities might fulfil a certain or even necessary function (and in others not). Is not the invocation of abstract entities (at least sometimes) a logical necessity? E. g. if we want to observe not 'photography' as such and argue there is no such thing but only concrete 'photographic practices': Does that not already presuppose the notion of photography, or in Husserlian terms, the 'eidos' of photography, understood as a set of irreducible properties that make up photography[15], simply to have criteria to choose *these* specific practices (and not others) as examples, instantiations, of 'photography'? Seen in this way, the most concrete point of view already presupposes abstraction.[16] And the next question of course would be: How are different abstract entities actualized in different media? How are concrete and abstract related to each other in different medial configurations? Of course this is a very wide field, so it can only be discussed very selectively.

In the following these questions are discussed along a trajectory of three topics. In 2) the relations between media and the instantiation of the abstract is discussed. How are abstract objects constructed by medial operations? In 3) the point of view is reversed. The question is: How are concrete objects constructed by medial operations? In 4) another discussion is touched upon, namely how the relation between the abstract and the concrete is an eminently political question.

(meaning the actors to be followed) "fall back on incoherent statements that they try to justify by inventing ideal institutions, so many castles in the air." If the ANT-ethnographer has to follow the ontologies of the actors, why are then their invented 'ideal institutions' only 'castles in the air', should they not been taken seriously?

15 See: Edmund Husserl. *Erfahrung und Urteil. Untersuchungen zur Genealogie der Logik*. Hamburg: Meiner, 1976. Pp. 409-426. Husserls 'eidos' as the result of the procedure of eidetic variation is an ideal object and in that sense abstract – but it is absolutely necessary for the scientific structure of transcendental phenomenology, otherwise no structure of consciousness could be described, it would decay into a contingent chaos of phenomena. In that sense abstract objects could be seen as conditions of consciousness as such. See also: Richard Tieszen. "Consciousness of Abstract Objects". *Phenomenology and the Philosophy of Mind*. Eds. David Woodruff Smith/Amie L. Thomasson. Oxford: Clarendon, 2005. Pp. 183-200.

16 That is the central idea of the famous first chapter of Georg-Wilhelm Friedrich Hegel. *The Phenomenology of Spirit*. Oxford: Oxford University Press, 1977. Pp. 58-66.

2) Media and the Operationality of the Abstract

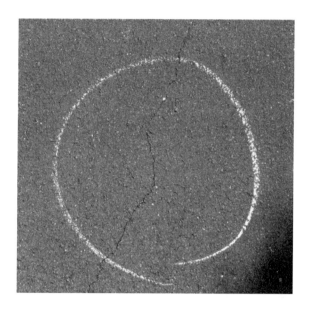

Fig. 1 A 'concrete' circle.
http://www.jefm.net/images/stories/blog/photo1.jpg, 08/02/2018.

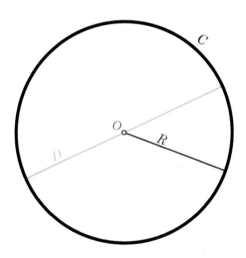

Fig. 2 The circle-as-such, an 'abstract' circle.
https://en.wikipedia.org/wiki/Circle#/media/File:Circle-withsegments.svg, 08/02/2018.
(A circle (black) which is measured by its circumference (C), diameter (D) in cyan, and
radius (R) in red; its centre (O) is in magenta).

Even if one insists – and that seems to be something you can hardly doubt – that every abstract entity has to be written down or in a way represented locally, the status of a given entity does not seem to change at least with some changes in the materiality of notation: A circle in chalk on a blackboard is of course far from an ideal circle defined as the set of all points in a plane that are at a given distance from a given point, the centre – but it does not become more or less of a circle when you change the colour of the chalk or write it on wood, etc.[17] Two different medial instantiations of a circle are closer to each other than to the ideally defined circle – what might be construed as an argument for a somewhat independent role of the abstract object. But we could also say: There is no need to postulate an abstract object, these are just two ways to *instantiate*[18] a circle, one as the set of different drawings of circles, one as the mathematical description of an ideal circle: There are two different ways to describe a circle, which are irreducible to one another and the first way is more concrete than the last way.

Interestingly enough, Nelson Goodman argued against the idea that images unavoidably are 'specific'. "A picture accompanying a definition in a dictionary is often such a representation, not denoting uniquely some one eagle, say, or collectively the class of eagles, but distributively eagles in general."[19] This is a complicated sentence: Especially the difference between a 'collective representation, representing a class of objects' and a 'distributive representation representing objects-in-general' is hard to understand. It is also not clear if the denoted 'general eagle' is an abstract object or not. Let us suppose it is, insofar a 'general eagle' is abstracted from all specific traits of concrete eagles: We could draw the conclusion that a certain arrangement of medial instantiations 'produces' a general image that might be understood as the representation or better: presentation of an abstract object (or a 'more' abstract object).

Wikipedia-entries e. g. obviously produce abstract objects as one of their functions – in fact that seems to be one task of dictionaries. Consider for example the case of horses. Imagine a dictionary that would contain only concrete cases. Every horse on the earth would have to be registered – at least ideally. Such a Borgesian project would be clearly undesirable. A dictionary may contain articles about concrete entities (e. g. 'this horse that has won Ascot in 1986'), but also on general and/or abstract entities: 'The horse-in-general'. Of course one could try to solve this in a nominalist way: 'Horse-in-general' is just a label given to a class of phenomena subsumed under that level. But then again: How to decide which phenomena to subsume? Does not that presuppose the general category which should be produced by the subsumption in the first place? Abstract entities seem to be of use in other situations: Consider the following case:

---

17 Mathematical Objects like a circle are obviously allographic in Goodmans sense, see: Nelson Goodman. *Languages of Art. An Approach to a Theory of Symbols.* Indianapolis et al.: Bobbs-Merril, 1968. P. 113.

18 Although the notion of instantiation seems already to presuppose the ideal concept of the circle.

19 Goodman. *Languages* (see note 17), p. 21. See also: Neil McDonnell. "Are Pictures Unavoidably Specific?". *Synthese* 57.1 (1983): pp. 45-102.

Hygrophorus atramentosus (Secr.) Haas et Haller

Synonym: *Hygrophorus caprinus* ss. Bres.
Hut: 4–8 cm, kugelig bis glockig bis mehr ausgebreitet, manchmal auch niedergedrückt, Rand lange eingerollt, dann flach, dünn, grau, grau-schwarz oder grau mit bläulichem Beiton, Oberfläche schwärzlich faserig.
Lamellen: Weiß, dann grau mit bläulichem Schein, entfernt, dick, ziemlich breit, am Grunde aderig verbunden, am Stiel angewachsen bis herablaufend.
Stiel: Gleichdick, von oben nach unten leicht verdickt, faserig, grau.
Fleisch: Weiß, ohne besonderen Geruch und Geschmack.
Sporen: Länglich elliptisch, glatt, 8–9×4–5 µm. Sporenpulver weiß.
Vorkommen: In Fichtenwäldern auf Kalkboden. Eher selten. Sommer–Herbst.
Wert: Guter Speisepilz.
Name: Von *atramentum* (lat.) = Tinte. Wegen der dunklen Farben.

Bemerkungen: Der Pilz ist erst vor kurzer Zeit als eigene Art von *Hygrophorus camarophyllus* abgetrennt worden wegen der mehr ins Grau als ins Braun gehenden Farbe. Er kann mit *Hygrophorus caprinus* ss. Bres gleichgestellt werden. Die Abbildung trägt wegen technischer Mängel nicht den richtigen Grauton und erinnert an den auf der vorhergehenden Seite beschriebenen Pilz. Die Oberfläche des Hutes ist erkennbar weniger faserig und glänzend.

Natürliche Größe

73

Fig. 3 Hygrophorus atramentosus, from: Bruno Cetto. *Enzyklopädie der Pilze.*
Vol. 2. München: BLV, 1987. P. 73.[20]

Tricholoma sulphurescens Bres.

Hut: 4–8 cm, fleischig, gewölbt bis ausgebreitet; weiß bis ledergelb, ocker angehaucht.
Lamellen: Dick, sehr gedrängt, mit Zwischenlamellen, am Stiel abgerundet, am Stiel eine deutliche Rinne bildend. Die Lamellenschneide ist leicht unregelmäßig gesägt.
Stiel: 6–9×1–1,5 cm, gleichdick, Basis leicht verdickt, unregelmäßig, weiß, Spitze fast glatt, abwärts fuchsig-punktiert-schuppig.
Fleisch: Weiß, bei Berührung und im Alter schwefelgelblich werdend. Geruch unangenehm, ähnlich dem des Lästigen Ritterlings (*T. inamoenum*) und des Strohblassen Ritterlings (*T. album*); Geschmack etwas scharf.
Sporen: Hyalin, fast kugelig, 4–6×4–5 µm.
Vorkommen: In Laubwäldern, besonders unter Eichen. Herbst.
Wert: Verdächtig.
Name: Von *sulphurescens* (lat.) = schwefelgelb werdend. Wegen der Farbe.

Bemerkungen: Die abgebildeten Exemplare zeigen nicht die punktierte Ornamentierung am Stiel. Der Geruch des frisch gepflückten Pilzes, die charakteristischen Lamellen und das gilbende Fleisch zerstreuten die Zweifel bei der Bestimmung. Die erste Bestimmung wurde durch wiederholtes Riechen (*T. lascivum* (Fr.) Gill.) und der Strohblasse Ritterling (*T. album*), ebenfalls weiße Pilze mit unangenehmen Geruch, haben einen glatten Stiel und das Fleisch verfärbt sich nicht gelb.

½ natürliche Größe

265

Fig. 4 Tricholoma sulphurescens, from: Bruno Cetto. *Enzyklopädie der Pilze.*
Vol. 2. München: BLV, 1987. P. 265.

---

20 In this, as in all following cases, the nomenclature may no longer be valid, but that does not affect the argument presented here.

These are images from a mushroom dictionary, the famous *Cetto*, which is a little out-dated now, but still one of the most comprehensive encyclopaedias for European mushrooms. The book shows, as photographs, on the one hand *these* concrete specimens of mushrooms and, together with the dictionary-context, on the other hand 'types-of-mushrooms-in-general': In fact, that is its function. Why should we be interested in *these* concrete mushrooms, which existed years ago and have since rotted away and disappeared? We are interested in the information the image, and the image in combination with the text, gives us about these 'types-of-mushrooms-in-general', so that we can learn to identify these particular mushrooms when we find them in the future. The images as general images exemplify[21] the future. But interestingly enough, often the photographs of concrete specimens are not 'typical' enough. The photo in Fig. 3 is commented: "The image shows, due to technical shortcomings, not the right shade of grey and so looks like the species shown on the page before". Photography has technical limitations and shortcomings that distort the appearance of the 'type' in the dictionary – in a way, that undermines its difference from another species, which is of course the worst case scenario for the construction of types in a dictionary. The photo in Fig. 4 has a different comment: "The shown specimen doesn't show the punctuation and ornamentation on their stems. The smell of the freshly gathered mushroom, the characteristic gills and the yellowing flesh dispelled the doubts while classification". Here the situation is somewhat different: A normally 'typical' trait of the species (a certain ornamentation on the stem) is missing, nevertheless the found specimens are classified as Tricholoma sulphurescens. In some cases such missing traits lead to the discussion if a completely new species is found or perhaps a variation of a known species – but not in this case. Specimens in nature may exhibit contingent differences from established categories, so that a discussion starts how to classify the found species. This discussion can be found in the *Cetto* in different ways in different cases. These are not isolated occurrences in the *Cetto* (and in other dictionaries using photography). The problem may be that the photo was taken under unfortunate circumstances (because the indexicality of the photograph of course not only connects the concrete object with the image, but also the photographer with the situation in which the image was taken). Or it might be that photography due to its indexical character shows unexpected contingencies of real specimens. Both cases have to be corrected by commentary – that shows why general entities in dictionaries are at least partially abstract, the representations have literally to abstract from contingent, atypical cases.

Therefore one often finds mushroom dictionaries, in which the specimens are *drawn* (see Fig. 5). You can represent them in a 'typical' way, one could say ironically, as an image of the Platonic idea of the given species, as the – as it is called in mycology itself – 'type'.

At this point defenders of media specificity could try to argue that here a fundamental difference between drawing and/or painting and photography

---

21 See: Goodman. *Languages* (see note 17), p. 52-57.

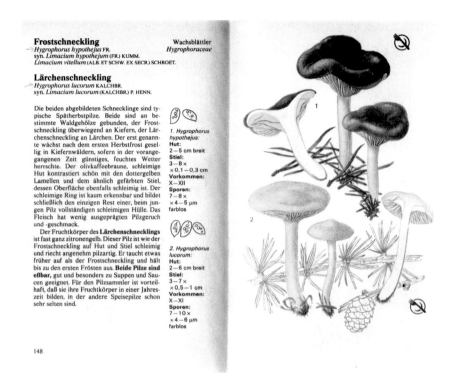

Frostschneckling
Hygrophorus hypothejus FR.
syn. *Limacium hypothejum* (FR.) KUMM.
Limacium vitellum (ALB. ET SCHW. EX SECR.) SCHROET.

Wachsblättler
Hygrophoraceae

Lärchenschneckling
Hygrophorus lucorum KALCHBR.
syn. *Limacium lucorum* (KALCHBR.) P. HENN.

Die beiden abgebildeten Schnecklinge sind typische Spätherbstpilze. Beide sind an bestimmte Waldgehölze gebunden, der Frostschneckling überwiegend an Kiefern, der Lärchenschneckling an Lärchen. Der erst genannte wächst nach dem ersten Herbstfrost gesellig in Kiefernwäldern, sofern in der vorangegangenen Zeit günstiges, feuchtes Wetter herrschte. Der olivkaffeebraune, schleimige Hut kontrastiert schön mit den dottergelben Lamellen und dem ähnlich gefärbten Stiel, dessen Oberfläche ebenfalls schleimig ist. Der schleimige Ring ist kaum erkennbar und bildet schließlich den einzigen Rest einer, beim jungen Pilz vollständigen schleimigen Hülle. Das Fleisch hat wenig ausgeprägten Pilzgeruch und -geschmack.

Der Fruchtkörper des **Lärchenschnecklings** ist fast ganz zitronengelb. Dieser Pilz ist wie der Frostschneckling auf Hut und Stiel schleimig und riecht angenehm pilzartig. Er taucht etwas früher auf als der Frostschneckling und hält bis zu den ersten Frösten aus. **Beide Pilze sind eßbar,** gut und besonders zu Suppen und Saucen geeignet. Für den Pilzsammler ist vorteilhaft, daß sie ihre Fruchtkörper in einer Jahreszeit bilden, in der andere Speisepilze schon sehr selten sind.

1. Hygrophorus hypothejus:
Hut:
2—5 cm breit
Stiel:
3—8 ×
× 0,1—0,3 cm
Vorkommen:
X—XII
Sporen:
7—8 ×
× 4—5 µm
farblos

2. Hygrophorus lucorum:
Hut:
2—6 cm breit
Stiel:
3—7 ×
× 0,5—1 cm
Vorkommen:
X—XI
Sporen:
7—10 ×
× 4—6 µm
farblos

148

Fig. 5 Hygrophorus hypothejus and Hygrophorus lucorum, from M. Svrček/B. Vančura. *Pilze bestimmen und sammeln.* München: Mosaik 1976, p. 148.

and other indexical media[22] in the strict sense becomes visible: While photography remains tied at least *also* to the concrete *this*; painting is general. But is that not wrong, because there can be paintings of highly specific subjects, e.g. in portraiture?[23] Paintings can never testify for the existence of the depicted, as can photography (at least under controlled conditions)[24], but it surely can depict concreta: To show concreteness seems to be not the same as to show existence.

---

22 This differentiation has to be handled with care: Photography has an indexical relationship to the depicted object that painting has not – but in painting you have another indexical level, namely the traces the painter's brush left on the surface. So there are no pure 'indexical' or 'iconical' media but most often complex constellations of different semiotic modes.

23 On the one hand, we could object that even a portrait of a concrete person, like.g. Goethe, does not depict Goethe concretely (this Goethe on that specific day) but more often an idealized Goethe, his 'Goethicity'. On the other hand, it might in principle be possible to paint something very concrete – imagine the case when someone takes a photo of a concrete object and then transfers that image painstakingly with oil to a canvas, would we not have to say that the painting shows a concrete object? Thanks to Bernhard Siegert for interesting discussions on that topic.

24 Although there is the interesting case of courtroom drawings – they testify for the existence of persons in the courtroom and therefore functionally substitute

With the notion of the 'type' we enter the field of a distinction, namely that between a 'type' and its 'tokens' made by Charles Sanders Peirce, which bears some relevance here. To put it simply: Every written instance of, as an example, a '4' is a token of the quasi-Platonic type 'four' – and we can identify the token '4' by understanding it in a kind of comparison to the type. Nelson Goodman argues:

> I prefer [...] to dismiss the type altogether and treat the so-called tokens of a type as replicas of one another. An inscription need not be an exact duplicate of another to be a replica, or true copy, of it; indeed, there is in general no degree of similarity that is necessary or sufficient for replicahood.[25]

Goodman as self-declared nominalist[26] does not like the (at least latent) universal-realist type/token-distinction. He prefers – another new notion in the already messy debate – 'replication' as a solution to the problem. (By the way: This shows that the above mentioned question, whether for Goodman 'distributively general pictures' are pictures representing abstract objects, at least if these are understood in a Platonist way, would have to be answered with a clear 'no'.) But what is the replica-relation that binds different instantiations of a character together, if not constituted by a relation to a type? Obviously for Goodman it is not a relation of form or similarity[27], but purely contextual knowledge and convention – and in this sense no type is needed. The different images of mushrooms are not to be seen as tokens instantiating a type but as replicas of each other, conventionally linked.

But this still does not quite explain the function such images can have for concrete operations of collecting mushrooms. It would be confusing to describe the real specimens in the forest as replicas of the drawing of the mushroom in a mushroom dictionary. Would it not be helpful to say, that in this operational sequence a 'type' is created, the 'ideal mushroom', which we use for our collecting practices? The situation becomes even more complex when considering fictional entities, but I cannot delve deeper into the discussion of fictional entities here.[28]

---

photography. See for example Charlotte Barlow. "Sketching Women in Court: The Visual Construction of Co-accused Women in Court Drawings". *Feminist Legal Studies* 24 (2016): pp. 169-192.

25 Goodman. *Languages* (see note 17), p. 131.

26 See: Goodman. *Languages* (see note 17), p. xiii.

27 See: Goodman. *Languages* (see note 17), p. 138.

28 For an overview relating to questions of media theory, see: Jens Schröter. "Überlegungen zu Medientheorie und Fiktionalität". *Fiktion im Vergleich der Künste und Medien*. Hg. Anne Enderwitz/Irina O. Rajewsky. Berlin u. a.: De Gruyter, 2016. Pp. 97-124.

3) Media and the Production of the Concrete

Until now the question was, whether it really makes sense to discard the talk of 'abstract entities' as completely use- and senseless or whether there may be cases in which they get construed for a specific function at a certain time. Now, one could reverse the question and ask: Are we really better off when focusing only on the 'concrete' – whatever exactly that might be. Latour's position is more complex than that. He does not privilege the concrete in a simple way:

> [T]he enquirer will be tempted to privilege some figurations as being 'more concrete' and others as 'more abstract', thus falling back into the legislative and policing role of the sociologists of the social and abandoning the firm ground of relativism.[29]

This quote and many more firstly shows that the question of concrete vs. abstract plays a central role in ANT[30]; and secondly that we would misunderstand ANT, if we were to argue that it simply prefers concrete to abstract.[31] Thirdly, as I argued above, due to its principle of following the actors, it cannot exclude abstract entities from its 'flat ontology', at least if some actors think that abstract entities exist or act (perhaps when collecting mushrooms) as if abstract entities existed.

The so called 'concrete' seems not be so fundamental after all, at least for Latour, and of course there is a long tradition of the critique of privileging the concrete *this*, the seemingly *given* in positivist approaches. Latour, by the way, declares himself to be a positivist.[32] The whole idea of a complete and neutral description so present in ANT[33] is non-sensical: A 'pure description' without any premises is impossible[34]; even if it were impossible, it is never completed, because networks are infinite; and even if it were possible and it could be completed in a

---

29 Latour. *Reassembling* (see note 6), p. 58.

30 This text is a first step towards a media-archaeology of concrete and abstract entities.

31 A colleague of mine once remarked that in ANT (and perhaps STS) the central argument is about privileging the concrete (over the abstract) – at least that does not seem to be the opinion of Latour. See also: Latour. *Reassembling* (see note 6), p. 54: "As far as the question of figuration is concerned, there is no reason to say that the first is a 'statistical abstraction' while the other would be a 'concrete actor'. Individual agencies, too, need abstract figurations. When people complain about 'hypostasizing' society, they should not forget that my mother-in-law is also a hypostasis—and so are of course individuals and calculative agents as much as the infamous Invisible Hand."

32 See: Latour. *Reassembling* (see note 6), p. 156. Hegel's critique of the *this* was already mentioned above.

33 See: Latour. *Reassembling* (see note 6), p. 137.

34 D. Wade Hands. *Reflection without Rules. Economic Methodology and Contemporary Science Theory.* Cambridge: Cambridge University Press, 2001. Pp. 208-210: underlines the role of economic metaphors in ANT, meaning that there is always already a specific framework in place.

meaningful way, the question still remains what exactly the use is in simply doubling and mirroring an existing practice. Purely doubling the practices of actors makes social science superfluous – Callon, by the way, admits that: After having written 'that social scientists do not have special access to a truth that would be inaccessible to actors themselves' some lines later he states:

> The role of the anthropology of (the) econom(y)ics is, I believe, to make these anthropological struggles explainable in their theoretical and practical dimensions, by *identifying and revealing the forces* that, in a more or less articulated way, challenge the dominant models and their grip on real markets.[35]

Here, the social scientist or anthropologist 'reveals' (and 'identifies') something, meaning that it obviously has been hidden and misunderstood before, hidden to the actors involved and misunderstood by them. Obviously, scientists like Callon need access 'to a truth that would be inaccessible to actors themselves' – otherwise they simply would be no scientists and could not 'explain' anything, a notion Callon uses in the quote. This critique shows that a pure description of the given *this* is simply impossible.

The least we can say is: To argue that the abstract can be 'replaced' by the concrete presupposes that the concrete is given as *purely concrete*, that there is nothing abstract in it or nothing abstract necessary to identify it (which reminds us of the mushroom example – perhaps we need at least some abstracted notion or pattern to identify something as a concrete occurrence of this type of entity). Perhaps the concrete, individual element is not the primarily given but always already contaminated by the abstract and we need operations that – so to say – show it, point to it, cut it out from a background, frame and isolate it to produce it *as a* concrete given. This is very sketchy but at least it points to the possibility that there might be not only a construction of the abstract but also of the concrete. The concrete is not given but appears, perhaps temporarily, as result of some operations. Coming back to collecting mushrooms: Imagine I find some mushrooms in the woods. I compare them with the 'type' in the book. By this operation I construct the drawing as the type (insofar I accept it as such) – and in parallel, I produce the mushrooms before me as concrete specimens – which might in some details differ from my type. Their ontology as abstract and concrete is produced in that operation. And of course it could be otherwise in other operations. We could point to the image in the dictionary and show it as a concrete example of general-or-abstract-type-images-of-mushrooms-in-mushroom-dictionaries. And we could point to the mushrooms in the woods and show them as mushrooms-in-general.

Perhaps we have to lead us to accept that there are always changing configurations of abstract/concrete and never ever concrete or abstract entities given as such.

---

35 Michel Callon. "Why Virtualism Paves the Way to Political Impotence. Callon Replies to Miller". *Economic Sociology. European Electronic Newsletter* 6.2 (2005): Pp. 3-20, here p. 12, emphasis added. http://econsoc.mpifg.de/archive/esfeb05.pdf, 30.01.18.

4) Media and the power of the concrete/abstract-dichotomy

There is an interesting passage in the first edition of *Capital* by Marx:

> Es ist als ob neben und außer Löwen, Tigern, Hasen und allen andern wirklichen Thieren, die gruppirt die verschiednen Geschlechter, Arten, Unterarten, Familien u. s. w. des Thierreichs bilden auch noch *das Thier* existirte, die individuelle Incarnation des ganzen Thierreichs. Ein solches Einzelne, das in sich selbst alle wirklich vorhandenen Arten derselben Sache einbegreift, ist ein *Allgemeines*, wie *Thier, Gott* u. s. w.[36]

In this quote Marx speaks about money. Money as the general commodity, the purely abstract instantiation of value as such is for Marx – at least in this quote – as crazy as if besides all concrete animals the abstract 'animal-as-such' would exist in reality. Sohn-Rethel invented the notion of 'Realabstraktion' for such phenomena.[37] Money is a real existing abstract object. At least for some strands of marxian critique of political economy the dichotomy of concrete and abstract is absolutely central for the description of capitalism: Marx speaks of abstract labour as opposed to concrete labour; abstract wealth as opposed to concrete wealth – and Moishe Postone added the regime of abstract time reigning over us, as everyone of us knows when the alarm clock rings in the morning. Not surprisingly, Alain Badiou tried to connect this role of abstract wealth in the Marxian traditions with the question for the ontology of mathematical objects, especially numbers, in his study *Number and Numbers*.[38] But be that as it may: It is very interesting that Marx at several points in his work describes the production of the abstract as a quite performative process:

> Every moment, in calculating, accounting etc. [...] we transform commodities into value symbols, we fix them as mere exchange values, makings abstraction from the matter they are composed of and all natural qualities. On paper, in the head, this metamorphosis proceeds by means of mere abstraction; but in the real exchange process a real *mediation* is required, a means to accomplish this abstraction.[39]

And this *means*, this *mediation*, this *medium* is money. It is a medium of abstraction that in practices of calculating and accounting produces abstract value.

---

36 Karl Marx. *Das Kapital. Kritik der Politischen Ökonomie. Erster Band. (MEGA II.5).* Berlin: Dietz, 1983 [1867, first edition]. P. 37, italics by Marx. Translation into English by J. S: "It is as if besides und beyond Lions, Tigers, Hares and all other real animals, which, grouped into different sexes, species, subspecies, families, ect., are the kingdom of the animals, additionally *the animal as such* existed, the individual incarnation of the whole animal kingdom. Such a single entity that encompasses in itself all really existing specimens of the same thing, is a general entity, like animal, god, etc."

37 See: Alfred Sohn-Rethel. *Intellectual and Manual Labor. A Critique of Epistemology.* Atlantic Highlands/NJ: Humanities Press, 1978.

38 See: Alain Badiou. *Number and Numbers.* Cambridge: Polity Press, 2008.

39 Karl Marx. *Grundrisse.* London: Penguin Press, 1993. P. 142, italics by Marx.

The abstract is not to be explained away or replaced: Its ongoing production, its coming in and flipping out of existence, its procedural ontology has to be described. And as the example of Marx shows: This question is highly political. The ontology of concrete and abstract is central for power and crisis in capitalism. Especially given the fact – but that is another topic I cannot go into here – that contemporary capitalism is based on digital infrastructures. How far digital technologies as symbol manipulating technologies, mathematical technologies are not at least in part *abstract technologies* remains to be discussed.[40] At least it seems that there is *something abstract* in digital capitalism.

Finally, there is a case in which the medial operationality of the abstract, discussed in 2) and the question of the power of the concrete/abstract dichotomy meet. This case is by no means something exotic and special: *Advertising*. Advertising as "capitalist realism"[41] has on the one hand a clear function in the ongoing transformation of the concrete use-value into abstract exchange-value and back. On the other hand its representations often work with general and/or abstract imagery – an advertisement showing a blonde woman drinking euphorically a fruit juice doesn't say that only blond women should drink this juice. The blonde woman is an image of the 'happy-consumer-as-such', a general image (this situation gets complicated if famous film stars act in advertising: they on the one hand represent the 'happy-consumer-as-such', but also themselves as desirable individuals). Advertising is the very daily place where general/abstract images operate in the powerful concrete/abstract-regime of capitalism.

Conclusion

Abstract entities seem to be a pressing problem in the 'flat ontology' of ANT. My conclusion is that it might be better not to discard and replace abstract entities by concrete entities, but instead look at the medial operations in which abstract entities get temporarily constructed for different functions. In the same movement also concrete entities are produced, both can easily change their places.

My argument was quite sketchy and preliminary, only a hint for research to come and several problems appeared:

1. What exactly do we mean when speaking about abstract entities? How to differentiate concrete/abstract from singular/general or particular/universal? This has to be clarified in more detail. Is it really the same kind of abstraction when speaking about 'society', 'the type of Hygrophorus atramentosus', 'money in exchange' or 'the circle as such'? Is concrete/abstract really a dichotomy or more a graded continuum?

2. Historical perspectives could be helpful: Is there a history of abstract entities? Obviously at other times other conceptions prevailed – so there might be a

---

40 See: Eric Roberts. *Programming Abstractions in C. A Second Course in Computer Science*. Reading/MA et al.: Addison-Wesley, 1997.

41 Michael Schudson. *Advertising, The Uneasy Persuasion: It's Dubious Impact on American Society*. New York: Basic Books, 1984. Pp. 209-233.

media-archaeology of the abstract. Or is there a media-archaeology of concrete/abstract-constellations?

3. Empirical studies in the sense of ethnography may focus on the question how abstract (or general etc.) entities are produced and used with different media in given situations – that could be called, with a notion I borrow from my PhD-Student Julian Rohrhuber, 'abstract situations'. Abstract entities could be seen as non-human actors instead of banning them – inconsistently – from 'flat ontology'.

4. Last but not least: Following Marx and Badiou a political theory of concrete vs. abstract could be formulated, that analyses the on-going production of the difference concrete vs. abstract as a highly political process, mostly mediated by money.

Lorenz Engell (Weimar)

Die Leere und die Fülle

Vom Bewegungsbild des Films zum Raumbild des Dioramas

Bilder werden zumeist begriffen als erstens zweidimensional, flächig und in der Fläche durch ihren Rahmen begrenzt, und zweitens als ruhend, unveränderlich und unbewegt.[1] Keines dieser Bestimmungsstücke ist jedoch notwendig. Wenn man etwa Henri Bergsons sehr grundlegende Überlegungen zum Bild voraussetzt, sind Bilder vielmehr einerseits dadurch gekennzeichnet, dass sie eigens zur Wahrnehmung bestimmt und bestellt sind, andererseits jedoch und geradezu im Widerspruch dazu Wahrnehmung erst herbeiführen, möglich und sogar notwendig machen.[2] Etwas genauer fasst Bergson unter einem Bild offenbar ein Objekt der Wahrnehmung, das die Wahrnehmung so unter Bedingungen setzt, dass diese es nur wahrnehmen kann, wenn es zugleich seine Wahrgenommenheit wahrnimmt, also wahrnimmt oder weiß, dass es sich beim Bild um ein wahrgenommenes und die Wahrnehmung adressierendes Objekt handelt. Wie Bergson weiter entfaltet, gehört dann zunächst die Beweglichkeit zum Bild unbedingt dazu (allenfalls nachträglich kann sie weggenommen werden); und spezielle Bilder zeichnen sich sogar ausdrücklich durch ihre Wandlungsfähigkeit, ihre evolutives Potential und ihre Eingelassenheit in die Zeit aus.[3] Diese Bilder identifiziert Gilles Deleuze in den berühmten „Bergson-Kommentaren" mit den Bildern des Films und baut darauf seine gesamte Filmphilosophie auf.[4] Bislang kaum entfaltet dagegen ist die – weder Bergson noch Deleuze besonders interessierende – Raumqualität der Bilder. Bilder werden weithin mit Zweidimensionalität verbunden.[5] Auch räumliche Arrangements – Gegebenheiten oder Artefakte – jedoch können unter Bergsons Bildbegriff fallen, können die Wahrnehmung oder das Wahrgenommensein, unter das sie sich stellen, herbeiführen, ausstellen

---

1 Die Flächigkeit als Kriterium der Bildlichkeit (und folglich ihre Reflexion speziell im Bild der modernen Malerei) wurde besonders folgenreich herausgestellt von Clement Greenberg. "Modernist Painting." In: John O'Brian (Hrsg.), Clement Greenberg. The Collected Essays and Criticism, Chicago/London 1986 (Vol. 1, Vol. 2), 1993 (Vol. 3, Vol. 4), hier: Vol. 4, S. 85-93. Der Gedanke findet sich aber fortgesetzt und ergänzt um das Moment der Simultaneität z. B. bei Sybille Krämer. "Operative Bildlichkeit. Von der Grammatologie zu einer "Diagrammatologie"? Reflexionen über "Erkennendes Sehen." In: Martina Heßler, Dieter Mersch (Hg.). *Logik des Bildlichen. Zur Kritik der iconischen Vernunft*. Bielefeld: Transcript, 2009, S. 94-122, hier: S. 95f; S. 98f.

2 Henri Bergson. *Matière et mémoire. Essai sur la relation du corps à l'esprit*. Paris : Félix Alcan, 1896, S. 3ff.

3 Ebd., S. 13f.

4 Gilles Deleuze. *L'Image-mouvement* (=Cinéma, t. 1). Paris: Minuit 1983, S. 9-22; S. 83-103; dt.: *Das Bewegungsbild* (=Kino, Bd. 1). Frankfurt/M.: Suhrkamp, 1989, S. 13-26; S. 84-102.

5 Vgl. oben Fußnote 1.

und operationalisieren. Ein flagrantes Beispiel dafür ist das Diorama, in Sonderheit das in Naturkunde-Museen zu findende Habitat-Diorama.[6] Im folgenden werde ich ein Diorama exemplarisch analysieren, und zwar in Hinsicht auf ein von Deleuze anhand des Bewegungsbildes entwickeltes (doppeltes) Kriterium, nämlich dasjenige der Leere und der Fülle. Dies wird es möglich machen, Film und Diorama zu vergleichen, Eigenschaften des Bewegungs- und des Zeitbildes in verschobener Weise auch im Diorama wiederzufinden und zugleich markante Unterschiede zu beobachten. Zudem werden auch verschiedene Typen des Dioramas in ihrem Verhältnis zueinander und in ihren Übergängen konturierbar. Dabei werden auch in Sonderheit die Phänomene der Atmosphäre, der Indexikalität und der Evidenz relevant.

Bild 100[7]

Dieses besonders faszinierende Diorama (Bild 100) befindet sich in der Drexel Academy of Natural Sciences in Philadelphia und zeigt eine Landschaft aus dem „Désert de Borkou" am Südrand der Sahara, unweit des Tibesti Gebirges, im nördlichen Tschad gelegen. Die aufgestellten Tiere sind heute sämtlich, außer der kleinen Wüstenschildkröte halb links, aufgrund von Überjagung durch Menschen vom Aussterben bedroht. Links, im Schatten, sehen wir die

---

6 Zur Einführung in die Geschichte und Analyse des Habitat Dioramas s. Karin Wonders. *Habitat Dioramas: Illusions of Wilderness in Museums of Natural History.* Uppsala: Acta Univ. Upps., 1993 ; Katharina Dohm, Claire Garnier, Laurent Le Bon, Florence Ostende (Hg.): *Dioramas*, Paris (Ausst.-Kat. Palais de Tokyo): Flammarion, 2017; Stephen Quinn. *Windows On Nature. The Great Habitat Dioramas at the American Museum of Natural History New York.* New York: Abrams, 2006.
7 Sämtliche Fotografien sind von Lorenz Engell.

Addra-Antilope, dahinter eine Gruppe kleinere Dorcas-Gazellen, in der Mitte und im vollen Licht die Gruppe der Addax-Antilopen, rechts, wieder im Schatten, die Oryx- Antilope, die einzige Antilopenart nebenbei, die ihr Horn als Waffe gegen Raubtiere einsetzt.[8] Das Diorama entstand relativ spät, 1956. In einem besonderen Kabinett dokumentiert das Museum auch die aufwändige Herstellung eben dieses Dioramas von der Planung und Durchführung der dazugehörigen Jagdexpedition über zahlreiche Arbeitsschritte in den Werkstätten des Museums bis zur endlichen Fertigstellung an dem Ort, an dem es sich heute noch befindet. Ich komme darauf zurück. Die beteiligten Jäger und Künstlerinnen konnte ich bis jetzt nicht ermitteln; Filmaufnahmen weisen immerhin darauf hin, dass die Ausführung des markanten Horizontgemäldes in den Händen einer Künstlerin lag, was mir eine Seltenheit zu sein scheint.[9]

1. Die Neigung zur Leere und die Neigung zur Fülle

Was an diesem Diorama sofort auffällt, ist seine seltsam leere und obendrein onirische, fast surreale Anmutung. Was jedoch zuerst aussieht wie eine vielleicht sogar im Duktus der amerikanischen Kunst der Zeit zur Abstraktion neigende Darstellung, kann, das zeigen stolz die ausgestellten Dokumente vom Herstellungsprozess, dennoch sehr wohl als ganz genaue Abbildung der Landschaftssituation in situ gelten.[10] Dennoch, auch ein näheres Hinsehen, selbst auf das Faux Terrain im Vordergrund, legt nicht etwa eine zuvor unbemerkte Fülle beispielsweise winziger feiner Details frei, sondern bestätigt vollkommen den Eindruck einer relativen Leere zwischen den Körpern und den Dingen, und schon gar des Himmels und der Wüste im Rundgemälde. Man könnte nun meinen, dass diese Neigung zur Leere dem Vorwurf, also der Wüstenlandschaft selbst und dem Himmel über der Wüste, geschuldet sei. (Bild 200) Ein Vergleich mit einem ganz ähnlichen Diorama im New Yorker American Museum of Natural History jedoch widerlegt diese Annahme. Es stellt die Libysche Wüste dar, bietet aber im Vergleich weit mehr an Detailfülle, Dichte und Geschlossenheit. Ebenfalls in New York ist dieses Antilopendiorama zu sehen (Bild 220), das die Tendenz zur Fülle und Dichte noch viel deutlicher aufweist. Selbst die Betrachterin wird, so scheint es, stärker und intensiver adressiert. Wir können die Techniken der Fülle an diesem Diorama sogar beispielhaft studieren. So sind etwa im Faux Terrain mit arrangierter Zufälligkeit die Trittspuren der Tiere hinterlassen; die Dichte der dreidimensionalen und vermutlich authentischen Trockengräser des Vordergrunds bilden mit ihren gemalten Pendants des Hintergrunds ein verwirrendes Geflecht, und auch die relieffförmig ausgeführten Farbtexturen des Gemäldes verdoppeln diejenigen der Objekte des Faux Terrain zu einem einzigen feinen und detaillierten Gewebe. Eher makrostrukturell tritt die Fülle uns in diesem großen, mehrfenstrigen Diorama im Naturkundemuseum in Bern entgegen, das

---

8   https://www.flickr.com/photos/narniabound/2220021785, aufgerufen am 5.3.2018.
9   ansp.org/exhibits/dioramas/, aufgerufen am 5.3.2018.
10 ansp.org/exhibits/gallery-exhibits/secrets-of-the-diorama/, aufgerufen am 5.3.2018.

ebenfalls eine vergleichbare Landschaft und eine vergleichbare Tiergruppe darstellt (Bild 300). Es finden sich hier vor allem unzählige Tiere verschiedenster
Arten dicht zusammengestellt, das Faux Terrain versammelt erneut Tritt- und
Hufspuren, Wühlungen, zertretene Zweige und andere Objektreste. Diese
Dichte setzt sich ebenfalls jenseits der Taxidermien im gemalten Bildraum nahtlos fort, der hier etwa die Gruppen der Zebras und der Antilopen ins Weite und
zu dichten Herden verlängert.

Bild 200

Bild 220

Bild 300

Bild 400

Die Neigung zur Leere und diejenige zur Fülle der Dioramen scheinen völlig eigenständig zu sein. Sie hängen weder an besonderen Habitaten, noch an Tiergruppen, und auch nicht an Museen und ihren jeweiligen Diorama-Stilen und Vorlieben. Ein paar Beispiele sollen dies erläutern. (Bild 400) Dieses Seehund-Diorama befindet sich in Braunschweig und liefert ein deutliches Beispiel für die Neigung zur Leere, die sicher von der Weite des Meeres und des Himmels ihren Ausgang nimmt und die durch die rötliche Sonne der Bildmitte erneut

einen seltsam traumhaft-surrealen Charakter annimmt. Aber die Leere wird
erneut auch bei näherem Hinsehen nicht aufgefüllt, sondern bestätigt sich
sogar eher bei der Betrachtung des Vordergrunds in den Abständen zwischen
unterscheidbaren Objekten auch des Faux Terrain. Dass dies keineswegs zwingend ist für eine Darstellung von Robben am leeren Strand und vor dem weiten
Meer, zeigt dieses Diorama, erneut aus New York (Bild 430). Der Himmel wird
durch eine dunkle und tendenziell dramatische Wolkenbank bereichert, die
Horizontlinie kennt stärkere Krümmungen und Ausweitungen und wird sogar
durch einen Leuchtturm zusätzlich gefüllt. Und hier ist es die Fülle, die sich in
der Nahsicht bestätigt; auch in der Großaufnahme zeigt sich keine Leere zwischen den Objekten, sondern ein geradezu überbordender Objektreichtum. Die
Komplementarität der Tendenzen zur Leere und zur Fülle bestätigt sich auch in
Schneelandschaften. Hier erneut ein Beispiel aus Braunschweig (Bild 500), das
alle Tendenz zur Leere erkennen lässt. Im selben Museum und von derselben
Hand gestaltet findet sich dieses Kontrastbild (Bild 510), das die Körnigkeit des
Schnees und das Glitzern der Schneekristalle mit Dreingaben von Zweig- und
Rindenresten anreichert und den Texturen der Nadelzweige und dem Verlauf
des Waldrands allergrößte Aufmerksamkeit schenkt.[11] Der gleichen Tendenz
zur Fülle gehorchen auch die ansonsten in einem völlig anderen Stil gehaltene
New Yorker Schneelandschaftsdioramen; etwa das Wolfsdiorama, das sogar die
Fläche des Himmels noch zusätzlich als einen Bildschirm für ein Lichtphänomen, das Nordlicht, nutzt.

Bild 430

---

11 Jürgen Hevers. *Braunschweiger Dioramen. Tiere in natürlicher Umgebung.* Braunschweig: Naturhistorisches Museum, 2003, S. 69; S. 126 f; und S. 83ff.

Bild 500

Bild 510

Das Gleiche gilt für Flusslandschaften (Bild 600), wie etwa in Bern das Kro-
kodildiorama, bei dem der Effekt der Leere vor allem durch die Hintergrund-
malerei zustande zu kommen scheint, wobei dieser Effekt aber auf den dreidimensionalen Vordergrund ausgreift und den kleinen Vogel auf dem Rücken
des Krokodils durch die leere Umgebung derart freistellt, daß er plötzlich vom
begleitenden Detail zum fast monumentalen Star der Szene aufsteigt. Ebenfalls
in Bern befindet sich das Diorama einer einheimischen Flusslandschaft mit der
Tendenz zur Leere, die ebenfalls besonders vom Bild auszugehen scheint, so wie
umgekehrt hier beim Rieselfeld-Diorama in Braunschweig offenbar gerade das
Faux Terrain im Vordergrund den Effekt der Leere produziert. Aber es geht auch
anders (Bild 640): Wiederum in New York findet sich diese Nillandschaft mit
einer deutlichen Tendenz zur Fülle, die erneut auch den Hintergrund erfasst, der
mit dem Naturschauspiel des Buschfeuers nicht nur zusätzliche – und eigentlich
völlig unerhebliche – Bilddaten liefert, sondern das Ganze der eigentlich eher
idyllischen Szene geradezu dramatisiert. Unmittelbar nebeneinander, denselben
Lebensraum (nämlich das menschliche Haus) thematisierend und derselben
Tierfamilie gewidmet, den Nagern, noch dazu vermutlich von derselben Hand
geschaffen, finden sich in Braunschweig zwei Dioramen, die die Neigung zur
Fülle (Bild 700) und die Neigung zur Leere (Bild 710) des Raumbildes noch
einmal ganz beispielhaft ausbilden.

Bild 600

Bild 640

Bild 700

Bild 710

Nach all dem lässt sich nach bisherigem Kenntnisstand bestätigen, dass Fülle und Leere der Dioramen weder vom dargestellten Motiv abhängen noch von anderen möglichen taxonomischen Größen wie Ort, Zeit oder – wie immer verteilte – Autorschaft des jeweiligen Dioramas.[12] Allenfalls könnte man vermutlich unter den historisch später angefertigten Dioramen mehr und stärker ausgeprägte Beispiele für die Neigung zur Leere finden als unter denen der

---

12 Die auf viele Gewerke (Malerei, Taxidermie, Modellbau, Lichtsetzung usw.) verteilten Autorenschaften der Dioramen sind oft schwer zu recherchieren. Sehr gute Arbeit leisten hier neben Karen Wonders: *Habitat Dioramas* (Anm. 6), auch Katharina Dohm et al. (Hg.). *Dioramas* (Anm. 6); Stephen Quinn. *Windows On Nature* (Anm. 6); und Jürgen Hevers. *Braunschweiger Dioramen* (Anm. 11).

klassischen Zeit. Es scheint nicht ganz zufällig, dass nicht nur unser Beispieldio-
rama zu den späten Arbeiten zählt, sondern etwa in Braunschweig bei der Neu-
gestaltung mehrere zur Fülle neigende Dioramen durch solche ersetzt wurden
– wie das Reh-Diorama –, die zur Leere neigen, während es für das Umgekehrte
dort kein Beispiel gibt.[13]

Sehr wohl aber hängt ihre Unterscheidbarkeit ab vom Vergleich. Ähnlich wie
es bei der losen und der festen Kopplung, bei Medium und Ding oder Form der
Fall ist, lässt sich ein Diorama vorzugsweise im Vergleich mit anderen zwischen
Fülle und Leere platzieren, und kann relativ zu dem einen eher gefüllt, relativ zu
einem anderen eher leer erscheinen. Außerdem verkörpern einzelne Dioramen
nicht Leere und Fülle, sondern sie neigen diesen Polen lediglich zu. Dennoch
lassen sich auch absolute Kriterien anführen. Ein erstes ist schlicht die Zahl
und Vielzahl unterscheidbarer Elemente in einem Diorama, wobei diese Unterscheidung nach menschlichem Wahrnehmungsvermögen ebenso getroffen werden kann wie sie es nach welchen denkbaren automatischen Einstellungen der
Bilderkennung auch immer werden könnte. Hinzu käme die Gruppierung der
Elemente in mehr oder weniger dichte, massierte Anhäufungen oder isolierte
Einzelerscheinungen. Überlagernde und einander überschneidende Elemente
wie die Gräser im New Yorker Savannendiorama wären von freigestellten, mit
Umraum versehenen Elementen wie dem Krokodilsvogel unterscheidbar. Ein
anderes, stärker mikroskopisches Kriterium wäre die Körnung, das Granulat des
Bildes, gleichsam seine Pixelstruktur, die höher oder niedriger auflösend und
deshalb dichter oder mosaikhafter erscheinen kann.

2. Gilles Deleuze: Sättigung und Kargheit, Ablösung und Leere

Die Beobachtung, dass es Bilder – wenn man das Diorama als Raumbild führt –
mit einer Tendenz zur Leere und zur Fülle gibt, ist nicht neu. Für das Bewe-
gungs-Bild hat Gilles Deleuze sie folgendermaßen eingeführt:

> On appelle cadrage la détermination d'un système clos, relativement clos, qui
> comprend tout ce qui est présent dans l'image, décors, personnages, accessoires.
> Le cadre constitue donc un ensemble qui a un grand nombre de parties, c'est-à-
> dire d'éléments qui entrent eux-mêmes dans des sous-ensembles. On peut en faire
> un décompte. Evidemment, ces parties sont elles-mêmes en image. [...] Les élé-
> ments sont des données tantôt en très grand nombre, tantôt en nombre restreint.
> Le cadre est donc inséparable de deux tendances, à la saturation ou à la raréfaction.
> [...] [La raréfaction permet] de multiplier les données indépendantes, au point
> qu'une scène secondaire apparaît sur le devant tandis que le principal se passe dans
> le fond, ou qu'on ne peut même plus faire de différence entre le principal et le
> secondaire. Au contraire, des images raréfiées se produisent, soit lorsque tout l'ac-
> cent et mis sur un seul objet [...], soit l'ensemble est vidé de certains sous-ensembles
> [...]. Le maximum de raréfaction semble atteint avec l'ensemble vide [...].[14]

---

13 Jürgen Hevers. *Braunschweiger Dioramen* (Anm. 11), S. 46ff.
14 Gilles Deleuze. *L'image-mouvement* (Anm. 4), S. 23f.

Kadrierung sei die Festlegung eines – relativ – geschlossenen Systems, das alles umfasst, was im Bild vorhanden ist – Kulissen, Personen, Requisiten. Das Bild-feld [cadre] konstituiert folglich ein Ensemble, das aus einer Vielzahl von Teilen, das heißt Elementen besteht, die ihrerseits zu Sub-Ensembles gehören. Von ihnen kann man eine Aufstellung machen. Selbstverständlich haben solche Teile Bild-charakter. [...] Die Elemente bilden bald eine sehr große, bald eine beschränkte Menge von Daten. Das Bildfeld ist also nicht zu trennen von zwei Tendenzen: seiner Sättigung oder Verknappung. [...] [Die Sättigung erlaubt es], dass eine Nebenszene im Vordergrund erscheint, während sich die Hauptszene im Hinter-grund abspielt [...], oder Haupt- und Nebenszenen überhaupt nicht mehr vonei-nander zu unterscheiden sind [...]. Gegenstandsarme Bilder entstehen hingegen dann, wenn entweder ein einzelnes Objekt hervorgehoben wird [...] oder wenn bestimmte Sub-Ensembles aus dem Ensemble entfernt sind. Das Höchstmaß an Kargheit scheint mit dem leeren Ensemble erreicht zu sein [...].[15]

Zu dieser Beschreibung können wir Erläuterungen und Ergänzungen vorneh-men. Die Dekomponierbarkeit des Bildes in mehrere Szenen, so wie hier, und auch die Ununterscheidbarkeit von Haupt- und Nebenszene scheint nämlich beim Diorama kein Privileg des gesättigten Bildes zu sein, sondern ebenso beim kargen Bild vorliegen zu können; in beiden Fällen ist sie aber nicht zwingend erforderlich, sondern das Diorama kann sich sowohl als eines der Fülle als auch als eines der Kargheit konzentrieren und hierarchische Haupt- und Neben-bühnenunterscheidungen treffen.[16] Das Kriterium hat mindestens im Fall des Raumbildes nicht mit Leere und Fülle zu tun. Die Hervorhebung einzelner Objekte dagegen, insofern sie mit einem gegenstandsarmen Umraum versehen, freigestellt werden, scheint tatsächlich auch beim Raumbild an die Tendenz zur Verknappung gebunden zu sein. Ein interessanter Nebenaspekt ist, dass Deleuze die Aufzählbarkeit, genauer: die Aufstellbarkeit der Elemente anführt. Dies nämlich, die Aufstellung, erinnert erstens daran, dass es beim Diorama ja buch-stäblich um eine Aufstellung im Raum geht, eine Disposition. Zweitens aber erinnert die Formulierung daran, dass die Aufstellung oder Auflistung zu den bei verschiedenen Autoren herausgehobenen Verfahren der Ontographie zählt.[17] Ontographie meint hier die von allen Voreingenommenheiten, Vorausannah-men, Wahrnehmungseinstellungen und Zentrierungen freie, ordnungs-, unter-ordnungs- und eingriffslose Verzeichnung des Seienden.[18]

Das Raumbild nun bietet zwar eine solche Aufstellung, unterwirft sie jedoch einer Konstellierung. Diese Konstellierung unterscheidet sich von der

---

15 Gilles Deleuze. *Das Bewegungsbild* (Anm. 4), S. 27

16 Joshua Meyrowitz hält – ein weiterer medienkomparatistischer Aspekt – die Vermi-schung von Haupt- und Nebenbühne für ein Charakteristikum des Fernsehens, in: *Die Fernsehgesellschaft. Überall und nirgends dabei.* Weinheim, Basel: Beltz, 1990, S. 108-112.

17 Graham Harman. *The Quadruple Object.* Winchester, Washington 2010, S. 124-135; Ian Bogost. *Alien Phenomenology, or What It's Like to Be a Thing.* Minneapolis/ London 2012.

18 Lorenz Engell. „Versetzungen. Das Diorama als ontographische Agentur." In: *Zeit-schrift für Medien- und Kulturforschung (ZMK)* 8/2 (2017), S. 79-94.

Aufstellung der Lebewesen im klassischen Naturkundemuseum, wo Tierkörper nach Gattungen, Familien und Arten sortiert angeordnet wurden und also
ontologische Kriterien herrschten.[19] Beim Raumbild des Dioramas nun liegt die
Annahme zugrunde, dass die nachgebildeten Lebensräume und Lebensgemein-
schaften oder Milieus gerade keine von außen hinzukommende ontologische
Qualifizierung und Bestimmung seien, sondern genau im Gegenteil dem onti-
schen Lebensvollzug der Naturwelt selbst angehörten, die sich nämlich in wechselseitiger Formung zwischen Habitat und Tier in konkreter Lebensweise sowie
im Hin und Her zwischen Eigenschaften, Fähigkeiten und Anforderungen der
Tiere herausbildeten.[20] Zumindest der Anspruch der Dioramen ist deshalb ein
ontographischer, der aber, anders als bei den Vertretern etwa der objektorien-
tierten Ontologie, auf einer Annahme einer in sich belebten, dynamischen und
wandlungsfähigen sowie evolutiven Natur beruht.[21] Und genau darin berührt
sich die implizite Ontographie des Dioramas wiederum mit den Thesen Deleuzes vom Bewegungsbild, die diesem, in Auseinandersetzung mit Bergson, ein
nicht-organisches Leben, eine automatische und mechanische, aber dennoch
schöpferische und generative Entwicklung zuschreiben.[22]

Die Unterscheidung zwischen den Tendenzen zu Leere und Fülle kehrt
schließlich in Deleuzes Gedanken zum beliebigen Raum wieder. Ein beliebiger
Raum nämlich kann eben durch Operationen der Verknappung aus einem konventionell als Behälterraum mit Ortsstellen verstandenen und wahrgenommenen Raum erzeugt werden. Der beliebige Raum zeichnet sich dadurch aus, dass
er eben nicht Stellen für Objekte bereit hält oder Orte der Dinge koordiniert.

> Un espace quelconque n'est pas un universel abstrait, en tout temps, en tout lieu.
> C'est un espace parfaitement singulier, qui a seulement perdu son homogénéité,
> c'est-à-dire le principe de ses rapports métriques ou la connexion de ses propres
> parties si bien que les raccordements peuvent se faire d'une infinité de façons.
> C'est un espace de conjonction virtuelle, saisi comme pur lieux du possible. Ce
> que manifestent en effet l'instabilité, l'hétérogénéité, l'absence de liaison d'un tel
> espace, c'est une richesse en potentiels ou singularités qui sont comme les condi-
> tions préalables à toute actualisation, à toute détermination.[23]

---

19 Anke te Heesen. *Theorien des Museums zur Einführung*. Hamburg: Junius 2012;
 Karen Wonders. *Habitat Dioramas*, S. 83ff.

20 Jakob v. Uexkuell. *Umwelt und Innenwelt der Tiere*. Berlin 1909; in Bezug auf das
 Naturkundemuseum sehr früh Phillip Leopold Martin. *Dermoplastik und Museolo-
 gie*. Weimar 1880; s. a. Ferdinand Damaschun (Hg.). *Museum für Naturkunde. The
 Exhibitions. Special Issue for the Opening of New Exhibitions*, Berlin 2007, S. 126-
 131, hier S. 131.; Heike Buschmann. „Geschichten im Raum. Erzähltheorie als
 Museumsanalyse." In: Joachim Baur (Hg.). *Museumsanalyse. Methoden und Konturen eines neuen Forschungsfeldes*. Bielefeld 2009, S. 149-169.

21 Lorenz Engell. „Versetzungen" (Anm. 17), S. 84.

22 Zu Gilles Deleuzes Begriff vom nicht organischen Leben s. Friedrich Balke. *Gilles
 Deleuze*. Frankfurt/M., New York: Campus, 1998, S. 107ff.

23 Gilles Deleuze. *L'image mouvement* (Anm. 4), S. 155

Ein beliebiger Raum ist keine abstrakte Universalie jenseits von Zeit und Raum. Es ist ein einzelner, einzigartiger Raum, der nur die Homogenität eingebüßt hat, das heißt das Prinzip seiner metrischen Verhältnisse oder des Zusammenhalts seiner Teile, so dass eine unendliche Vielfalt von Anschlüssen möglich wird. Es ist ein Raum virtueller Verbindung, der als ein bloßer Ort des Möglichen gefasst wird. Was sich tatsächlich in der Instabilität, Heterogenität und Bindungslosigkeit eines derartigen Raums bekundet, ist eine Vielfalt an Potentialen oder Singularitäten, die gleichsam die Vorbedingungen jedweder Aktualisierung oder Determinierung sind.[24]

Offensichtlich kann auch das dioramatische Raumbild dem beliebigen Raum, also dem Möglichkeitsraum in diesem Sinne, zuneigen, wenn es der Tendenz zur Verknappung folgt. Bei aller Konkretheit und Einzigartigkeit dieses speziellen einen Raumes, der ja im Fall unseres Beispiels sogar einen präzisen geographischen Ort besitzt, eignet dem Raumbild dennoch genau diese Instabilität, Heterogenität, Vagheit und Virtualität, die Anschlußoffenheit, die vielleicht für den onirischen und surrealen Charakter dieses Bildes ursächlich ist. Es handelt sich um diesen einen, so nur hier anzutreffenden Ort, der genau so sich verhält, und dennoch, eben weil er sich verhält, völlig anders sein könnte. Die Wirklichkeit des Ortes, der Wüste Borkou im nördlichen Tschad, und die Notwendigkeiten des Lebensraums einerseits, aber auch der technischen Abbildungstreue des Dioramas andererseits werden durch die Verknappung des Bildes in eine Leere überführt, die ihn mit Möglichkeit, ja Beliebigkeit und damit mit einem Entwicklungspotential aufladen und das Diorama gerade in seiner nahezu kristallinen Erstarrung als einen paradigmatischen Möglichkeitsraum freilegen.

Der Vollständigkeit halber sei angeführt, daß der beliebige Raum nach Deleuze nicht allein ein Produkt der Verknappung, sondern auch eines der Sättigung sein kann, er schreibt:

Bien plus, il semble que l'espace quelconque prenne ici une nouvelle nature. Ce n'est plus, comme précédemment, un espace qui se définit par des parties dont le raccordement et l'orientation ne sont pas déterminés d'avance, et peuvent se faire d'une infinité de manières. C'est maintenant un ensemble amorphe qui a éléminé ce qui se passait et agissait en lui. C'est une extinction ou un évanouissement, mais qui ne s'oppose pas à l'élément génétique. On voit bien que les deux aspects sont complémentaires, et en présupposition réciproque : l'ensemble amorphe en effet est une collection de lieux ou de places qui coexistent indépendamment de l'ordre temporel qui va d'une partie à l'autre, indépendamment des raccordements et orientations que leur donnait les personnages et la situations disparus. Il y a donc deux états de l'éspace quelconque, ou deux sortes de ‚qualisignes', qualisignes de déconnexion, et de vacuité.[25]

Mehr noch, es ist, als ob der beliebige Raum hier einen neuen Charakter bekäme. Im Unterschied zu früher ist es nicht mehr ein Raum, der sich durch Teile definiert, deren Anschlüsse nicht von vornherein festgelegt sind und sich in allen

---

24 Gilles Deleuze. *Das Bewegungsbild* (Anm. 4), S. 153.
25 Gilles Deleuze. *L'Image-mouvement* (Anm. 4) , S. 168f.

Richtungen zusammenfügen können. Er ist jetzt eine gestaltlose Gesamtheit, die alles, was sich in ihr ereignete und auswirkte, eliminiert hat. Es handelt sich um eine Vernichtung oder ein Verschwinden, das aber nicht zu der Dimension des Entstehens im Gegensatz steht. Beide Aspekte sind eindeutig komplementär und setzen sich gegenseitig voraus: Die gastaltlose Gesamtheit ist eine Ansammlung von Orten und Stellen, die unabhängig von einer zeitlichen Ordnung koexistieren, einer Zeitordnung, die unabhängig von Anschlüssen und Richtungen, die ihr die verschwundenen Personen und Situationen geben, von einem Teil zum anderen übergeht. Es gibt also zwei Zustände des beliebigen Raums oder zwei Arten von ‚Qualizeichen‘, Qualizeichen der Ablösung und solche der Leere.[26]

Die Saturierung, die Ansammlung ist es, die zur „gestaltlose Gesamtheit" und zur Ablösung oder Herauslösung, sozusagen zur Ent-Bindung (déconnexion) führen kann, und ich bin sicher, daß sich auch dafür leicht Beispiele aus dem Bereich des dioramatischen Raumbildes finden lassen. Etwa gibt es im Hessischen Landesmuseum in Darmstadt geradezu wimmelnde Dioramen, die nach dem Arche-Noah-Prinzip Lebenswelten ganzer Kontinente zusammenballen und gerade dadurch eine schon fast absurde Gestaltlosigkeit annehmen und tatsächlich als eine unverbundene Ansammlung von Orten beschrieben werden können. Das tritt insbesondere im Kontrast hervor, denn es gibt dort auch ein Diorama, das einen von Möwen bevölkerten Himmel darstellt und wiederum ein Paradebeispiel für die Tendenz zur Leere ist.

Interessant aber an dieser Textstelle scheinen mir besonders zwei Aspekte zu sein. Zum einen ist der beliebige Raum bei Deleuze ein ausgewiesener Affektraum.[27] Darauf komme ich unten im Hinblick auf den Begriff der Atmosphäre kurz zurück. Der andere Punkt ist Deleuzes Rekurs auf Peirce mit seinem Terminus des „Qualizeichens". Das „Qualizeichen" verweist bei Peirce nämlich auf die Kategorie der Erstheit, also auf die Kategorie dessen, was so ist, wie es ist, weil es ohne Verbindung mit irgendetwas anderem besteht.[28] Sie hängt bereits bei Peirce aufs engste erstens mit dem Affekt zusammen, der jedem Urteil als Erstes vorausgeht, und zweitens mit der Modalität der Möglichkeit im Spannungsverhältnis zu denjenigen der Wirklichkeit und der Notwendigkeit[29]; und die Kategorie der Erstheit wird schon bei Peirce mit dem Terminus des Mediums belegt und weist voraus auf den Begriff des Mediums nicht als Mittleres zwischen zwei anderen, sondern als Erstes, so also, wie er bei Heider und bei Luhmann geführt wird.[30]

---

26 Gilles Deleuze. *Das Bewegungsbild* (Anm. 4), S. 166

27 Gilles Deleuze. L'image-mouvement (Anm. 4) ,145-172, hier: S. 145ff.; dt. : Das Bewegungsbild (Anm. 4), S. 151-170, hier : S. 151ff.

28 Charles Sanders Peirce. „Die Grundlagen des Pragmatizismus. Drei Entwürfe zu einem Aufsatz". In: Peirce: Semiotische Schriften, Bd. 2, Frankfurt/M.: Suhrkamp, 1990, S. 289-391, hier: S. 379ff.

29 Charles Sanders Peirce. „Das Gewissen der Vernunft." In: Peirce: Semiotische Schriften, Bd. 2. (Anm. 27), S. 98-166, hier: S.159.

30 Fritz Heider. *Ding und Medium*. Berlin: Kadmos, 2005, S. 33ff. et passim; Niklas Luhmann. *Die Kunst der Gesellschaft*. Frankfurt/M.: Suhrkamp, 1995, S. 165ff.

3. Niklas Luhmann: Atmosphäre

Dieser Umstand, aber auch schon die Formulierungen Deleuzes, der vom Bild als System, von Elementen und Relationen spricht, lassen es zu, Niklas Luhmanns systemtheoretische Auffassung vom Raum und insbesondere von der Atmosphäre zu unseren Betrachtungen hinzuzuziehen. Luhmann schreibt in „Die Kunst der Gesellschaft":

> Der Raum macht es möglich, dass Objekte ihre Stellen verlassen. [...] Ein (von Objekten, L. E.) besetzter Raum lässt Atmosphäre entstehen. Bezogen auf die Einzeldinge, die die Raumstellen besetzen, ist Atmosphäre jeweils das, was sie nicht sind, nämlich die andere Seite ihrer Form; also auch das, was mitverschwinden würde, wenn sie verschwänden. Das erklärt die ‚Ungreifbarkeit' des Atmosphärischen zusammen mit ihrer Abhängigkeit von dem, was als Raumbesetzung gegeben ist. Atmosphäre ist gewissermaßen ein Überschusseffekt der Stellendifferenz. Sie kann nicht in Stellenbeschreibungen aufgelöst, nicht auf sie zurückgerechnet werden, denn sie entsteht dadurch, dass jede Stellenbesetzung eine Umgebung schafft, die nicht das jeweils festgelegte Ding ist, aber auch nicht ohne es Umgebung sein könnte. Atmosphäre ist somit das Sichtbarwerden der Einheit der Differenz, die den Raum konstituiert; also auch die Sichtbarkeit der Unsichtbarkeit des Raumes als eines Mediums für Formbildungen. Sie ist jedoch nicht der Raum selbst, der als Medium niemals sichtbar werden kann.[31]

Luhmann zufolge basieren Raum und Zeit gleichermaßen auf der Unterscheidung von Stellen (im Raum als Orte, in der Zeit als Zeitpunkte) und Objekten (im Raum sind das Dinge, in der Zeit Vorkommnisse). Er bindet dann den Raum generell – und nicht erst einen spezifischen Fall, nämlich den „beliebigen Raum" – speziell an die Modalität der Möglichkeit, eben die Möglichkeit der Objekte, ihre Stellen zu verlassen, also anderswo sein oder auftauchen zu können, so wie etwa die Oryxantilope hier in Philadelphia auftritt statt im Tschad. Dies wird noch deutlicher, wenn Luhmann komplementär die Zeit definiert über die Notwendigkeit, nämlich die Notwendigkeit der Stellen, ihre Objekte zu verlassen, so wie die Zeit über die Ereignisse eben hinwegzieht und sie notwendigerweise zurücklässt. Die Trennung der Medien Raum und Zeit (wir setzen hinzu: und der Bildmedien Raumbild und Zeitbild) erlaubt es, ihre Verschränkung zu artikulieren, in der die Notwendigkeit mit Kontingenz und die Kontingenz mit Notwendigkeit versorgt wird, so Luhmann. Die modaltheoretisch schwer formulierbare Paradoxie der Kontingenz des Notwendigen und der notwendigen Kontingenz wird so in Raum- und in Zeitbildern zur Wahrnehmung gebracht.

Hier aber haben wir es schwerpunktmäßig mit dem Raum zu tun und mit der Atmosphäre. Unser Diorama hat zweifellos besonders intensive atmosphärische Qualitäten, die, wie sich schon angedeutet hat, genau dadurch erklären, dass hier nahezu alle Objekte nicht nur eine Raumstelle beziehen, sondern mit einem leeren Umraum umgeben sind, der sie einerseits frei stellt und mit Differenz zu den anderen Objekten und anderen Stellen versieht, andererseits jedoch die Einheit des Gesamtraums besonders wahrnehmbar macht, der jedes einzelne Objekt als

---

31 Ebd., S. 181f.

ein- und derselbe umgibt und einhüllt. Der leere Raum wird dadurch zur Umgebung jedes einzelnen und aller Dinge, was unmöglich wäre, wenn die Dinge verschwänden. Sie sind es also, die den an sich selbst, nämlich als Möglichkeit und Medium, grundsätzlich unsichtbaren Raum durch ihr Eintreten in einen Umraum der Dinge verwandeln, geradezu in ein Milieu, und mit ihm, gerade wegen der Komplementarität von Ding und Umraum (wo das eine ist, ist das andere genau nicht) eine Einheit ausbilden, die wir eben Atmosphäre nennen können. Sie erlaubt es, Ding und Umraum getrennt voneinander und als Einheit zugleich, nämlich als Milieu, zu betrachten, und artikuliert damit die Einheit der Differenz von Objekt und Stelle, wie sie den Raum aufspannt.

Im Licht der vorhin anhand der Beispiele gesehenen und mit Deleuze getroffenen Unterscheidung eines gesättigten und eines kargen Bildes oder Milieus allerdings muss sich der Luhmann'sche Atmosphärenbegriff noch einmal ergänzen und differenzieren lassen. Denn erstens ist mit der Atmosphäre erneut, wie schon mit dem „beliebigen Raum", der Bereich des Affektiven angesprochen. Was uns am Diorama sofort affizieren, d.h. hier: in Bann schlagen kann, ist nicht unbedingt nur der spektakuläre oder exotische Charakter der Tiere und der Szenen, sondern eben auch die zunächst ungreifbare Atmosphäre. Dies trifft auf unser Beispiel in besonderem Maße zu. Zudem aber sind nicht alle Atmosphären gleich. Mindestens einige Atmosphären neigen einer Sättigung zu. Sie zeichnet sich dadurch aus, dass der Anteil, den ein Objekt an der Gesamtatmosphäre hat, relativ gering ist. Entfernt man ein Tier oder einen Zweig aus einem gesättigten Diorama, dann ändert sich deshalb noch keineswegs die Atmosphäre. Entfernt man hingegen ein Objekt aus einem kargen Diorama, so ändert sie sich. Das heißt nicht notwendig, dass sie verschwindet, aber ihr Intensitätsgrad, ihre Wahrnehmbarkeit kann zu- oder abnehmen. Natürlich muss in diese Differenz zusätzlich die oben schon einmal erwähnte Unterscheidung zwischen Haupt- und Nebendingen eingezogen werden. Meine These dazu ist, dass im Falle gesättigter dioramatischer Atmosphären mit ihren gestaltlosen Gesamtheiten diese mit der Wegnahme von Dingen graduell abnehmen und dann schließlich ganz verschwinden und mit ihnen die Einheit der Differenz von Stelle und Objekt und mithin die Wahrnehmbarkeit des Raummediums erodiert. Im Fall karger Atmosphären, wie hier, jedoch würde ich annehmen, dass mit der Wegnahme von Dingen die Atmosphäre zunächst sogar an Intensität noch gesteigert würde, der Raum sich als Atmosphäre zwischen Stellen und Objekten immer stärker in die Wahrnehmung brächte und auch die Affizierung durch den Raum selbst hervorträte, um dann jedoch mit dem Verschwinden auch noch der letzten paar Dinge relativ abrupt zusammenzubrechen.

4. Index und Medium: Die Spur und die Tilgung

Die Tendenz zur Verknappung und das karge Milieu, dem unser Diorama angehört, hat noch eine weitere Pointe, die die Indexikalität des Dioramas betrifft. Dabei verstehe ich den Index und die Indexikalität erneut im Sinne Peirces als Zweitheit, als Ursache-Folge-Relation und deren Thematisierung im indexikalischen Zeichen, das also aus zwei Zeichenschichten besteht, einer, die die Wirkung als Zeichen für die Ursache nimmt und einer zweiten, die diese Relation darstellt oder ausflaggt.[32] Mit der Indexikalität hängt bereits die Operation der musealen Deixis zusammen, die im Zusammenhang mit dem Diorama von Christiane Voß untersucht worden ist.[33] Es gibt eine relativ gute Dokumentation, die die Herstellung unseres Dioramas festhält, darunter auch einen etwa siebenminütigen, pädagogisch zusammenfassenden Film (was heißt, daß es im Archiv noch viel mehr Filmaufnahmen darüber geben muss).[34] Darin wird uns gezeigt, wie viele indexikalische, d.h. kausale Operationen und Operationsketten an der Verfertigung des Dioramas beteiligt waren. Dazu zählen photographische Abbildungen der Originalszenerie und der in situ getöteten Tierkörper, Vermessungsoperationen, die Anfertigung ganzer Ketten von Abgüssen aus Gips, aus Ton und aus Pappmaché, sowohl in der Wüste wie später in der Werkstatt. Dies alles soll, und ganz besonders wirkungsvoll ergänzt durch die ikonische Operation der Verwendung originaler Materialien und Köperteile wie Blättern, Steinen und insbesondere der Tierhaut, der Hörner und Hufe, die Authentizität, ja partiell die Identität der Abbildung mit ihrem Objekt sicherstellen. Zeigen und Verursachen werden hier aufs Engste zusammengeschlossen.

Damit aber nicht genug. Wir haben vorhin schon gesehen, dass Indices auch zu den bevorzugten Darstellungsstücken in Dioramen zählen, zumindest in solchen, die die Tendenz zur Fülle und zur Sättigung haben. Huf- und Pfotenspuren, Nahrungsreste, Schattenwürfe, Tierkot, Spuren der Einwirkung von Wind, Wasser und Feuer zählen dazu, in ganz vereinzelten Fällen auch die Spuren menschlicher Hinterlassenschaft und Einwirkung. Natürlich könnte man sagen, dass die gesättigten Dioramen in ihrer Aufmerksamkeit für Indices letztlich ihre eigene Indexikalität wiederholten und in das Dargestellte hineinprojizierten, nachdem sie zuvor jedoch alle Meta-Indices, also die Spuren ihrer eigenen indexikalischen Verfertigung, sorgsam getilgt oder verborgen haben, nämlich die Fuß- und Handabdrücke ihrer Hersteller, die Drähte und Fäden, die die Pflanzen in die richtige gebogene Stellung bringen, die Farbspritzer und Gipsspuren an unwillkommener Stelle.

---

32 Charles Sanders Peirce. „A Syllabus of Certain Topics of Logic". In: *The essential Peirce: Selected philosophical writings, Vol. 2 (1893-1913)* edited by the Peirce Edition Project. Bloomington-Indianapolis: Indiana University Press, 1998, S. 274-292.; Charles Sanders Peirce. ‚One, Two, Three: Fundamental Categories of Thought and of Nature'. In: *The writings of Charles S. Peirce, Vol. 5* edited by C. Kloesel et al. Bloomington: Indiana University Press, 1996, S. 243-245.

33 Zur dioramatischen Deixis vgl. Christiane Voß. „Mimetische Inkorporierung am Beispiel taxidermischer Weltprojektionen." In: *Zeitschrift für Medien- und Kulturforschung* (ZMK) 7/1 (2017), S. 193-208.; Christiane Voß. „Von der Black Box zur Coloured Box. Dioramatische Perspektiven des Lebendigen." In: Maria Muhle, Christiane Voß. *Black Box Leben*, Berlin: August 2017; s.a. Georges Henri Rivière. „Fonctions du musée. Education et exposition." In : Katharina Dohm et al. (Hg.) : *Dioramas* (Anm. 6), S. 28ff.

34 ansp.org/exhibits/gallery-exhibits/secrets-of-the-diorama/, aufgerufen am 5.3.2018.

Wie aber verfährt ein verknapptes, karges Diorama mit den Indices? Interessanterweise zeigt unser Beispiel keinerlei Hufspuren im Sand, keinen Kot und keine Nahrungs- oder Pflanzenreste. Was an Indices bleibt, sind hier lediglich der Schattenwurf und die kleinen Wellen und großen Dünen im Sand, die unter Einwirkung des Windes entstanden sind. Diese Verknappung ist geradezu unrealistisch, denn die Tiere müssen dort, wo sie jetzt sind, schließlich hingelangt sein und dabei müssen sie eben noch zwingend Spuren hinterlassen haben. Diese notwendigen Spuren wurden, in der Fiktion gedacht, absichtsvoll getilgt oder, im Medium gedacht, schlicht vergessen, also ebenfalls, diesmal unabsichtlich, getilgt. Die Tiere sind da, wo sie sind, offensichtlich nicht hingelangt, sondern eben aufgestellt worden. Wir könnten unsere beiden Bildmilieus also auch unterscheiden nach einem indexikalischen Milieu der Spuren, der Reste, des Staubs und der Kausalität und einem reduzierten Milieu getilgter Indexikalität und Kausalität. Wozu anzumerken ist, dass diese Kausalität im Fall des gesättigten Milieus wiederum mit Kontingenz versetzt wird, denn gerade die Spuren und Hinterlassenschaften in den Dioramen der Fülle wirken wie zufällig zurückgeblieben, so oder auch anders möglich, der aufmerksamen, sauberen Gestaltung geradezu entgangen, und eben nicht wie kunst- und absichtsvoll arrangiert. Dagegen wirken hier, im paradigmatisch verknappten Diorama, nicht nur die Tierkörper wie hingestellt, sondern jedes einzelne Detail, jedes winzige Objekt sieht auch aus, als wäre es sorgsam genau hier hin gelegt worden, nämlich in der Absicht, eine karge Atmosphäre zu schaffen, die, wie wir gesehen haben, den Raum selbst in der ihn begründenden Differenz von Stelle und Objekt umso deutlicher hervortreten lässt.

In der Zuspitzung geht es hier um einen – allerdings unmöglichen – Raum ohne Dinge, ein Habitat ohne Bewohner, ein Milieu ohne Objekte. Aber dieser Raum ist kein bloßer Grenzbegriff, er ist überhaupt gar kein Begriff, sondern bleibt, so wie die Atmosphäre, an das Objekt und die Stelle, an seine materielle Verkörperung unabdingbar gebunden. Genau wie die erfolgreiche Tilgung der Spuren der Tiere als Abwesenheit selbst zur Spur der Tilgung wird, die uns wiederum zum Medium des Raumbildes selbst führt, wird dieses Medium nicht nur in der Atmosphäre sichtbar, sondern hinterlässt wahrnehmbare Spuren an sich selbst. Die sich abzeichnenden Deckendielen und die Spuren einer Reparatur etwa zählen dazu, aber natürlich ganz besonders der gut sichtbare Riss in der Rückwand (Bild 860).

Dieser Riss als Spur der Spurlosigkeit des Mediums lädt natürlich zu allerlei vielleicht allzu nahe liegenden Lektüren ein, als Kerbung des glatten Raums nach Deleuze vielleicht zuallererst, als Sprung und Ur-Sprung wie bei Derrida sodann, als Verkörperung der Negativität des Medialen nach Mersch.[35] Natürlich entbehrt es nicht der Ironie, dass mit dem Riss die sorgsam getilgte Indexikalität, der sich das Diorama in seiner Neigung zur Leere verdankt, erst recht wieder eine Spur bekommt. Der Riss scheint schon fast zu deutlich den

---

35 Vgl. nur Dieter Mersch: *Negative Medialität. Derridas Différance und Heideggers Weg zur Sprache*: www.dieter-mersch.de/.cm4all/iproc.php/mersch.negative.medialitaet.pdf?cdp=a, S. 9, aufgerufen am 5.3.2018, Deleuze, Derrida, Mersch: Riss.

Bild 860

medientheoretischen Lehrsatz zu bestätigen, demzufolge sich Medien in das, was sie speichern, übertragen und prozessieren, so oder so stets selbst eintragen. Uns interessiert an diesem Riss aber etwas anderes. Denn was trägt sich hier eigentlich in das Diorama ein, doch nicht das Diorama selber? Auch der Riss ist ein konkretes Objekt im konkreten dioramatischen Raum, und auch er hätte, wie es für Objekte an Stellen gilt, auch anderswo auftreten können. Auch der Riss generiert folglich eine Atmosphäre, die ihn umfängt, die er und die ihn ausschließt und der er angehört, zum Beispiel eine Atmosphäre des Verfalls, der alle Objekte des Dioramas stets umgibt.

Und das nicht ohne Grund, denn gleichzeitig scheint es auch so zu sein, dass der Riss kein Objekt, sondern eine Stelle ist. Und vielleicht ist es nicht zu weitgehend zu sagen, dass eben diese Stelle ihr Objekt, nämlich ein Stück des Dioramas, des Himmels, zu sein, verlassen hat und dass diese Verlassenheit überhaupt nicht mehr auf den Raum und das Raumbild in seiner Materialität, Gemachtheit und seinen Verfall verweist, sondern auf die Zeit und das Zeitbild und auf ihrer beider Unterscheidbarkeit und Verschränktheit. Nicht das in Rede stehende

Medium selber, das Raumbild, meldet sich hier an und trägt sich ein, sondern ein anderes Medium, das Zeitbild, sein Komplement, tritt hinzu.

5. Evidenz und Transparenz

Eine letzte medientheoretische Betrachtung zur Fülle und Leere, zu Saturierung und Verknappung der Dioramen soll die Überlegungen hier etwas spekulativ abschließen. Die Anhäufung und Aufzählung oder Aufstellung einer Fülle anschaulicher Details und Einzelelemente nämlich wurde bereits in der antiken Rhetorik besonders als effizientes Verfahren der Herstellung von Evidenz herausgestellt, der nicht weiter erklärungsbedürftigen Einsicht durch unmittelbare Anschaulichkeit und Einleuchtungs- oder Überzeugungskraft.[36] Das Wissen über die Natur wird im Diorama nicht, zumindest nicht primär, durch das Erklären, Erläutern, Argumentieren und Informieren hergestellt, sondern anschaulich und damit in einer – wenngleich, wie gesehen, überaus kunstfertigen und hoch vermittelten – Unmittelbarkeit. Die komplizierten Operationen, durch die die Evidenz eingesetzt wird, vom Zusammenspiel der einzelnen Funktionselemente des Dioramas bis hin zu den ästhetischen Operationen der Sättigung und Verknappung, gehen darin unter; im medientheoretischen Sinn ist das Diorama als Medium damit zunächst hochgradig transparent.

Die Evidenz wird aber nicht nur hergestellt, sondern besonders im Thema der Fülle eigens herausgestellt. Dies wird schon daran deutlich, dass vor aller Einlassung auf die jeweils dargestellten Landschaften und Habitate mit ihren meistens spektakulären Anordnungen exotischer wie heimischer Tiere die Verblüffung und das Erstaunen der Betrachterinnen dem Illusionsraum des Dioramas selbst gelten, der immersiven Wirkung, dem Zusammenspiel von Zwei- und Dreidimensionalität und der von all dem erzielten (synthetischen) unmittelbaren Anschauung oder eben Evidenz.[37] Noch bevor die Antilopengruppe oder die Wildschweinmutter mit Frischlingen betrachtet und näher studiert wird, ist ihre schiere Präsenz, ihr Sein im Sinne des Gegebenseins und genauer des Hierseins Gegenstand der Faszination. Die Neugier richtet sich nicht zuerst auf den Wahrnehmungsgegenstand, sondern auf die Art und Weise seiner Präsenz im Diorama, sein Hervorgerufensein, und damit doch auf die, wie gesehen, zunächst sorgsam und spurlos verborgenen Mittel des Hervorrufens.

---

36 Zur Evidenz als räumliche Denkstruktur im Museum siehe Daniel Tyradellis. *Müde Museen, oder: Wie Ausstellungen unser Denken verändern können.* Hamburg: Meiner, 2014, S. 134-159.

37 Christiane Voß: Mimetische Inkorporierung am Beispiel taxidermischer Weltprojektionen. In: ZMK – Zeitschrift für Medien- und Kulturforschung 1 (2017). S. 193-208.; im Seitenblick auf den Film Christiane Voß. „Immersion als ästhetisches Prinzip der Anti-Psychoanalyse und des Kinos bei Félix Guattari." In: Manfred Clemenz, Hans Zitko, Martin Büchsel, Diana Pflichthofer (Hg.): *IMAGO*, Bd. 3. Gießen: Psychosozial-Verlag, 2014, S. 111-124. s. a., besonders im Vergleich zum Film, Allison Griffiths: Les scènes de groupe et le spectateur du musée moderne, in : Katharina Dohm et al. (Hrsg.) : Dioramas, a. a. O., S. 182-185, hier : S. 184f.

Auch dies findet sich bereits in den Evidenzlehren antiker Rhetorik.[38] Evidenz wird hier ausdrücklich als eine durch geeignete sprachliche Mittel hervorgerufene Wirkung beschrieben, eine Einwirkung auf die Vorstellung und hier, im Fall der visuellen Darstellung, auf die Wahrnehmung. Deshalb ist Evidenz immer eine Folge der Wirksamkeit oder Wirkkraft des Mediums, seiner Prägekraft, seiner Bildsamkeit, seiner Plastizität, seiner Energie oder „energeia".[39] Für die Sprache hat deshalb Wilhelm v. Humboldt die Charakteristik der „energeia" als plastisches, dynamisches Geschehen eingeführt. Und diese „energeia" ist es, nunmehr jenseits der Sprache, die im Diorama der Fülle ihrerseits evident wird, was uns durch seine Kraft, uns zu beeindrucken, beeindruckt.

Wie aber verhält es sich mit den Dioramen der Leere? Auch sie beeindrucken uns, aber eben durch das Komplement der Wirksamkeit, nämlich durch ihre – wäre da nicht der bereits beschriebene Riss im Horizont – nahezu vollkommene Transparenz, ihre widerstandslose Nichtwahrnehmbarkeit. Dieses Thema ist natürlich in allen Dioramen grundsätzlich präsent, allein schon in der Trennscheibe, die zumindest optisch nach allen Regeln der Kunst transparent zu sein hat. Trotzdem wird in der Kargheit des zur Leere hin neigenden Dioramas genau die Transparenz aufgeführt und nicht die Evidenz. Anders als das von Deleuze beschriebene Bewegungsbild wird das Raumbild keineswegs, und besonders nicht durch radikale Verknappung, zu einer undurchsichtigen opaken Oberfläche der Information, wie Deleuze schreibt, auf der sich nurmehr visuelle Daten eintragen und einschreiben. Genau das Gegenteil ist der Fall.[40] Am Kontrast zwischen dem Dioramakasten und der Leuchtschrift wird das hier besonders deutlich. Schon die spurlos genau dorthin, das heißt hier hin, gelangten beleuchteten Tiere erscheinen im Diorama der Leere in einer geradezu vom Himmel gefallenen Unmittelbarkeit oder Unvermitteltheit, die auf nichts anderes verweist. Aber erst recht gilt das für das Diorama selbst. Es ist gerade hier auch deshalb besonders wirkungsvoll, weil es zudem allein und frei gestellt ist und keine anderen Schaukästen in seiner unmittelbaren Umgebung aufweist, also seinerseits die Außenseite seiner Form, die dioramatische Atmosphäre aufruft. Sie macht noch einmal die Unwahrnehmbarkeit des Raums als Differenz von Stellen und Objekten dennoch wahrnehmbar. Das Raumbild der relativen Leere scheint hier aus einem völlig anderen Raum zu kommen, der uns in der vollen Transparenz seiner prinzipiellen Nichtwahrnehmbarkeit dennoch entgegentritt.

---

38 A. Kemmann. „Evidentia, Evidenz." In: Gert Ueding (Hg.). *Historisches Wörterbuch der Rhetorik*, Bd. 3, Tübingen: Niemeyer 1996, Sp. 33-47.

39 So im Bezug auf die Sprache schon die Position von Wilhelm v. Humboldt. *Schriften zur Sprache*. Stuttgart: Reclam 2007, S. 36.

40 Gilles Deleuze. *L'Image-mouvement* (Anm. 4), S. 24; dt. Das Bewegungsbild (Anm. 4), S. 28.

Annette Simonis (Gießen)

Medialität und Ökokritik

Zum Medienwandel in der Mensch-Tier-Beziehung im naturhistorischen Museum und im Zoologischen Garten

In der ökokritischen Literatur- und Kulturwissenschaft, die sich im Fahrwasser einer Hochkonjunktur in der angloamerikanischen kulturwissenschaftlichen Forschungslandschaft inzwischen auch im deutschsprachigen Raum wachsender Beliebtheit erfreut[1], wird zunehmend der Ruf nach einer intensiveren Methodenreflexion laut. Neben den künstlerischen und literarischen Darstellungsweisen rückt dabei in jüngster Zeit auch der Gesichtspunkt der Medialität verstärkt in den Blick. So stellt sich insbesondere die Frage nach den medialen Bedingtheiten und Eigenschaften der Gegenstände ökokritischen Denkens und Forschens. In diesem Sinne formulieren Claudia Schmitt und Christiane Solte-Gresser in Hinblick auf die Human-Animal Studies[2], einen zentralen Teilbereich des Ecocriticism, folgendes Desiderat: „Hinsichtlich eines Vergleichs der Künste kann auf allgemeiner Ebene nach den medienspezifischen Besonderheiten bei der Inszenierung nicht-menschlicher Akteure gefragt werden: Welche Darstellungsmittel des tierischen Anderen stehen den einzelnen medialen Ausdrucksformen zur Verfügung?"[3]

---

1 Ökokritik bzw. Ecocriticism ist ein Sammelbegriff, unter dem verschiedene interdisziplinäre kultur- und literaturwissenschaftliche Ansätze subsumiert werden, die sich mit Literatur und anderen Kunstformen aus ökologischer Perspektive beschäftigen und den Menschen in Relation zur Natur betrachten. Dabei gilt es zudem, die Transformationen des genannten Verhältnisses in der Literatur- und Kulturgeschichte zu untersuchen. Vgl. Benjamin Bühler (Hg.). *Ecocriticism: Grundlagen – Theorien – Interpretationen*. Stuttgart, Weimar: Metzler, 2016. Vgl. auch Greg Garrard (Hg.). *The Oxford Handbook of Ecocriticism*. Oxford University Press, 2014. Vgl. ferner Gabriele Dürbeck, Urte Stobbe (Hg.). *Ecocriticism. Eine Einführung*. Köln, Weimar: Böhlau, 2015. Siehe ferner Evi Zemanek (Hg.). *Ökologische Genres. Naturästhetik – Umweltethik – Wissenspoetik*. Göttingen: Vandenhoeck & Ruprecht, 2017.
2 Siehe diesbezüglich auch Roland Borgards. *Tiere: Kulturwissenschaftliches Handbuch*. Stuttgart: Metzler, 2016.
3 Claudia Schmitt und Christiane Solte-Gresser. „Zum Verhältnis von Literatur und Ökokritik aus komparatistischer Perspektive". In: dies. (Hg.). *Literatur und Ökologie. Neue literatur- und kulturwissenschaftliche Perspektiven*. Bielefeld: Aisthesis, 2017, S. 13-54, hier S. 27. Weiter notieren die Verfasserinnen hinsichtlich der medialen Adaptionen eines literarischen Werks: „Zuletzt wären noch die Bereiche Medienkomparatistik und Intermedialitätsforschung zu bedenken. Untersuchungsgegenstand können hier die Wechselbeziehungen zwischen der Literatur und anderen Medien sein, die sich gerade aus der Inszenierung von Tieren und ihren Interaktionen ergeben. So verspricht z. B. eine Adaptionsstudie, die untersucht, wie Tierbilder aus einem Text in den Film übertragen werden, einigen Erkenntnisgewinn" (ebd.).

Auch Ursula Heise lenkt in ihren neueren Studien zum sechsten großen Artensterben die Aufmerksamkeit auf die literarischen und ästhetischen Ausdrucksmittel. Dabei ist ihr Erkenntnisinteresse vorwiegend narratologisch orientiert. Das Hauptaugenmerk gilt der Frage, welche narrativen Mittel in den untersuchten Dokumenten zum Einsatz kommen und aus welchen literarischen Genres dabei jeweils geeignete Erzählmuster adaptiert werden:

> How, when, and why do we invest culturally, emotionally, and economically in the fate of threatened species? What stories do we tell, and which ones do we not tell, about them? What do the images that we use to represent them reveal, and what do they hide? What kind of awareness, emotion, and action are such stories and images meant to generate? What broader cultural values and social conflicts are they associated with?[4]

In dem Maße, in dem der Modus der Darstellung bzw. das Wie der Gestaltung in der ökologischen Kulturwissenschaft gegenüber den jeweiligen politischen, naturwissenschaftlichen oder soziokulturellen Inhalten in den Vordergrund rücken, tritt auch die zentrale Bedeutung der Medien innerhalb einer komparatistischen Ökokritik deutlich zu Tage ebenso wie die Notwendigkeit der betreffenden Forschungsrichtung, die Medialität ihrer Gegenstände vermehrt zu berücksichtigen.

Eine solche Medienreflexion kann auf verschiedenen Ebenen ansetzen und eröffnet ein weites Feld von lohnenden Fragerichtungen. Zu dem Spektrum einer derartigen Medienreflexion gehört unter anderem die im Folgenden näher zu diskutierende Frage, inwieweit sich im Blick auf die Mensch-Tier-Beziehung seit dem 19. Jahrhundert ein Medienwandel abzeichnet, insbesondere in Hinblick auf die wissenschaftliche Beobachtung und die Zurschaustellung von Tieren in den eigens dafür geschaffenen Kulturräumen des naturhistorischen Museums und des Zoologischen Gartens.

In diesem Zusammenhang begegnen uns unterschiedliche Formen von Medien, wie zum Beispiel Fotografien, Texte, Bücher, bearbeitete Tierkörper und plastische Exponate sowie räumliche Arrangements und architektonische Gestaltungen. Es ist dabei wichtig, auch die Räume selbst und ihre jeweilige Architektur nicht allein als bloße Umgebungen oder Rahmungen zu betrachten, sondern als Medien sui generis zu begreifen und zu erkennen, dass sie bestimmte soziale und kommunikative Funktionen erfüllen.

Der Soziologe Joachim Fischer plädiert in diesem Sinne dafür, die Architektur als ein soziales Kommunikationsmedium im Sinne Niklas Luhmanns aufzufassen, das sich differenztheoretisch beschreiben und analysieren lässt: „Der Grundmodus der Architektur als kulturelles Medium ist vielmehr die künstliche Baukörpergröße, die Unterscheidung von innen und außen, die System- / Umwelt -Unterscheidung."[5] Mehr noch, nach Fischer fungiert die „Architektur

---

4 Ursula K. Heise. *Imagining Extinction: The Cultural Meanings of Endangered Species.* Chicago, London: University of Chicago Press, 2016, S. 4f.

5 Joachim Fischer. „Architektur als ‚schweres Kommunikationsmedium' der Gesellschaft. Zur Grundlegung der Architektursoziologie", in: Peter Trebsche. *Der gebaute*

als kulturelles Medium der Welt- und Selbsterschließung" und „unterscheidet sich" dabei durchaus von anderen Medien oder ,symbolischen Formen' im Sinne Ernst Cassirers.[6] Ihre unmittelbare Wirkung – noch im Vorfeld einer Metaphorisierung oder künstlerischen Stilisierung – scheint allein auf der Grenzziehung zwischen ,Baukörpern' zu beruhen: Sie ist nicht nur „Materialisierung des Sozialen", sondern „als Bauwelt immer bereits Mitwelt", weil die Gebäude und Bauelemente zueinander in eine Beziehung treten.[7] Es handelt sich also um komplexe untereinander vernetzte Strukturen, deren reziprokes Verhältnis sichtbar und beobachtbar wird. Es wird daher unter anderem zu zeigen sein, inwiefern die naturhistorischen Museen und die Zoologischen Gärten solche räumlichen und medialen Beziehungsfelder aufweisen und inwieweit sie diese mit spezifischen symbolischen Bedeutungen überlagern.[8]

Wie Alexandra Klei betont, können sich im Medium der Architektur und der räumlichen Kompositionen vorzugsweise kulturelle und soziale Erinnerungen sedimentieren, was auch im Zusammenhang mit der im Folgenden zu diskutierenden musealen Kultur bezeichnend ist. Die erinnerten Vorstellungen erhalten dabei eine signifikante, materiell gegenwärtige Gestalt, die zugleich eine raumzeitliche Tiefendimension umfasst. Unter dem Stichwort „Architektur als Medium" notiert die Autorin in diesem Sinne: „Architektur ist als eine im materiellen Sinn konkrete Form von Erinnerung zu verstehen. Im Transport von Erinnerung wird ein Mittleres zwischen den beiden Zuständen im Raum und in der Zeit geschaffen."[9]

1. Museales Tierpräparat und Diorama

Im folgenden geht es darum, die medialen Aspekte einer bestimmten Mensch-Tier-Beziehung genauer zu erkunden, und zwar auf dem Gebiet der Museumskultur, die seit dem 19. Jahrhundert vielfältige Wandlungen erfahren hat. Das Tier begegnet den Besuchern hier vornehmlich in Gestalt des musealen

---

Raum: Bausteine einer Architektursoziologie vormoderner Gesellschaften, Münster, Berlin: Waxmann, 2010, S. 63-82, hier S. 63. Vgl. auch Joachim Fischer, Heike Delitz (Hg.): *Die Architektur der Gesellschaft. Theorien für die Architektursoziologie.* Bielefeld: transcript, 2015.

6 Fischer. „Architektur als ,schweres Kommunikationsmedium' der Gesellschaft", S. 65.

7 Ebd.

8 Rudolf Stichweh erläutert, inwiefern physische Räume durch soziale Räume (und deren jeweilige symbolische Dimensionen) überlagert werden können. Insofern kommt es nicht selten zu Interferenzen zwischen den sozialen und den physischen Aspekten von Räumlichkeit. Vgl. Rudolf Stichweh. „Raum und moderne Gesellschaft. Aspekte der sozialen Kontrolle des Raums", in: Thomas Kräner-Badoni und Klaus Kuhm (Hg.). *Die Gesellschaft und ihr Raum. Raum als Gegenstand der Soziologie.* Opladen: Leske & Budrich 2003, S. 93-102.

9 Alexandra Klei. *Der erinnerte Ort: Geschichte durch Architektur. Zur baulichen und gestalterischen Repräsentation der nationalsozialistischen Konzentrationslager.* Bielefeld: transcript, 2014, S. 68.

Präparats. Nicht selten handelt es sich um extinkte Tierarten oder solche die vom Aussterben bedroht sind, was meist den Status der Rarität des Objekts und den Wert der Ausstellungsstücke erhöht.[10] Im Falle des Riesenalks, um nur ein prägnantes Beispiel zu nennen, hat die Suche der Museen nach geeigneten Tieren für Präparate den Kaufpreis der wenigen noch vorhandenen Exemplare beträchtlich erhöht und damit dazu beitragen, das Schicksal der Art endgültig zu besiegeln.[11]

Die Exponate naturhistorischer Museen nehmen seit den Anfängen dieser Institutionen um 1800 eine ambivalente Zwischenstellung zwischen Natur und Kunst ein. Der tote Tierkörper bildet ein natürliches Phänomen und ist somit dem Bereich der Natur zuzuordnen; der Vorgang des Präparierens erfordert indessen einige Kunstfertigkeit und eine Reihe von handwerklichen Produktionsschritten. Häufig sind die Bestandteile eines Museumspräparats zudem künstlich zusammengesetzt und aus Körperteilen verschiedener Individuen gebildet, wie dies etwa bei einigen der vollständigen Skelette des ausgestorbenen Riesenalks der Fall ist.[12]

Insofern lässt sich das fertige Tierpräparat unter dem Gesichtspunkt seiner aufwendigen Herstellung auch als kulturelles Artefakt und als künstliche Gestalt betrachten. Die genannte Zwischenstellung mag dazu beigetragen haben, dass solche Tierpräparate Maler und Künstler vielfach fasziniert haben und in der neuzeitlichen Kunstgeschichte nicht selten auf Gemälden oder als Teil von Installationen vertreten sind.[13] Unter den Gegenwartskünstlern hat vor allem Damien Hirst mit seinem spektakulären Exponat eines in Formaldehyd

---

10 In diesem Sinne notiert Susanne Köstering: „Vom Aussterben bedrohte Tierarten avancierten zu besonderen Helden biologischer Gruppen, unter ihnen immer wieder Luchs, Wildkatze und Biber." (*Natur zum Anschauen: das Naturkundemuseum des deutschen Kaiserreichs 1871-1914*. Köln, Weimar: Böhlau, 2003, S. 119-120.)

11 Vgl. Jeremy Gaskell. *Who Killed the Great Auk?* Oxford: Oxford University Press, 2000, S. 126: „In the light of this it is not difficult to see that any pressure from collectors would have been intolerable for such a species as the Great Auk. By the time that Wolley and Newton made up their minds to go to Iceland, there can have been no excuse on the grounds of ignorance [...]". Siehe auch Sigurdur Greipsson. *Restoration Ecology*. Ontario: Jones & Bartlett, 2011, S. 63: „Other large colonies of the great auk in the United Kingdom, such as the one on St. Kilda, had disappeared in 1821. A decline in the birds' population was noticed in the Faroer Islands in 1808. [...] Ironically, there was a mounting pressure from museums and private collectors to obtain specimens before this species disappeared altogether. In fact, several expeditions were launched to Eldey for this purpose."

12 Vgl. Symington Grieve. The *Great Auk, or Garefowl*. Cambridge: Cambridge University Press, 2015, S. 100: Grieve zitiert aus einem Brief von Mr. Gerrard vom 23. September 1884: „I do not remember the exact number of beaks of the Great Auk, but there were over fifty. I sorted and fitted the bones together as well as I could to make three skeletons, but it is impossible to say of how many different birds each skeleton was made up. [...]. Imperfect heads and odd bones I sold to a good many people."

13 Vgl. die ausführliche Studie von Petra Lange-Berndt. *Animal art. Präparierte Tiere in der Kunst, 1850-2000*. München: Schreiber, 2009.

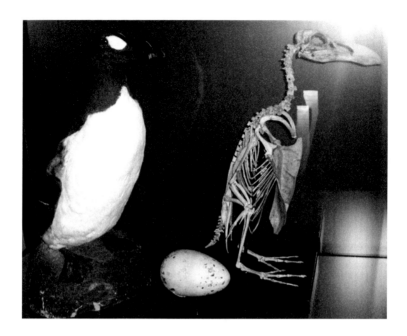

Abb. 1. Ausgestopftes Exemplar, Skelett und Replik eines Eis des Riesenalks,
Alca impennis, Senckenberg Museum, Frankfurt am Main[14]

eingelegten Tigerhais Aufsehen erregt.[15] Seinem ‚Kunstwerk' gab er den Titel
The Physical Impossibility of Death in the Mind of Someone Living. Wie viele
Installationen und Werke Hirsts steht auch der Tigerhai im Zeichen eines allge-
meinen Vanitas-Gedankens und der *meditatio mortis*.

In unserem Kontext erscheint es von besonderem Interesse, dass auch museale
Tierexponate im Kontext naturhistorischer Museen als ästhetische Ausdrucksformen von Vergänglichkeit und Trauer wahrgenommen werden können, insbesondere dann, wenn sie zunehmend als Symbolfiguren erkannt werden, in denen
sich Melancholie und Trauer über den unwiederbringlichen Verlust der Artenvielfalt bündeln. In jüngster Zeit zeichnet sich ein merklicher Funktionswandel
zoologischer Präparate in naturhistorischen Museen ab. Ursprünglich waren
ihre Sammlungen als eine Art Pendant zu den Herbarien entstanden, damit
sie die zoologische Taxonomie bestätigten bzw. weiter auszudifferenzieren hal-
fen. Viele Präparate stammen aus einer Epoche und einer Mentalität, in der die
biologische Wissenschaft bzw. Naturkunde ihre Objekte noch in der statisch-
räumlichen Ordnung des Tableaus erfassen zu können glaubte. Dieser Konzeption entspricht die erhöhte Konzentration auf die Visualität und die geordnete

14 https://en.m.wikipedia.org/wiki/Great_auk#/media/File%3AAlca_impennis_3.
  jpg [29.08.18]. Siehe auch: https://de.m.wikipedia.org/wiki/Riesenalk#/media/
  Datei%3ARiesenalk.JPG. [29.08.18].
15 Vgl. ausführlich Ulrich Blanché. *Konsumkunst. Kultur und Kommerz bei Banksy und
  Damien Hirst*. Bielefeld: transcript, 2014, S. 163-276.

Zurschaustellung der Exponate in gläsernen, hell ausgeleuchteten Vitrinen und Schaukästen. Dienten die betreffenden Exponate früher als Objekte der wissenschaftlichen Forschung vor allem einer klassifizierenden wissenschaftlichen Systematik und biologischen Ordnung, so übernimmt ihre Zurschaustellung schrittweise neue Aufgaben, insbesondere diejenige einer ökokritischen Erinnerungskultur.[16] So lässt sich insgesamt eine aufschlussreiche Verschiebung von einem sammelnden und ordnenden Impuls, der sich einer wissensgeschichtlich älteren Episteme im Sinne Foucaults[17] verdankt, zu einem nostalgischen Blick beobachten, dem eine irreversible Verlusterfahrung entspricht: Nach dem Aussterben vieler biologischer Spezies dokumentieren die Sammlungen ausgestopfter Tiere in den naturhistorischen Museen, die ins 19. Jahrhundert zurückreichen, heutzutage auch das Artensterben selbst. Die unbeweglichen, erstarrten Tierkörper erweisen sich als bestens geeignet, wie stumme Zeugen auf ein globales Phänomen des Artenverlusts und der unmittelbaren Bedrohung vieler Spezies vor dem Aussterben hinzuweisen, obwohl diese symbolische Bedeutung zunächst gar nicht in der Intention der ursprünglichen Museumsgründer lag. Die Tierpräparate repräsentieren, als Ensemble betrachtet, darüber hinaus eine inzwischen bereits weitgehend verloren gegangene Biodiversität.[18]

Inwieweit das vorherrschende Bewusstsein des Verlusts auch die Wahl der Medien prägt, mittels deren die Tierpräparate ausgestellt und inszeniert werden, lässt sich anhand von Luc Semals *Bestiarium. Zeugnisse ausgestorbener Tierarten*[19] und am Medium des Dioramas im kulturellen Wandel beispielhaft erkennen.

1.1. Museumsexponate ausgestorbener Spezies und fotografisches Erinnerungsbuch

In Semals Projekt geht es darum, das sechste Massensterben der Arten zu erfassen in einem aufwendig gestalteten Gedenkbuch, das den jüngst verstorbenen

---

16 In diese Richtung zielt die Beobachtung von Karen Wonders: „so have habitat dioramas spurred preservation efforts by influencing generations of museum visitors to take a more holistic attitude toward nature […] while the grand era of of the natural history diorama may have passed, it is regrettable that many fine and irreplaceable details are in peril of disappearing along with the endangered species and landscapes that are the raison d'être of the diorama genre." Karen Wonders. „The Habitat Diorama Phenomenon". In: Alexander Gall, Helmuth Trischler (Hg.). *Szenerien und Illusion*, S. 286-318, hier S. 286.

17 Vgl. auch Annette Graczyk. Das literarische Tableau zwischen Kunst und Wissenschaft. München: Fink, 2004, besonders S. 11-27.

18 Vgl. Jenny L. Chapman, Michael B. V. Roberts. *Biodiversity. The Abundance of Life.* Cambridge: Cambridge University Press, 1997. Vgl. auch Clive Hamilton, François Gemenne, Christophe Bonneuil (Hg.). *The Anthropocene and the Global Environmental Crisis. Rethinking modernity in a new epoch.* London, New York: Routledge, 2015.

19 Luc Semal. *Bestiarium. Zeugnisse ausgestorbener Tierarten* (Originaltitel: *Bestiaire disparu: Histoire de la dernière grande extinction*, 2013). Bern: Haupt 2014.

Tierarten, und zwar hauptsächlich Säugetieren und Vögeln, gewidmet ist. Die zoologisch beschreibende Funktion wird dabei überlagert von der selbstgesetzten Aufgabe, die ausgestorbenen Tierarten zu kommemorieren. Die Einladung an die Leser, am Prozess einer kollektiven Erinnerung an die ausgestorbenen Spezies durch die Lektüre und die Bildbetrachtung zu partizipieren, übernimmt sowohl eine aufklärende als auch eine kompensatorische Funktion angesichts der Tatsache, dass die Rettung der im Band vorgestellten Spezies nicht mehr möglich ist.

Luc Semals *Bestiarium* präsentiert sich in einer erstaunlich hochwertigen Ausstattung als großformatiger Bildband, in dem jede der rund 70 beschriebenen Tierarten auf einer Doppelseite vorgestellt wird. Auf der linken Seite befindet sich jeweils ein ausführlicher Textteil, der durch ein Titelmotto überschrieben ist, in dem die Gründe für das Aussterben oder eine kurze Charakteristik der jeweiligen Tierart bündig zum Ausdruck gebracht wird. Darunter werden die deutschsprachige bzw. französische Bezeichnung der Spezies und der wissenschaftliche lateinische Name genannt, begleitet von einer Illustration, einem historischen Miniaturgemälde der betreffenden Tierart. Die andere Seite wird von einer ganzseitigen Fotografie des präparierten Tierkörpers bzw. eines ausdrucksvollen Ausschnitts desselben eingenommen. Die Hauptaufmerksamkeit der Betrachter wird unwillkürlich auf das Medium der großformatigen Farbfotografien von Yannick Fourié gelenkt, die zweifellos den besonderen ästhetischen Reiz des Bandes ausmachen.

Auf den zweiten Blick haben indessen auch die begleitenden Texte eine komplexe Struktur, denn sie umfassen zum einen naturwissenschaftliche Beschreibungen über die Lebensweise der Spezies und die Gründe ihres Aussterbens. Zum anderen enthalten sie narrative Anteile wie zum Beispiel kleine Anekdoten über einzelne Individuen der jeweiligen Art und deren tragische Schicksale.[20]

Die Tierpräparate stammen aus der reichhaltigen Sammlung des naturhistorischen Museums in Leiden (Naturalis). Es ist kein Zufall, dass sich die Autoren für ganzseitige Fotografien entschieden haben, welche die Exponate auf tiefschwarzem Hintergrund zeigen. Die Technik der Hell-Dunkel-Kontrastierung ähnelt der niederländischen Malerei der frühen Neuzeit, während die toten Tierkörper auf schwarzem Hintergrund das Genre der *nature morte*, des Stilllebens, indizieren, wie es etwa von Adriaen van Utrecht souverän praktiziert wurde. Tote Hasen und Vögel auf der dunklen Grundierung der barocken Ölgemälde evozieren das Lebensgefühl der Vergänglichkeit: *vanitas*. Während die fotografierten Tierpräparate des Bestiariums gleichsam Ausschnitte aus barocken Stillleben zitieren, nutzen sie das Mittel des Kunstzitats zur Verstärkung des melancholischen Grundthemas.

---

20 Vgl. ausführlich Annette Simonis. *Das Kaleidoskop der Tiere. Zur Wiederkehr des Bestiariums in Moderne und Gegenwart.* Bielefeld: Aisthesis, 2017, S. 103-107.

Abb. 2. Weißwangenkauz, Naturalis, Leiden[21]

Abb. 3. Adriaen van Utrecht. Stillleben mit Hase und toten Vögeln[22]

---

21 https://commons.m.wikimedia.org/wiki/Category:Sceloglaux_albifacies?uselang=
    de#/media/File%3ANaturalis_Biodiversity_Center_-_ZMA.AVES.1492_-_Sce-
    loglaux_albifacies_Gray%2C_G.R.%2C_1844_-_Strigidae_-_skin_specimen.jpeg.
    [29.08.18].

22 https://commons.m.wikimedia.org/wiki/File:Adriaen_van_Utrecht_Stilleben_
    mit_Hase_und_Vögeln.jpg. [29.08.18].

Mit der Transposition vom dreidimensionalen plastischen Körper in die Fläche des fotografischen Bildes vollzieht sich zugleich ein Akt der Stillstellung der Tiere, die, vor dunkler Folie platziert, aus den lebensweltlichen Kontexten herausgerissen scheinen. Die reglosen Tiere wirken eingefangen in die Fläche der fotografischen Stillleben. Die Tierkörper werden dabei bezeichnenderweise meist nicht als Ganze präsentiert, sondern lediglich ausschnitthaft. Im Rahmen jener Ästhetik des Fragmentarischen werden den Lesern und Betrachtern Überreste von ehemals intakten Tierwelten anschaulich vor Augen gerufen. Ein Foto zeigt die aufgerissene Schnauze eines Berberlöwen, dessen starres Glasauge am Betrachter vorbei ins Leere zu blicken scheint. Ein Extrem unter den fotografierten Objekten bildet eine Pappschachtel mit Knochen, deren Herkunft nur noch durch den Begleittext zu erraten ist. Es handelt sich um die Überreste einer um 1690 ausgestorbenen, flugunfähigen Vogelspezies, die Dodo oder Dronte genannt wurde. Der ebenfalls porträtierte Java-Tiger hingegen verschwand erst 1979, als das letzte bekannte Exemplar verstarb.

Selbst in ihrer angeschlagenen Gestalt wirken die vorgestellten Tiere auf den Fotografien als Empathieträger, manche gar als menschenähnliche Persönlichkeiten wie etwa der Weißwangenkauz, von dessen Faszination durch Harmoniumklänge im Begleittext anekdotisch berichtet wird.

Nicht ohne Grund bringt Semal die vorherrschende Atmosphäre deprimierender Verlusterfahrung in der lapidaren Feststellung „Eine Spezies gilt in der Regel dann als ausgestorben, wenn kein begründeter Zweifel daran besteht, dass all ihre Vertreter tot sind"[23] auf ihren pointierten Begriff.

Vor einen leeren schwarzen Hintergrund gestellt, begegnen die ausgestellten Tierpräparate, ausgestopft und mit Glasaugen versehen, auf Fouriés Fotografien dem Blick des Betrachters. Durch die Kunst des *Close-up* und die helle, selektive Ausleuchtung werden die einzelnen Tiergestalten in prägnanten Konturen und körperlichen Details zur Geltung gebracht. Sie heben sich vor der dunklen Folie als eindringliche und charakteristische Gestalten ab, die zugleich als Individuen und als Vertreter ihrer Spezies erscheinen. Einige Nahaufnahmen, zum Beispiel der Kopf des Javatigers, dessen linke Gesichtshälfte im Schatten liegt, so dass das rechte Auge lebhafter aufscheint, oder die wie zur Kontaktaufnahme ausgestreckte Schnauze eines Quaggas, nehmen den Rezipienten emotional gefangen und scheinen um seine Sympathie zu werben. Dies gilt auch für den intensiven Blick aus den großen runden Glasaugen des Weißwangenkauzes, der den Beobachter frontal anschaut. Auf vielen Fotos werden, wie erwähnt, lediglich Ausschnitte der Tierkörper eingefangen, etwa das Fragment eines Tigerfells, eine einzelne Pranke, ein Kopf, eine Schnauze oder Skelettteile wie zum Beispiel der Oberkiefer mit Schädelteil eines Höhlenbären, so dass die Exponate eigentümlich fragmentiert und unvollständig wirken. Zugleich erinnern die fragmentarischen Tierkörper auch an die mühsame Arbeit des Präparators, der sich mit der komplizierten Aufgabe konfrontiert sieht, aus zerstreuten Einzelteilen und Bruchstücken ein Ganzes zu rekonstruieren.

---

23 Luc Semal. *Bestiarium*, S. 145.

Die genannte fotografische Tendenz der Zerlegung bzw. Zerstückelung wird in Semals und Fouriés Bestiarium durch den gezielten Einsatz der Lichtquelle unterstützt, dessen Bedeutung ein Rezensent offenbar verkannt hat, wenn er einschränkend feststellt, die Fotos seien offenbar nicht ganz perfekt gelungen: „Allerdings hat Fotograf Yannik Fourié nur eine einzige Lichtquelle eingesetzt – und zwar als sehr scharfes Streiflicht. Das wirft gelegentlich tiefe Schatten auf Teile des Objekts, worunter die Schönheit einiger Präparate leidet."[24] Demgegenüber wäre zu bemerken, dass die unregelmäßige Ausleuchtung der Tierpräparate gezielt Akzente setzt und den Eindruck der Fragmentierung des Körpers im fotografischen Medium verstärkt. Der Traum von einer möglichen Unversehrtheit des Körpers in der Museumsvitrine, seiner Rettung als museales Kulturgut, wird durch solche Zerstückelung im Medium der Fotografie als trügerische Illusion entlarvt. Pointiert symbolisiert eine kopfüber in einer Glasflasche ruhende Echse mit geschlossenen Augen die Unumkehrbarkeit des individuellen Todes und der Auslöschung der zoologischen Spezies.

Die in Semals Bestiarium gewählte Präsentation der Tiere in Form musealer Exponate dient nicht primär szientifischen Zwecken, wie man auf den ersten Blick annehmen könnte. Vielmehr tritt in ihr auch eine ästhetische Gestaltungstendenz zu Tage, die Semals und Fouriés fotografisches Bestiarium durchgängig konturiert. Die melancholische Grundierung und die Wahrnehmung körperlicher Zersetzung suggerieren eine fortgesetzte Trauerarbeit um den Verlust der vorgestellten Tierarten. Zugleich ist es bezeichnend, dass die Vorstellung des ausgestellten toten Körpers auf den Fotografien Fouriés nicht durch naturalistische Umgebungen verhüllt oder verdrängt wird, wie es in den Dioramen naturkundlicher Museen geschieht. Die dunkle Grundierung der Bilder und die in den Nahaufnahmen gut sichtbare Reglosigkeit der Tierkörper, die von ihrem natürlichen Lebensraum isoliert sind, erwecken insgesamt den Eindruck fotografischer Stillleben, die den dominierenden melancholischen Modus des Buchs intensivieren.

Die beobachtete ästhetische Stilisierung und Formgebung schließen eine wissenschaftliche bzw. ökologische Argumentation dabei keineswegs aus. Letztere manifestiert sich beispielsweise darin, dass im Vorwort zu Semals Tierbuch die Relevanz und der besondere Stellenwert der Fossilien und Präparate ausgestorbener Arten sachkundig erläutert werden.

---

24 Rezension von Jürgen Alberti in *Spektrum der Wissenschaft*. https://www.spektrum. de/rezension/buchkritik-zu-bestiarium/1322037 [29.08.18].

1.2. Das naturhistorische Habitat-Diorama als räumliche Wirklichkeitsillusion und Wunschbild friedlicher Koexistenz

> Seltsam, als Kind schon zog ihn Erstarrtes an.
> In den Museen stand er lange vorm Diorama
> Mit den Tieren im Stillstand, natürlich gruppiert
> Vor gemalte Fernen, Urwaldszenen und Himalayas.[25]

Wie das einzelne Tierpräparat erweist sich auch das Diorama zunächst als Ort der Begegnung der Museumsbesucher mit einer im Schaukasten stilisierten Natur. Es ist zugleich ein hochartifizielles Kunstwerk und ein ästhetischer Raum sui generis. Aufgrund seiner spektakulären Wirkung, insbesondere auf die Rezipienten im 19. Jahrhundert, wird es nicht zu Unrecht zu den frühen Massenmedien im 19. Jahrhundert gezählt.[26] So verwundert es nicht, wenn es als Inszenierung von Tieren in ihrer natürlichen Umgebung und im Zusammenspiel mit Naturphänomenen gern genutzt wurde. Auffallende Merkmale des Dioramas sind die angestrebte Transparenz des Hintergrundbildes sowie die meist fließenden Übergänge zwischen plastischen Objekten im (dreidimensionalen) Raum und dem gemalten (zweidimensionalen) Hintergrund, der, die Tiefendimension mit Hilfe der Kunst der Landschaftsmalerei unterstützend, die Illusion einer realistischen Naturwahrnehmung vollendet.[27]

Zeigen sich die musealen Tierexponate auf den Fotografien Fouriés als im Benjamin'schen Sinne mortifizierte ästhetische Objekte, lässt sich im Kontext der naturhistorischen Museumskultur auch die entgegengesetzte Tendenz erkennen, der Versuch, die zur Schau gestellten Tierpräparate im Nachhinein, post mortem, zu vivifizieren. Als beliebtes Medium, das geeignet ist, eine solche Illusion des Lebendigen durch natürlich wirkende Gruppierung, Umgebungskontexte und Lichteffekte hervorzurufen, darf das Diorama gelten, genauer das naturkundliche Habitat-Diorama.

Durs Grünbeins Gedicht „Kindheit im Diorama"[28] veranschaulicht die Wirklichkeitsillusion und die damit verbundene Rezeptionserfahrung einer

---

25 Durs Grünbein. *Strophen für übermorgen. Gedichte.* Frankfurt/M.: Suhrkamp, 2007, S. 20.

26 Vgl. Amrei Buchholz. „Diorama, Panorama und Landschaftsästhetik". In: Stephan Günzel, Dieter Mersch (Hg.). *Bild: Ein interdisziplinäres Handbuch.* Stuttgart, Weimar: Metzler, 2014, S. 185-187. Zum Diorama in der naturhistorischen Museumskultur vgl. ferner Uwe Albrecht. *Bilder aus dem Tierleben. Phillip Leopold Martin (1815-1885) und die Popularisierung der Naturkunde im 19. Jahrhundert.* Marburg: tectum 2018, S. 25-26. Siehe auch Alexander Gall, Helmuth Trischler (Hg.). *Szenerien und Illusion: Geschichte, Varianten und Potenziale von Museumsdioramen.* Göttingen: Wallstein, 2016.

27 Karen Wonders. „The Habitat Diorama Phenomenon". In: Alexander Gall, Helmuth Trischler (Hg.). *Szenerien und Illusion*, S. 286-318, hier S. 286.

28 Durs Grünbein. *Strophen für übermorgen. Gedichte.* Frankfurt/M.: Suhrkamp, 2007, S. 20.

plötzlichen Vivifizierung der Exponate aus der Perspektive des Kindes. Das Gedicht fokussiert ein Moment der Verzauberung, in dem sich die musealen Exponate punktuell zu bewegen und fast lebendig zu werden scheinen: „Erst beim Schmelzen / Des Ewigen Eises kam dieses Mammut ans Licht. / Die schönsten Schmetterlinge, handtellergroß, / Fand er auf Nadeln gespießt. Einmal schien ihm / Als ob ihre Flügel noch bebten, wie in Erinnerung / An die gefällten Bäume, den tropischen Wind. / Vielleicht daß ein Luftzug durch Schaukästen ging.“[29]

Nicht allein kindliche Museumsbesucher, auch die erwachsenen Rezipienten erfreuen sich an der Naturähnlichkeit, die sich einem detailrealistischen Inszenierungsstil mit teils subtiler Belichtung sowie pikturalen Illusionstechniken und Räumlichkeitssuggestionen verdankt.

Wahrnehmungsästhetisch betrachtet, ist für das naturhistorische Diorama ein medienspezifisches Oszillieren zwischen dreidimensionalen, plastischen Objekten und flächiger Darstellung typisch, das dem Kippeffekt zwischen Naturähnlichkeit und Kunsterfahrung entspricht. Darüber hinaus ergibt sich ein weiteres Spannungsfeld: Während die starren Tierpräparate für sich genommen überwiegend den Eindruck von Leblosigkeit vermitteln würden, suggeriert der künstlerische Kontext des Habitat-Dioramas ihre lebensnahe Natürlichkeit. Das Ziel einer wissenschaftlich exakten Präsentation wird von dem Impuls der Zurschaustellung überlagert. Der theatrale und illusionistische Effekt wird nicht zuletzt durch subtile Nuancen der Beleuchtung unterstützt. Ästhetisierende Tendenzen und wissenschaftliche Neugier kommen einer Museumskultur entgegen, die mit ihren komplexen Kompositionen im Diorama vor allem der Schaulust der Besucher Rechnung trägt. Dabei soll die Suggestion entstehen, die Natur selbst sei am Werk bei der Gruppierung und Zusammenfügung des Dioramas.

Die Dioramen streben nach einer nahezu vollständigen Illusionierung der Betrachter, denn sie operieren mit subtilen Realitätssuggestionen, die lediglich durch eine vordergründig fehlende Dynamik der Inszenierung durchbrochen werden. Allerdings fehlt auch der Bewegungsaspekt keineswegs völlig. Wie Lorenz Engell überzeugend gezeigt hat, können solche Dioramen durch geschickte Arrangements ihre räumlichen Bilder dramatisieren, Bewegungsabläufe und Zeitdimensionen suggerieren. Sie lassen sich also gerade nicht auf den Modus des statischen Bildes festlegen, sondern sich vielmehr auf den zweiten Blick durchaus als dynamische bzw. dynamisierte Raumbilder auffassen.[30]

Inhaltlich gesehen präsentieren Dioramen meist harmonische, um nicht zu sagen idyllische Impressionen von intakten ländlichen oder maritimen Lebenswelten, von Habitaten im jahreszeitlichen Wechsel; im Blick auf die Human-Animal Studies bieten sie dem Betrachter häufig aufschlussreiche Modelle friedlichen Koexistierens zwischen Mensch und Tier. Auch wenn das Diorama

---

29 Ebd.

30 Vgl. dazu ausführlich den differenzierten Beitrag von Lorenz Engell: „Die Leere und die Fülle. Vom Bewegungsbild des Films zum Raumbild des Dioramas" in diesem Band.

Abb. 4. Diorama mit Hermelin im Musée d'Histoire Naturelle, Neuchâtel.
Foto: Annette Simonis.

den Blick des Rezipienten in die Weite lenkt, bleibt es letztlich stets in seinen
tatsächlichen räumlichen Maßen wiederum eng begrenzt und bildet ein aus-
schnitthaftes Miniaturmodell des jeweiligen Ökosystems.

Die Idee einer Wiedergutmachung des Artensterbens und einer Rettung
der verschwundenen Spezies durch die Museumskultur und -kunst spielt in
verschiedenen ökokritischen Projekten durchaus eine zentrale Rolle. So orga-
nisierte das Smithsonian National Museum of Natural History in Washington
unter dem Motto „Once There Were Billions: Vanished Birds of North America" eine Ausstellung, die sich mit den ausgestorbenen Vögeln Nordamerikas
beschäftigt. Die Kuratoren verstehen dieses Unterfangen nicht zuletzt als eine

Abb. 5. Diorama mit Fuchs und Hase im Musée d'Histoire Naturelle, Neuchâtel.
Foto: Annette Simonis.

Hommage an die verschwundenen Vogelarten wie den Dodo, den Riesenalk und die Wandertaube:

> Now the Smithsonian National Museum of Natural History is paying homage to the Great Auk and other extinct birds including the Heath Hen, Carolina Parakeet, and Martha, the last Passenger Pigeon, in a new exhibition from the Smithsonian Libraries called „Once There Were Billions: Vanished Birds of North America." Featuring the Great Auk as a cautionary tale, the show – which includes taxidermy specimens from the collections and several antiquarian books like John James Audubon's *The Birds of America* – paints a striking picture of the detrimental effects humans can have on their environment.[31]

---

31 Siehe auch: https://www.smithsonianmag.com/smithsonian-institution/with-crush-fisherman-boot-the-last-great-auks-died-180951982/#0dtW50uP3ZM22CaW.99. [29.08.18].

Gemäß der Selbstbeschreibung der Kuratoren übernimmt das Projekt neben der kommemorierenden Aufgabe auch eine erklärende und mahnende Funktion, die künftiges Artensterben durch abschreckende Beispiele menschlichen Verhaltens im Umgang mit der Natur verhindern soll.[32]

Begleitet wurde die genannte naturhistorische Ausstellung durch genuin künstlerische Exponate, nämlich durch das Lost Bird-Projekt, innerhalb dessen der Bildhauer Todd McGrain großformatige Bronzeskulpturen im Museumsgarten zeigte. Die Tragödie („tragedy") des Aussterbens inspiriert somit das Bestreben, den nordamerikanischen Vögeln im Medium der bildenden Kunst Unsterblichkeit zu verleihen („immortalize"):

> Lost Bird Project at the Smithsonian Gardens
> The Smithsonian Libraries and Smithsonian Gardens present „The Lost Bird Project," an exhibit by artist Todd McGrain, March 27 through March 15, 2015. This project recognizes the tragedy of modern extinction by immortalizing North American birds that have been driven to extinction. It will feature large-scale bronze sculptures of the Carolina Parakeet, the Labrador Duck, the Great Auk, the Heath Hen and the Passenger Pigeon.
> Four of the sculptures are installed in the Enid A. Haupt Garden, a 4.2-acre public rooftop garden between the Smithsonian Castle and Independence Avenue. The fifth sculpture, the Passenger Pigeon, will be installed in the Urban Habitat Garden at the Smithsonian's National Museum of Natural History.[33]

Der Museumsbesuch wie auch die Arbeit der Kuratoren und der beteiligten Künstler bilden zusammen ein Ensemble ritueller Praktiken, die wiederum Ausdruck einer kollektiven Erinnerungsarbeit sind und ein nationales Gedenken innerhalb der amerikanischen Kultur an diejenigen Vogelspezies symbolisieren sollen, deren Ausrottung durch den Menschen erst kürzlich bewirkt wurde. Es ist nicht verwunderlich, dass im Mittelpunkt dieser Bemühungen die Wandertaube (passenger pigeon) steht. Seit dem Aussterben der Art avancierte sie zu einem Objekt nationaler Verehrung, wie auch der Begleittext zur jüngsten Ausstellung in Washington zeigt:

> Installing the Passenger Pigeon sculpture at the National Museum of Natural History: „Smithsonian Gardens is extremely honored to host The Lost Bird Project sculptures created by Todd McGrain," said Barbara Faust, director of Smithsonian Gardens. „It is our hope that these beautiful works of art raise awareness of modern extinction and engage visitors to interact with our gardens."
> The Smithsonian Libraries will also present, „Once There Were Billions: Vanished Birds of North America," on view at the National Museum of Natural History

---

32 Nicht immer erscheint der Gestus kollektiven Gedenkens seriös. Die Skulptur des letzten Riesenalks auf den Orkneyinseln erinnert in ihrer rosa Färbung mehr an einen Spielgefährten von Hello Kitty als an ein Denkmal bzw. Monument zum Andenken an eine ausgestorbenen Spezies. Siehe: https://en.m.wikipedia.org/wiki/Great_auk#/media/File%3AGreat_Auk_monument.jpg [29.08.18].

33 https://www.smithsonianmag.com/smithsonian-institution/with-crush-fisherman-boot-the-last-great-auks-died-180951982/#0dtW50uP3ZM22CaW.99. [29.08.18].

June 24 through October 2015. The exhibit commemorates the 100th anniversary of Martha the Passenger Pigeon, the last member of a species that once filled America's skies.[34]

Als im September 1914 die letzte Wandertaube namens „Martha" im Alter von 29 Jahren im Zoo von Cincinnati verstarb, wurde dies zu einem überregionalen Medienereignis, das in den USA große Aufmerksamkeit erhielt. Die tote Taube wurde zur Präparierung dem Smithsonian Museum in Washington übergeben. Neben dem rituellen Charakter einer kollektiven Trauerarbeit und der Verabschiedung des berühmten Zootiers erfüllte der aufwendige Vorgang des Präparierens der verstorbenen Wandertaube die Aufgabe, den Verlust und das Aussterben der Art wenigstens symbolisch zu kompensieren.

Die Arbeit des Präparators gleicht in den Formulierungen eines Artikels aus dem *Cincinnati Enquirer* erstaunlicherweise einer vollständigen Wiederherstellung des Vogels, der als museales Schauobjekt postum wieder in seinem vollen Glanz erstrahlen soll, nämlich „be shown to posterity not as an old bird with most of her plumage gone, as she is now, but as the queenly young passenger pigeon that delighted thousands of bird and nature lovers at the Zoo during the past 30 years."[35] Nachträglich werden dem ausgerotteten Vogel wie die Vergleichsfigur „as the queenly young passenger pigeon" indiziert, eine königliche Aura und ein merkwürdiger Verjüngungsprozess beim Übergang zum Museumsexponat attestiert.

Offenbar hat die Idee der Wiedergutmachung und Wiederherstellung eines irreversiblen Prozesses (Tod und Aussterben der Art) durch die Präparierung und die Erstellung eines perfektionierten, formvollendeten Exponats aus den Resten des Vogelkörpers eine faszinierende Wirkung. Ein ähnliches Szenario oder Gedankenspiel wird in der Naturwissenschaft durch die moderne Genetik eröffnet. Die Vorstellung von der Wiedergeburt ausgestorbener Spezies beflügelt auch zeitgenössische Gentechniker und wird in den Massenmedien häufig als spektakuläre Neuigkeit thematisiert. Eine solche Vision der Naturwissenschaftler stellt die Möglichkeit einer künftigen Wiedergewinnung der Artenvielfalt durch gentechnische Veränderung bzw. Geninjektion und künstliche Befruchtung nahe verwandter Arten in Aussicht. In den Zeitungen ist emphatisch sogar von der Hoffnung auf eine „resurrection"[36], eine Wiederauferstehung

---

34 Ebd.

35 Errol Fuller. *Lost Animals. Extinction and the Photographic Record*, S. 70-71. Man hatte vorsorglich noch zu Lebzeiten der letzten Wandertaube ihre Federn während der Mauser eingesammelt.

36 Vgl. Zack Metcalfe. „Resurrecting the Great Auk." *The Chronicle Herald.* 26.03.2018: http://thechronicleherald.ca/southshorebreaker/1556407-resurrecting-the-great-auk. Siehe auch: „Researchers Plan On Resurrecting The Extinct Great Auk": http://www.iflscience.com/plants-and-animals/researchers-plan-on-resurrecting-the-extinct-great-auk/ Hinsichtlich der wissenschaftlichen und ethischen Problematik der genetischen Reproduktion ausgestorbener Tierarten siehe auch Carl Zimmer. „Bringing Them Back to Life. The revival of an extinct species is no longer a fantasy. But is it a good idea?" *National Geographic.* April 2013: https://

der verlorenen Spezies die Rede. Symptomatisch erscheint der Umstand, dass die journalistische Berichterstattung hier mit einem emphatischen Vokabular aufwartet, das religiösen und mythologischen Kontexten entstammt.

2. Zoogehege im medialen Wandel. Zoologische Gärten als Schau-Plätze der Natur

Wie kaum eine zweite Raumarchitektur im Umkreis der urbanen Lebenswelt hat der Zoologische Garten seit seiner Entstehung im 19. Jahrhundert einen äußerlich gut sichtbaren Wandel erfahren. Betrachtet man die frühen Zoos, die an die Raumkonzepte und Praktiken der höfischen Menagerien mehr oder weniger nahtlos anknüpften, so lässt sich in in ihrer Tierhaltung in Käfigen deutlich der Einsatz von Medien der Zurschaustellung seltener oder exotischer Arten erkennen. Häufig waren die exotischen Tierhäuser und Volieren dem Zeitgeschmack und den Baustilen des 19. Jahrhunderts bzw. Fin de Siècle angepasst, mit Elementen des Japonismus, Orientalismus, Jugendstil oder *Art deco* aufwendig gestaltet und mit Ornamenten und Schmuckelementen verziert, die den Aspekt der Visualität verstärkten.

Nun lässt sich in den Zoologische Gärten schon bald, seit Hagenbecks Neugründung im Jahr 1907 im Hamburger Vorort Stellingen[37], ein markanter Medienwechsel von der Käfighaltung zum Freigehege beobachten, das eine artgerechte Tierhaltung verspricht, bei der die Gitterstäbe verschwinden und durch unsichtbare Gräben oder durchsichtige Scheiben ersetzt werden. Der Trend geht seitdem hin zum Tiergehege als Biotop oder, im Falle der großen Anlagen mit mehreren Tierarten und Bepflanzung aus der Herkunftsregion, sogar zum lebendigen Miniaturmodell eines, wenn auch künstlich aufrecht erhaltenen Ökosystems. Man könnte daraus zunächst schließen, der Wandel in der architektonischen Gestaltung der Gehege von den Menagerien der Vergangenheit zum ökologisch orientierten Zoo der Zukunft sei perfekt und die Unterschiede könnten größer kaum sein. Das räumliche Medium der Präsentation wilder Tierarten, das immer auch als das lebendige Gegenbild der menschlichen Zivilisation und Kultur gilt, scheint einen tiefgreifenden Wandel durchlaufen zu haben.

Verbunden ist dieser Gedanke in letzter Zeit mehr und mehr mit dem Konzept des Zoos als Arche[38], in der einzelne individuelle Vertreter bedrohter

---

www.nationalgeographic.com/magazine/2013/04/species-revival-bringing-back-extinct-animals/ [29.08.18].

37 Vgl. Susanne Grötz, Klaus Jan Philipp. *Hamburg, Schleswig-Holstein.* Berlin, München: Deutscher Kunstverlag, 2009, S. 133: „1907 eröffnet, erlangte der Park wegen seiner neuartigen Tierpräsentation in landschaftlich gestalteten Freigehegen und Freisichtanlagen statt konventioneller Käfighaltung rasch Weltruhm. Demgegenüber verblaßten selbst Attraktionen wie Völkerschau, Miniatureisenbahn, Parkrestaurant und Konzertbühne."

38 Vgl. etwa Hans Frädrich, Heinz-Georg Klös und Ursula Klös. *Die Arche Noah an der Spree. 150 Jahre Zoologischer Garten Berlin – eine tiergärtnerische Kulturgeschichte*

Spezies überleben können, während die letzten Artgenossen in der freien Wild-
bahn bereits ausgestorben sind. Der Zoo fungiert nunmehr als letztes Refugium
der Tiere angesichts schwindender natürlicher Lebensräume.

Nichtsdestoweniger zeigt auch die Entwicklung von der Käfighaltung und
exotischen Tiersammlung zum „Zoo der Zukunft"[39] noch die Überbleibsel der
älteren Konzeption des Zoologischen Gartens in seiner räumlichen Binnendif-
ferenzierung und deren thematischer sowie symbolischer Besetzung. Obgleich
moderne Zoos zweifellos auch andere Aufgaben erfüllen, ist es nicht zu leugnen,
dass die Zurschaustellung der wilden Tiere weiterhin eine zentrale Funktion der
Tiergehege bleibt. Man könnte sogar sagen, dass dieser Aspekt seit den frühen
Menagerien nicht allein beibehalten, sondern überdies kontinuierlich immer
weiter perfektioniert worden ist. Jene Gitterstäbe der neuzeitlichen Menagerien, die den Blick der Besucher und die Kamera störten, sind weitgehend verschwunden; die Tiermotive am anderen Ufer eines Wassergrabens oder jenseits
der transparenten Panzerglasscheiben lassen sich in den modernen Zoos meist
ungehindert betrachten und festhalten. Die gewöhnlichen Besucher wie auch
die Hobby-Zoofotografen sollen sich hier wie Safariteilnehmer fühlen. Der
Verzicht auf Gitterstäbe dient nicht in erster Linie dem Tierwohl, obgleich
dies auch ein wichtiges Anliegen moderner Zooplanung bildet und keineswegs
geleugnet werden soll, sondern der besseren Sichtbarkeit des Tiers und der vollendeten Illusion seiner Platzierung innerhalb einer möglichst natürlich wirkenden Umgebung, die keine verräterischen Assoziationen an Gefangenschaft auf-
kommen lässt.[40]

Mit der abwechslungsreichen Gestaltung der Gehege werden Architekten
beauftragt, die neben dem Tierwohl immer auch die Rezeptionsperspektive, die
Bedürfnisse des Besuchers, berücksichtigen. Ähnlich wie der englische Landschaftsgarten sollen die großen Freigehege wie begehbare Landschaftsmalerei[41] wirken. Sie fungieren dabei zugleich als erholsame Gegenwelten zu urba-

---

von 1844-1994. Berlin: Fab, 1994. Siehe auch Theodor W. Adorno. *Minima Mora-
lia. Reflexionen aus dem beschädigten Leben*. Frankfurt/M.: Suhrkamp, 2002, S. 75:
„Der gleichen Hoffnung entstammen schon die zoologischen Gärten. Sie sind nach
dem Muster der Arche Noah angelegt, denn seit sie existieren, wartet die Bürger-
klasse auf die Sintflut. Der Nutzen der Tiergärten zur Unterhaltung und Belehrung
scheint ein dünner Vorwand. Sie sind Allegorien dessen, daß ein Exemplar oder ein
Paar dem Verhängnis trotze, das die Gattung als Gattung ereilt."

39 So lautet eine werbewirksame Selbstbezeichnung des Leipziger Zoos, die gerne auch
    von Reiseführern aufgegriffen wird: „Jenseits des Cityrings etwa geht das noble
    Waldstraßenviertel in das Rosental über, in dem der Zoologische Garten der Stadt
    als *Zoo der Zukunft* mit naturnah gestalteten Anlagen und zahlreichen Tierarten aus
    aller Welt lockt." (Gabriel C. Lopez-Guerrero, Sabine Tzschaschel. *Leipzig*. Mün-
    chen: ADAC-Verlag, 2009, S. 63.)

40 Vgl. Jan-Erik Steinkrüger. *Thematisierte Welten: Über Darstellungspraxen in Zoologi-
    schen Gärten und Vergnügungsparks*. Bielefeld: transcript, 2014, S. 206: „Es ist nicht
    das Tier, welches die Gestaltung benötigt, sondern der Besucher, der es auf ästheti-
    scher und handwerklicher Ebene würdigt und sein Gewissen damit beruhigt."

41 Ebd.

nen Betonräumen.[42] Nastasja Klothmann zeigt in diesem Sinne prägnant den Zusammenhang der Idee des Reformzoos mit der Mentalität der Epoche des beginnenden 20. Jahrhunderts auf: „An die Stelle der Käfige mit Eisenstäben traten, beginnend mit Carl Hagenbeck, Freigehege, die im Zoo die Illusion von frei lebenden Wildtieren vermittelten. Darin spiegelten sich Vorstellungen im Kontext der Lebensreformbewegung wider, die Freiheit, Licht und Luft in den Vordergrund stellte."[43]

Die Sichtbarkeit der Tiere bleibt also insgesamt ein wichtiges Anliegen und die Anlage, die sie bewohnen, soll den Besuchern idealerweise als natürlich wirkende Kulisse ebenfalls einen besonderen Blickfang bieten. Von der weitläufigen Restaurantterasse im Zoo Leipzig eröffnet sich beispielsweise ein Panoramablick über das große Afrika-Freigehege, das eine Reihe unterschiedlicher Tierarten beherbergt. Von hier aus können die Besucher also während der Nahrungsaufnahme bequem den Blick über die große Afrika-Anlage schweifen lassen und Zebras, Giraffen, Antilopen und anderen Spezies beim Grasen und Spielen zuschauen.

Zwar wird primär die visuelle Wahrnehmung bedacht, unterdessen wird die reine Schaulust zuweilen von interaktiven Momenten begleitet. Manche Gehege und Anlagen dürfen die Besucher betreten, um in die fremde, exotische Atmosphäre ganz einzutauchen, auch wenn sie die Tiere weder berühren noch füttern sollen. In diesem Sinne betont Scott A. Lukas[44]:

Whereas menageries and early zoo were characterized by a strict border between the gazing cultural subject and the gazed natural object, the zoo after Hagenbeck's revolution immerses the visitor in a themed environment. This immersion, however, should not deceive us that the borders between spectator and spectated have blurred.

Der dynamische Inszenenierungscharakter im Umgang mit den Zootieren manifestiert sich darüber hinaus beispielhaft in den spektakulären zirkusähnlichen

---

42 Vgl. auch Andrea Siegmund. *Der Landschaftsgarten als Gegenwelt. Ein Beitrag zur Theorie der Landschaft im Spannungsfeld von Aufklärung, Empfindsamkeit, Romantik und Gegenaufklärung.* Würzburg: Königshausen & Neumann, 2011.

43 Nastasja Klothmann. *Gefühlswelten im Zoo: Eine Emotionsgeschichte 1900-1945.* Bielefeld: transcript, 2015, S. 13. Vgl. auch Stephan Speicher: „Von Tieren vor Menschen – Eine kleine Geschichte des Zoos". Die *Neue Rundschau* 112 (2001), Heft 2: Vom öffentlichen und privaten Gebrauch der Tiere, S. 35-44, hier S. 39: „Es ist die jugendbewegte Auffassung des Zoos, die traditionelle Unterbringung in Stilhäusern wirkt nun vermufft, verplüscht, [...]. Aus grauer Städte Mauern! ist die Parole, und eine Lebensreform darf man nennen, was die neuen Zoos sich vornehmen. Dazu gehört, dass die Gehege größer und die Tiere in Gruppen gehalten werden, auch das erinnert an die Jugendbewegung. Der Lebensraum der Tiere wird weiter definiert, man bringt verschiedene Arten zusammen, verdeckte Gräben."

44 Vgl. Scott A. Lukas. *A Reader in Themed and Immersive Spaces.* Pittsburgh, PA: Mellon, 2016, S. 51. Zum *immersion design* neuerer Zoologischer Gärten vgl. auch Irus Braverman, *Zooland. The Institution of Captivity.* Stanford, CA: Stanford University Press, 2013, S. 33-35.

Tierfütterungen von Raubtieren, Pinguinen, Seehunden, Delphinen und co., die von den Anfängen bis heute Höhepunkte des Zoobesuchs markieren.[45]

Obgleich der Bewegungsaspekt sicherlich einen wichtigen Unterschied zwischen der Tiererfahrung im Zoo und der musealen Präsentation von Tierspezies, sei es als einzelne Exponate, sei es in komplexen Dioramen, bildet, zeichnen sich nichtsdestoweniger greifbare Parallelen ab.

Wie bei den Dioramen des 19. Jahrhunderts handelt es sich bei den modernen Tiergehegen um ein massenattraktives Phänomen. Beim Diorama wie beim Freigehege wird der Blick des Betrachters in ein artifiziell arrangiertes Landschaftskonstrukt gelenkt, wobei die Glasscheibe zugleich trennt und verbindet, indem sie als durchsichtiges Fenster oder manchmal – in der runden Form – auch als Guckloch zum Schauen einlädt. Auch in ökonomischer Hinsicht bleibt die Schaulust ein unverzichtbares Moment, denn der Schaucharakter sichert bis heute einen Großteil der Finanzierung der Zoologischen Gärten, etwa durch die erhobenen Eintrittsgelder, die teilweise durchaus beträchtlich sind. Es ist nicht zu übersehen, dass sich die Zoos dauerhafter Beliebtheit erfreuen und vielfach große Besucherströme anziehen.[46] Visualität und architektonische Elemente aus der Gartenkultur sowie Anleihen bei der Landschaftsmalerei bilden wie im Diorama der naturhistorischen Sammlung weiterhin konstitutive mediale Eigenschaften des heutigen Zoos.

Hinzu kommen neue interaktive Ausstellungskonzepte und immersive Raumgestaltungen, artifizielle ökologische Welten, in die die Besucher eintauchen können.

Mit dem medialen und architektonischen Wandel von der Käfighaltung zum großen Freigehege und zur ökologischen Raumarchitektur formulieren die Zoodirektoren auch neue Ansprüche. Angestrebt wird ein nicht wenig ehrgeiziges Ziel, das man auch als ‚Globalisierung des Zoologischen Gartens‘ bezeichnen könnte. Eine globale Welt mit ihren unterschiedlichen Ökosystemen und Lebensräumen soll gewissermaßen in der verkleinerten Dimension des Zoos und in der Zeitdimension eines Besuchstags oder Nachmittags erfahrbar werden. Als Prinzip der zoologischen Gartenräume, Architektur und Gehege gilt die Vermeidung oder vielmehr Kaschierung des Artifiziellen, zugunsten eines möglichst natürlichen Gesamteindrucks, die perfekte Illusion eines natürlichen Lebensraums, auch wenn dieser nur durch hochartifizielle technische Mittel und dauernde Lenkung durch menschliche Aktanten aufrecht erhalten werden kann. Daher handelt es sich um eine mit hochgradig künstlichen Mitteln erzeugte Naturähnlichkeit.

---

45 Vgl. etwa die retrospektive Schilderung von Durs Grünbein. *Die Jahre im Zoo. Ein Kaleidoskop.* Frankfurt/M.: Suhrkamp, 2015, eBook: „Scharfe Erinnerungssplitter verbinden sich mit dem Wort Zoo. Um 15 Uhr mußten alle im Raubtierhaus sein, die Fütterung der Riesenkatzen war angekündigt. In der Ferne erschallte ein Gong. Alt und Jung folgten dem Ruf.‘

46 Vgl. beispielsweise die Meldung „Leipziger Zoo freut sich über steigende Besucherzahl" in der *Mitteldeutschen Zeitung* vom 5.1.2016: „Im Zoo in Leipzig freut man sich über eine positive Besucherbilanz für das Jahr 2016. Wie der Tierpark am Donnerstag mitteilte, kamen im abgelaufenen Jahr rund 1,71 Millionen Gäste."

Das Konzept des Zoos als Modell der (im verkleinerten Maßstab geretteten) Erde impliziert das Prinzip der Weltensammlung[47], die ganze Lebensräume, Biotope und Ökosysteme vorstellt und teilweise sogar begehbar macht. Es handelt sich um die Idee des Geo-Zoos, in dem weder lediglich interessante Individuen präsentiert werden, noch in einzelnen Gehegen isolierte Spezies, sondern ganze Lebensräume und Klimazonen. Den Besuchern sollen durch hochtechnisierte und architektonisch durchkonzipierte Geländeplanung ganzheitliche Landschaftserlebnisse ermöglicht werden, die die Illusion erzeugen, man bewege sich selbst inmitten von Savanne, Regenwald, Wüste oder am Meeresstrand. Die gegenwärtige Zooplanung zielt auf Superlative, wie sich am 2011 eröffneten Regenwaldhaus des Leipziger Zoos, Gondwanaland[48], beispielhaft nachvollziehen lässt, das auf der Website des Zoos nicht zufällig als einzigartige „Erlebniswelt" gepriesen wird:

„In Gondwanaland spüren Sie den tropischen Regenwald Afrikas, Asiens und Südamerikas mit allen Sinnen. Auf einer überdachten Fläche, größer als zwei Fußballfelder, leben 140 exotische Tierarten und rund 500 verschiedene Baum- und Pflanzenarten."[49] Der Leipziger Regenwald imponiert mit einer Ausdehnung von 16.500 Quadratkilometern, überdacht von einer freitragenden Stahlkonstruktion mit Folienkissen, die als architektonisches Wunder gefeiert wird. Sucht man nach einem Pendant im 19. Jahrhundert, so wäre die moderne Tropenhalle in ihrer Glas-Stahl-Architektur vielleicht dem Kristallpalast der Londoner Weltausstellung von 1851 vergleichbar, allerdings überbietet sie das historische Vorbild durch ihre Technologie, die es ermöglicht, dauerhaft eine Temperatur von konstanten 25 Grad und hoher Luftfeuchtigkeit zu gewährleisten.

Abb. 6. Panoramabild von der Baustelle der Riesentropenhalle Gondwanaland im Zoo Leipzig, Rohbau fertig, Innenausbau etwa halbfertig[50]

---

47 Vgl. dazu auch allgemein Iris Schröder und Sabine Höhler (Hg.). *Welt-Räume: Geschichte, Geographie und Globalisierung seit 1900.* Frankfurt/M., New York: Campus, 2005.
48 https://www.zoo-leipzig.de/erlebniswelten/gondwanaland/. [29.08.18].
49 Ebd. Die Regenwaldhalle in Leipzig ist nicht ganz so einzigartig, wie es auf den ersten Blick scheint, denn sie kann auf ein nur wenig kleineres Vorbild im niederländischen Burgers' Zoo in Arnheim zurückblicken (Burgers' Bush 1998).
50 https://de.m.wikipedia.org/wiki/Gondwanaland#/media/Datei%3APanorama_ Baustelle_Gondwanaland_März_2011.jpeg [29.08.18].

Neben der imposanten Architektur werden auf der Webseite die interaktiven Aspekte des modernen Regenwaldpalasts eigens hervorgehoben: „Folgen Sie unseren Dschungelpfaden, erklettern Sie den Baumwipfelpfad und lassen Sie sich treiben bei einer Bootsfahrt auf dem Urwaldfluss Gamanil."[51] Hängebrücken und Bootsfahrten erlauben den Besuchern, in die Immersionsräume des Regenwaldhauses einzutauchen und sich wie auf einer Urwaldexpedition zu fühlen. Wie in einem Landschaftsgarten kann der Besucher die verschiedenen Bereiche der Tropenhalle erfahren, erwandern oder erklettern, wobei sich ihm immer neue Ansichten des Ganzen und Schaufenster in einzelne kleinere Gehege, in überschaubare Binnenräume auftun.

Des weiteren erscheint es symptomatisch, dass in der Selbstdarstellung auf den Webseiten des Zoos die Natürlichkeit der großen Tropenhalle besonders hervorgehoben wird, obwohl diese überhaupt nur durch sehr aufwendige Technik und komplexe Apparaturen in Gang gehalten werden kann:

> Seit der Eröffnung am 1. Juli 2011 hat sich ein komplexes Ökosystem ausgebildet, das um ein Vielfaches wilder und natürlicher ist als es zur Eröffnung war. Statt der 16.000 eingebrachten Pflanzen wuchern inzwischen mehr als 24.000 Gewächse in der Halle. Die anfangs 40 Tierarten wurden sukzessive erweitert. Mittlerweile sind rund 140 Spezies in Gondwanaland zu Hause. Wiederholte Zuchterfolge bei den als sehr anspruchsvoll geltenden Schabrackentapiren oder den erstmals überhaupt in Europa gehaltenen Tüpfelbeutelmardern gehören zu den zoologischen Highlights und sind Beweis für die guten Lebensbedingungen. Neben den Säugetieren, Reptilien und freilebenden Amphibien und Vögeln, die in akribischer Kleinarbeit ausgewählt und in Gondwanaland eingewöhnt wurden, ist aber auch eine Art in der Halle, die erstmals überhaupt wissenschaftlich entdeckt und beschrieben wurden: Bei Untersuchungen der Fauna wurde durch Experten des Phyllodrom – Regenwaldmuseum Leipzig e. V. eine bis dahin unbekannte, tropische Insektenart entdeckt. Die wissenschaftliche Beschreibung des 2013 erstmals aufgefundenen Ohrwurmes wurde im vergangenen Jahr abgeschlossen und erhielt den Namen Euborellia arcanu. Zudem wurde erstmals in Europa die dunkelbescheidete Schleierdame (Phallus atrovolvatus), eine Pilzart, entdeckt.[52]

Bei dem technischen Aufwand und der Energie, die benötigt werden, um das Ökosystem künstlich aufrecht zu erhalten, wird durchaus auf Nachhaltigkeit gesetzt.[53] Gleichzeitig lässt die detailliertere Beschreibung deutlich werden,

---

51 Ebd.
52 https://www.zoo-leipzig.de/aktuelles/neues-aus-dem-zoo-leipzig/gondwanaland-ein-regenwald-mitten-in-leipzig-566/. [29.08.18].
53 „Wann immer es möglich ist, nutzt Gondwanaland die natürliche Sonneneinstrahlung, um sich wie ein Gewächshaus aufzuheizen. Das Dach und die oberen Seitenwände bestehen aus dreilagigen, transparenten ETFE-Folienkissen, die zwischen dem Stahlgestänge eingelassen sind. Sie garantieren durch ihre Membrankonstruktion eine höchstmögliche optische Leichtigkeit und wirken durch ihre Formen wie eine mit Licht gefüllte transparente Skulptur. Da sie auch die für Tiere und Pflanzen wichtige UV-Strahlung durchlassen, ist keine zusätzliche künstliche Beleuchtung notwendig. Darüber hinaus bieten die Folienkissen eine hohe Dämmung, halten

welcher Energiebedarf tatsächlich, vor allem in den Wintermonaten besteht und inwiefern ständige Kontrollen des sensiblen Gleichgewichts, in dem sich das System befindet und gehalten werden muss, für den Fortbestand notwendig sind:

> Die tagsüber erzeugte Wärme wird in einem 100.000 Liter fassenden Erdwärmespeicher gesammelt und nachts zum Beheizen der Tropenerlebniswelt genutzt, aber auch zum Erwärmen des Brauchwassers und der Becken der Tiere. Nur in der Übergangszeit und im Winter ist eine zusätzliche Heizung nötig. Ein ausgeklügeltes System aus Weitwurfdüsen, Bodenauslässen und Lüftungsöffnungen im Dach und den Wänden versorgt die Tropenlandschaft mit frischer, teils gekühlter Luft. Ein gewaltiger Wasserfall sorgt zusätzlich für die Befeuchtung, um das tropische Klima zu schaffen. Wo es geht, nutzt Gondwanaland weitere natürliche Ressourcen. Regenwasser etwa wird in Zisternen gesammelt, gereinigt und zur Bewässerung genutzt. Um ein optimales Klima für Pflanzen und Tiere herzustellen, ist ein fortwährendes Feintuning notwendig.[54]

Die spezifische Medialität des zoologischen Regenwalds in Leipzig wird nicht zuletzt in einer hochdifferenzierten Medientechnologie und ihrer Apparatur greifbar. Nur ein Zoo, der über die nötigen finanziellen Ressourcen verfügt, kann sich in seiner architektonischen Gesamtplanung als Weltenmodell, als Gefüge kunstvoll erzeugter Ökosysteme, präsentieren, das die Besucher nicht allein als Zuschauer konzipiert, sondern gelegentlich auch interaktiv miteinbezieht.

3. Die Ausdifferenzierung des Zoogeheges im Vergleich zum musealen Habitat-Diorama

Abschließend bietet es sich an, die beiden oben diskutierten Medien, Zoogehege bzw. Zoo-Anlage und naturhistorisches Diorama, einander vergleichend gegenüberzustellen. Denn beide Medien, und darin besteht ihr tertium comparationis, haben die Funktion, Tierarten in ihrem ‚natürlichen‘ Habitat zu zeigen und erfüllen dabei ein doppeltes Ziel: Sie übernehmen gleichzeitig Bildungsaufgaben und dienen offenkundig der Unterhaltung, indem sie ein spezifisches Freizeitangebot mit Illusionsräumen eigener Art schaffen.

Das einzelne Zoogehege, ganz gleich, ob als kleineres Freigehege oder weitläufiges Ökosystem angelegt, erweist sich als architektonisch gestalteter Raum und als Medium, das dem Habitat-Diorama bei genauerer Betrachtung in vielfacher Hinsicht vergleichbar ist.

Auf der einen Seite haben wir es mit lebendem Inventar in artifiziellen Räumen zu tun, deren Künstlichkeit und technische Perfektionierung weitgehend kaschiert werden, auf der anderen Seite mit präparierten, toten Objekten in lebensechten Arrangements. In beiden Fällen erfolgen Begegnungen mit einer

---

also die Wärme in der Halle." (https://www.zoo-leipzig.de/aktuelles/neues-aus-dem-zoo-leipzig/gondwanaland-ein-regenwald-mitten-in-leipzig-566/. [29.08.18])
54 Ebd.

medial vermittelten, künstlich arrangierten Natur, die gleichwohl die Eindrücke der Unmittelbarkeit, inneren Dynamik und Natürlichkeit suggerieren soll. Es geht um nichts weniger als die überzeugende Zurschaustellung komplexer ökologischer Habitate, die von den Besuchern primär, wenn auch nicht unbedingt ausschließlich visuell erfahren werden. Beide Medien – zoologisches Freigehege und naturhistorisches Habitat-Diorama sind darauf angelegt, den Betrachtern einen natürlichen, authentischen und möglichst lebensechten Eindruck von den Tieren und ihrer naturgemäßen Umgebung zu vermitteln, und bewerkstelligen dies, paradoxerweise vielleicht, nur mit Hilfe raffinierter künstlicher, um nicht zu sagen hochartifizieller Mittel. Der Einsatz subtiler künstlicher Hilfsmittel bzw. einer ausgeklügelten Medientechnologie wirkt bei den Ökosystemen in den gegenwärtigen Zoos allerdings noch um ein Vielfaches höher als bei den musealen Exponaten im Diorama.

Eine weitere Differenz zwischen Habitat-Diorama und Freigehege lässt sich in der zunehmenden Tendenz moderner Zooplanung erkennen, die Besucher in interaktive und immersive Räume zu führen, in denen sie selbst zu wichtigen Akteuren im zoologischen Geschehen werden, sei es als Safariteilnehmer, als sonntäglicher Hobbyfotograf, als Kletterer im Regenwald oder als Reisender im schwankenden Urwaldboot. Insofern finden sich im ‚Zoo der Zukunft' dynamische, immersive und interaktive Komponenten, die das wechselseitige Zusammenspiel und die Vernetzung zwischen tierischen und menschlichen Akteuren indizieren. Somit erweitern sie die ökologische Perspektive, die in den Habitat-Dioramen nur in Ansätzen realisiert werden konnte.

Aus den genannten Beobachtungen folgt jedoch nicht unbedingt die Höherwertung des neueren Mediums des zoologischen Freigeheges bzw. des Ökosystems in Miniaturform im Vergleich zum musealen Diorama. Obschon die Lebendigkeit der Akteure im Zoologischen Garten sicherlich einen Gewinn darstellt und eine erhöhte Dynamik verspricht, ist nicht zu verkennen, dass die imaginativen Spielräume der Zuschauer durch den Planungsaufwand und die detailfreudige Konkretisierung aller Komponenten von vornherein deutlich eingeschränkt sind und letztere nicht mehr die suggestive Offenheit und Weite der musealen Diorama-Welten bieten.

Marijana Erstić (Siegen)

Bewegung aus dem Stillstand

Ein Faszinationsmuster der Moderne

Die Bewegung aus dem Stillstand ist für die Kunst seit Sandro Botticelli (1445-1510) signifikant. Ein berühmtes Beispiel ist das Gemälde *Nascita di Venere/ Geburt der Venus* (1486). Aus der Haardarstellung der Venus – den Wendungen, Knoten, Flammen und Schlangen der Haare, die sich dynamisch mal in die eine, mal in die andere Richtung bewegen – spricht offensichtlich eine Animalisierung, aber auch eine Erotisierung der Haarbewegung, die zu einer Belebung des visuellen Ausdrucks führt. Aus der Polarität von Spannung und Ruhe schöpfen die Gemäldefiguren die Intensität ihrer Gebärdensprache. Auch der deutsche Kunsthistoriker Aby Warburg (1866-1929) fühlt sich in seiner Dissertation über *Sandro Botticellis 'Geburt der Venus' und 'Frühling'* (1893) durch das Gemälde Botticellis mehr vom Fließen und Wehen als vom Statischen und Nackten animiert und kristallisiert so die Theorie der von kinesis *und* stasis zeugenden Pathosformel heraus, wie im Folgenden erläutert wird.[1] Einen Vorschlag dazu, wie diese Theorie auf die künstlerischen Produkte, namentlich Photographien des 20. Jahrhunderts angewandt werden kann, ist das Hauptanliegen dieses Aufsatzes.

Die literarische Quelle für das Gemälde Sandro Botticellis ist die Venusepisode aus dem unvollendeten, Lorenzo di Medici (1449-1492) gewidmeten Kurzepos *Stanze per la giostra/Der Triumph Cupidos* (1475-1478) des Angelo Poliziano (1454-1494). Zunächst entdeckt Warburg eine vergleichbare Szenerie: Bei Poliziano wie bei Botticelli gebiert das Wasser in „atti vaghi e lieti", in „anmutigen und heiteren Gebärden" die Göttin. Die lüsternen Zefire, „i Zefiri lascivi" sorgen für ein „soffiar di venti", für den Wind, der die in einer Muschel stehende Göttin an das Ufer Kiteras treiben lässt. Bei Poliziano wird die Venus von drei Horen empfangen, während ihr bei Botticelli nur Flora, die Göttin des Frühlings, den flatternden Mantel reicht.[2] Dieses durch den Wind bewegte Bei-

---

1 Aby Warburg. „Sandro Botticellis ‚Geburt der Venus' und ‚Frühling'. Eine Untersuchung über die Vorstellung von der Antike in der italienischen Frührenaissance". In: ders.: *Werke in einem Band. Auf der Grundlage der Manuskripte und Handexemplare.* Hg. und kommentiert von Martin Treml, Sigrid Weigel und Perdita Ladwig. Berlin 2010, S. 39-123. Vgl. auch Marijana Erstić: „Pathosformel ‚Venus'? Überlegungen zu einer Mythengestalt bei Aby Warburg". In: Yasmin Hoffmann/Walbuga Hülk/Volker Roloff (Hg.). *Alte Mythen – Neue Medien.* Heidelberg 2006, S. 33-51. Ein Reprint des Artikels befindet sich auch im folgenden Buch: Erstić: *Paragone 1900. Studien zum Futurismus.* Siegen 2018, S. 19-35.

2 Vgl. Warburg. „Sandro Botticellis ‚Geburt der Venus' und ‚Frühling', S. 41-44. Vgl. auch *Homerische Hymnen.* Griechisch und Deutsch. Hrsg. von Anton Weiher. München/Zürich 1989, S.109f und Edgar Wind. *Heidnische Mysterien in der Renaissance.* Deutsch von Christa Münstermann u. a. Frankfurt/M. 1984², S. 160.

werk will Warburg vom Dichter Poliziano, wie auch von Botticelli am meisten bewundert sehen. Mehr noch als diejenige seines Gegenstandes scheint diese Konstatierung jedoch seine eigene Position zu verdeutlichen. Bezogen auf den Epos-Ausschnitt wie auch auf das Gemälde interessiert sich Aby Warburg primär für die einzelnen Figur-Attribute, und erkennt das ‚Ewige', wie Charles Baudelaire (1821-1867)[3] und Walter Benjamin (1892-1940)[4], in den hier weißen Gewändern, die durch die Kraft des Windes in kräftige Bewegung versetzt werden.

Aby Warburgs Vergleich zwischen Botticellis Gemälde und dem am Hof der Medici entstandenen Gedicht Polizianos, dem Kurzepos *Stanze per la giostra*, ist auch unter medienkomparatistischen Gesichtspunkten von besonderem Interesse. In einer eingehenden Analyse gelingt es Warburg überzeugend darzustellen, dass Botticelli bei der Ausführung seines Gemäldes durch den zeitgenössischen Text Polizianos inspiriert ist. Der Bildwissenschaftler Warburg wendet sich mit philologischer Genauigkeit dem poetischen Text zu und geht dabei auch auf die Details von Botticellis Bildkomposition ein. Gleichzeitig hebt er besonders die dynamische Gestaltung als Gemeinsamkeit der beiden unterschiedlichen Kunstwerke hervor, die sich in den kleinsten Details nachvollziehen lasse. So fasziniert Warburg die „auffallende, im Gedicht und im Gemälde gleichermaßen hervortretende Bestrebung, die transitorischen Bewegungen in Haar und Gewand festzuhalten"[5]. Über die Beschreibung in Polizianos Dichtung heißt es: „Der Wind spielt in den weißen Gewändern der Horen und kräuselt ihr herab wallendes, loses Haar."[6] Mehr noch: Es sei „dieses durch den Wind bewegte Beiwerk"[7], das der Dichter als Leistung „einer virtuosen Kunstübung"[8] bewundere. Transitorisch sind somit für Warburg Bild und Gedicht gleichermaßen – im Gegensatz zu Lessings Postulat im *Laokoon*, die Malerei sei eine Raum-, die Literatur hingegen eine Zeit-Kunst.[9]

Des Weiteren erfahren wir über Botticellis Bild der Venus: „die Gewandung und das Haar der am Ufer stehenden Göttin weht im Winde, und auch das Haar der Venus flattert, wie der Mantel, mit dem sie bekleidet werden soll, im

---

3 Charles Baudelaire. „A une passante" (Tableaux Parisiens XCIII). In: ders.: *Die Blumen des Bösen/Les Fleurs du Mal*. Vollständige zweisprachige Ausgabe. Deutsch von Friedhelm Kemp. München 2004¹⁰, S. 198.

4 Walter Benjamin. *Das Passagen-Werk*. Frankfurt/M. 1983, S. 578. Zu Warburg und Benjamin vgl.: Cornelia Zumbusch: *Wissenschaft in Bildern. Symbol und dialektisches Bild in Aby Warburgs Mnemosyne-Atlas und Walter Benjamins Passagen-Werk*. Berlin 2004.

5 Aby Warburg. „Sandro Botticellis ‚Geburt der Venus' und ‚Frühling', S. 46. Für den fruchtbaren Dialog über Warburgs Dissertation bedanke ich mich bei Annette Simonis.

6 Ebd., S. 45.

7 Ebd.

8 Ebd.

9 Vgl. Gotthold Ephraim Lessing. *Laokoon oder über die Grenzen der Malerei und Poesie*. Stuttgart 1987, S. 23 und S. 129.

Winde."[10] Die beobachteten Parallelen zwischen Text und Bild bündelt Warburg schließlich in einem Resümee, in dem er das Einflussverhältnis zwischen Poliziano und Botticelli erhärtet: „Dagegen kehrt [in Botticellis Gemälde] jene Polizianische eingehende Ausmalung des bewegten Beiwerks mit solcher Übereinstimmung wieder, daß ein Zusammenhang zwischen den beiden Kunstwerken sicher anzunehmen ist."[11] In diesem Fall sei „der Dichter der Geber und der Maler der Empfänger".[12] Ferner wird der weitere kulturelle Kontext herangezogen, um die Anregungsfunktion der Dichtung Polizianos zu untermauern: „In Polizian den Berater Botticellis zu sehen, paßt auch zu der Überlieferung, die Polizian als Inspirator Raffaels und Michelangelos gelten läßt."[13]

Wie das Beispiel zeigt, spielt die Differenz dynamisch vs. statisch, folgt man Warburgs Argumentation, für die italienische Kunst der frühen Neuzeit im Allgemeinen und die Umsetzung mythologischer Sujets im Besonderen eine entscheidende Rolle und wird als medienübergreifende Leitunterscheidung erkannt. Seit der frühen Neuzeit wird die ästhetische Darstellung von Bewegung bzw. der Wechsel von Ruhe und Bewegung als eine Herausforderung für die Künste gesehen und als ein transmediales Phänomen, das sich im Medienvergleich besonders prägnant erfassen lässt. Das medienästhetische Phänomen bezeugt auch, dass die Möglichkeiten des statischen Bildes in sich Bewegung darzustellen, in der Frührenaissance nicht weniger bedeutend war als die Darstellung des perspektivischen Raumes. Dazu gehört auch die semiotische Kraft der wellig fallenden, losen Haare der Venus, die Warburgs Aufmerksamkeit auf sich zieht, und offensichtlich wurde er auch von Leon Battista Albertis (1404-1472) *Libro della pittura* (1435) angeregt:

Quanto certo a me piacene' capelli vedere quale io dissi sette movimenti: volgansi in uno giro quasi volendo anodarsi, e ondeggino in aria simile alle fiamme; parte quasi come serpe si tessano fra gli altri, parte crescendo in qua e parte in là.

In der Tat bin ich der Auffassung, dass die Haare alle sieben Bewegungsarten, von denen ich gesprochen habe, darstellen sollen: Indem sie eine kreisförmige Wendung beschreiben, als wollten sie einen Knoten bilden, indem sie in die Luft hinaufwogen, als ahmten sie Flammen nach, indem sie wie die Schlangen unter anderen Haaren dahinkriechen, bald sich nach dieser oder jener Seite aufrichten.[14]

---

10 Warburg. Sandro Botticellis ‚Geburt der Venus' und ‚Frühling', S. 46.
11 Ebd., S. 45.
12 Ebd., S. 46.
13 Ebd.
14 Leon Battista Alberti. *Das Standbild – die Malkunst – Grundlagen der Malerei.* Hrsg. und übersetzt von Oskar Bätschmann und Christoph Schäublin. Darmstadt 2000, S. 287f. Zum Motiv v. a. weiblicher Haare in der Kunst des 19. und 20. Jahrhunderts vgl. Inge Stephan. „Das Haar der Frau. Motiv des Begehrens, Verschlingens und der Rettung". In: Claudia Benthien/Christoph Wulf (Hg.). *Körperteile. Eine kulturelle Anatomie.* Reinbek bei Hamburg 2001, S. 27-48.

Diese Sätze Leon Battista Albertis zeugen von zweierlei Interessen der frühneuzeitlichen Kultur – von dem Interesse am Körper und von dem Interesse an der Darstellung der Bewegung. Aus den Alberti'schen Allgemeinplätzen der Haardarstellungen – den Wendungen, Knoten und Flammen der Haare, die sich dynamisch mal in die eine, mal in die andere Richtung bewegen – spricht offensichtlich eine Animalisierung, aber auch eine Erotisierung der Haarbewegung, die zu einer Belebung des visuellen Ausdrucks führt.[15] Auch Warburg fühlt sich nicht nur im Rahmen des besagten Gemäldes, sondern der gesamten von ihm untersuchten Codes des visuellen Ausdrucks, wesentlich mehr als durch das Statische und Nackte[16] durch die verschlungenen, in ihrem unaufhaltsamen Wehen und Fließen den Traum von Schwungkraft und Befreiung verdeutlichenden Rhythmen animiert.[17] Die eigentliche Dynamik, die er dem Gemälde zuschreibt, ist das Resultat der Kollision beider Elemente: Einerseits die im marmornen, alabasternen Körper der Figur der Liebes-Göttin zum Ausdruck kommende Stabilisierung und Verklärung der Leidenschaft, die zur Sublimierung der göttlichen Gestalt führt, andererseits das selbstzerstörerische, dionysische Chaos, das in dem bewegten Mantel und in den Figuren der beiden fliegenden Zephire gleichermaßen angedeutet wird, wie in der Pracht der schlangenlinienartig sich wellenden Haare der Göttin. Aus der Polarität von Spannung und Ruhe schöpfen die Gemälde-Figuren die Intensität ihrer (Gebärden-)Sprache.

Die beschriebene Energie der Bildersprache ist von Warburg keineswegs historisch gedacht. Vielmehr soll sie in ihrem Verhältnis zur aktuellen Zeit hinterfragt werden. Ja es gilt, so Warburg in den Notizen zu dem Dissertationsvorhaben, nicht nur ein „historisches Bild" „von den mimetisch dargebotenen Motiven" der Bewegung zu „erfassen", sondern „künstlerische Produkte als Teilerscheinungen im *derzeitigen* Leben"[18]. In der besagten Dissertation erfolgte zwar eine derartige, sich der Historisierung wie der Aktualisierung mimetischer Darstellungen bewegten Lebens verpflichtete Analyse nicht. Die Idee einer fortdauernden Wiedergeburt und Revision antiker Göttergestalten, das hauptsächliche anthropologische und kulturwissenschaftliche Interesse Aby Warburgs, wird dennoch das Haupt-Movens seiner theoretischen Arbeit ausmachen.

Nur wenige Jahre später wird Aby Warburg beide Elemente: die gegensätzlichen Charakteristika einer „Bildersprache der Gebärde"[19] *und* die Zirkulation dieser Bewegungscodes in das zeitgenössische Leben – d. h. jenes der Jahrhundertwende hinein – unter dem Terminus ‚Pathosformel' zusammenfassen, einem Sammelbegriff für die von einer inneren Energie bewegten, gleichwohl

---

15 Vgl. ebd.

16 Zum Thema des Aktes und der Aktdarstellungen vgl. die nach wie vor grundlegende Studie von Kenneth Clark. *Das Nackte in der Kunst.* Köln 1958, zum weiblichen Akt bzw. zu der Figur der Venus seit der Antike S. 71-172.

17 Vgl. ebd. S. 273-308 (zu den Bildern der ekstatischen Nymphen, Mänaden u. a.).

18 Zit. nach Ernst H. Gombrich. *Aby Warburg. Eine intellektuelle Biographie.* Frankfurt/M. 1981, S. 68.

19 Warburg. *Der Bilderatlas Mnemosyne.* Hg. von Martin Warnke unter Mitarbeit von Claudia Brink. In.: ders.: *Gesammelte Schriften. Studienausgabe.* Hg. von Horst Bredekamp u. a. 2. Abteilung. Bd. II. Berlin 2000, S.5.

in einem Moment ‚festgenommenen' Figuren. Über dieses lessingianisch anmutende Merkmal hinaus[20] ist die Pathosformel ein Produkt *und* ein Auslöser jener Zirkulation sozialer Energien, die diese Bildersprache des Pathos erweitert und umcodiert. Das dichotome Kompositum Pathos-Formel beschreibt sodann ein Reservoir der Energie, das aus den Topoi energetisch wirksame Felder kreiert.

Ob die bewegten Nymphen Sandro Botticellis, oder die Vogelexperimente und -zeichnungen des „symbolischen Geistes" und „ungeheueren Gehirns" Leonardo da Vincis[21] (1452-1519): Die Darstellung und Erforschung der Bewegung gehören zu den Grundinteressen der Renaissance, die „aus der Vorstellung" abbildete, was die Photographie um 1900 „sichtbar gemacht hat" (Abb. 1-3).[22] Damit wird auch eine geistige Nähe zwischen der Kultur der Renaissance bzw. des Manierismus und der Moderne sichtbar.[23]

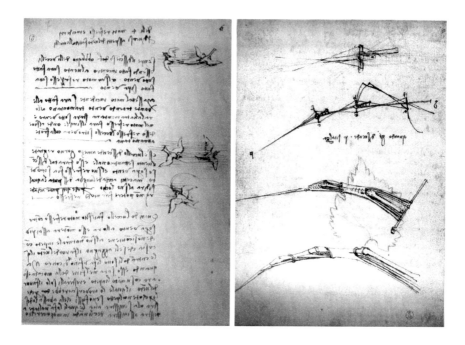

Abb. 1-2: Leonardo da Vinci: *Codice sul volo degli uccelli / Der Vögel Flug*, um 1505

20 Gotthold Ephraim Lessing. *Laokoon oder über die Grenzen der Malerei und Poesie. Kritische Schriften. Philosophische Schriften*. Bd. 2, *Werke*. München 1969, S. 7-166.
21 Paul Valéry. *Leonardo da Vinci*. Frankfurt/M. 1998, S. 33. Vgl auch Walburga Hülk. *Bewegung als Mythologie der Moderne. Vier Studien zu Baudelaire, Flaubert, Taine, Valéry*. Bielefeld 2012, S. 153-194.
22 Valéry. *Leonardo da Vinci*, S. 35.
23 Vgl. zu diesem Thema Erstić. *Ein Jahrhundert der Verunsicherung. Medienkomparatistische Analysen*. Siegen 2017, insb. S. 11-45.

Abb. 3: Étienne-Jules Marey: *Le mécanisme du vol/Analyse des Fluges*, 1883-87

Diese Übereinstimmung kann auch anhand der Zeichnungen Leonardo da Vincis (um 1505) und den Chronophotographien Étienne-Jules Mareys (1830-1904) beobachtet werden. Hier wie dort steht der Bewegungsmechanismus der Vögel im Mittelpunkt. Leonardo illustriert in seiner sezierartigen Zeichnung primär den Tragecharakter der Knochen und Muskel. Marey hingegen interessiert sich vielmehr für den Flug selbst, und er kann im 19. Jahrhundert, anders als Leonardo im 15. bzw. im 16. Jahrhundert, kaligraphierte photographische Aufnahmen erstellen, die den objektive(re)n Charakter eines Bewegungsverlaufs tragen. Der Mechanismus des Fluges wird bei Marey somit, technisch und medial erweitert, in seiner äußeren Erscheinung erforscht, bei Leonardo hingegen in seinem geradezu medizinisch ergründeten inneren Aufbau. Bei allen medialen Unterschieden: eine bedeutende Gemeinsamkeit und Übereinstimmung ist der Impuls, die Bewegung (hier der Vögel) mithilfe der Bilder festzuhalten und zu analysieren, dies zumeist, um sie dann für die technischen Entdeckungen und Erneuerungen nutzen zu können – sei es für eine Flugmaschine (wie es Leonardo versuchte), sei es für den Film (als dessen Vorläufer Mareys und Muybridges Studien fungieren). Bewegung aus dem Stillstand ist somit ein gemeinsames Hauptinteresse.

Auch außerhalb des warburgianischen Denkens gibt es Zeugnisse der Beschäftigung mit dem Thema der Bewegung aus dem Stillstand. Die Postulierung eines fruchtbaren Augenblicks im *Laokoon*-Traktat (1766) Gotthold Ephraim Lessings (1729-1781) etwa bringt zum ersten Mal die medialen Unterschiede von Literatur und Malerei/Bildhauerkunst zum Ausdruck, und auch Aby Warburg nimmt auf diesen Text immer wieder Bezug, etwa wenn er vom Transitorischen spricht. Es ist die in einem Moment eingefrorene Bewegung, die gleichsam auf das zeitliche Davor und Danach hindeutet, die die Malerei und Bildhauerkunst der Antike bzw. des Hellenismus oder der Neuzeit auszeichnet, und diesen ,fruchtbaren Augenblick' bringt Lessing kontrastiv zu der Zeitlichkeit der Literatur zum Ausdruck. Die raumorientierten Zeichen der bildenden Künste seien Farben und Formen im Raum, ihr Bereich daher das Nebeneinander von Körpern. Die transitorische Poesie dagegen benutze artikulierte Töne in der Zeit, die ein Nacheinander von Handlungen fordern, womit die Poesie für die

Darstellung der Bewegung sich eher eignen müsse.[24] Auch in Georg Wilhelm Friedrich Hegels (1770-1831) *Ästhetik* (1835-1838) findet sich die abgemildert paragonale Fragestellung – im Postulat einer geradezu lessingianischen Konkurrenz zwischen der Poesie und der Skulptur:

> Der Tempel der klassischen Architektur fordert einen Gott, der ihm innewohnt; die Skulptur stellt denselben in plastischer Schönheit hin und gibt dem Material, das sie dazu verwendet, Formen, die nicht ihrer Natur nach dem Geistigen äußerlich bleiben, sondern die dem bestimmten Inhalte selbst immanente Gestalt sind. [...] [Die Malerei oder die Skulptur, Anm. M. E.] bleibt [...] überall im Vorteil, wo es darauf ankommt, einen Inhalt auch seiner äußeren Gestaltung nach vor die Anschauung zu bringen. [...] Auf der anderen Seite fallen in der Poesie die verschiedenen Züge, welche sie, um uns die konkrete Gestalt eines Inhalts anschaubar zu machen, herbeiführt, nicht wie in der Malerei als ein und dieselbe Totalität zusammen, die vollständig als ein Zugleich aller ihrer Einzelheiten vor uns dasteht, sondern gehen auseinander, da die Vorstellung das Vielfache, das sie enthält, nur als Sukzession geben kann.[25]

Ein Inhalt vs. das Vielfache, Totalität vs. Sukzession sind die Gegensatzpaare, die Hegel ausarbeitet. Diese Koaleszenz von Vergangenheit und Zukunft, die Lessing und Hegel der Malerei und der Skulptur einberaumen, und die Aby Warbur in seiner Dissertation hinterfragt, lässt sich auf die Bewegungsdarstellungen nicht nur des Hellenismus, sondern auch des Manierismus und des Barocks übertragen. Die Bewegungs-Darstellungen Michelangelo Merisi da Caravaggios (1571-1610) stellen durch ihre diagonalen Strukturen aber auch durch ihre Licht-Schatten-Kontraste die Körper in einem Moment dar, der, wie von Lessing und Hegel beschrieben, die Vereinigung von Aktuellem und Vergangenem bedeutet, der zumeist aber auch das größtmögliche Energiepotenzial in sich trägt.[26] Diego Rodríguez de Silva y Velázquez (1599-1660) antizipiert mit seinen bewegten Objekten (beispielsweise das Gemälde *Originaltitel/Spinnrad*, Abb. 4) nicht nur die Bildersprache der Avantgarden, namentlich Marcel Duchamps (1887-1968) (Abb. 5), sondern auch einen Großteil der Geschichte der Unbestimmtheit in der Kunst. So entstehen bereits im Barock Bilder eines Ikonoklasmus, der im Paragone 1900 – dem Wettstreit der Künste und der Medien Film und Photographie – kulminiert. Eines der wichtigsten künstlerischen Motive und Verfahren, in denen sich dieser Paragone manifestiert, ist das Motiv der Bewegung aus dem Stillstand.

---

24 Gotthold Ephraim Lessing. *Laokoon oder über die Grenzen der Malerei und Poesie.* Stuttgart 1987, S. 23 und S. 129.

25 Georg Wilhelm Friedrich Hegel. *Vorlesungen über die Ästhetik*, Bd. III (Werke, Bd. 15). Frankfurt/M. 1970, S. 222-224.

26 Zur Aktualisierung christlicher Mythen bei Caravaggio vgl. Erstić: „Verloren gegangener Glaube oder lebendiger Mythos? Passion und Grablegung Christi bei Caravaggio, Derek Jarman und Tarsem Singh". In: Vincent Fröhlich/Annette Simonis (Hg.): *Mythos und Film. Mediale Adaption und Wechselwirkung.* Heidelberg 2016, S. 211-232. Eine leicht korrigierte Fassung findet sich in Dies. *Ein Jahrhundert der Verunsicherung*, S. 183-199.

Abb. 4: Diego Velázquez: *La fábula de Aracné / Die Spinnerinnen*, zw. 1644 und 1648

Abb. 5: Marcel Duchamp: *Roue de bicyclette / Fahrrad-Rad,* 1913
(http://www.mundo-de-la-forma.net/Termine/termine.html, 06.02.19)

In Velázquez Gemälde beispielsweise ist das Motiv der Bewegung bzw. der Radbewegung motivisch eingebettet in eine Genre-Szene. Bei Duchamp im 20. Jahrhundert hingegen verselbständigt sich das Bewegungsmotiv insoweit, dass das Rad das alleinige Motiv darstellt. Als ein Objet trouvé stellt es sowohl die Institution Kunst in Frage[27], als auch ein beliebtes Motiv der Avantgarde – die technischen Bewegung, die hier buchstäblich und ironisch umgedreht und auf einen Sockel gestellt wird.

Aus medienanthropologischer Sicht war es der Film, aus dem die Änderung der Wahrnehmungs- und Inszenierungsmuster um 1900 generiert wurde[28] und in dem den gängigen philosophischen Ansätzen zufolge eine für das Ende des 19. Jahrhunderts charakteristische und sich in den Überlegungen von Aby Warburg manifestierende „Katastrophe der Gestik" ihren Höhepunkt aber auch ihre Überwindung erfuhr.[29] Die Neubewertung des bewegten Körpers und somit vor allem der Geste lässt sich jedoch bereits innerhalb der Photographie des 19. Jahrhunderts erkennen, somit innerhalb jenes Mediums, welches das groß angelegte Warburg'sche *Mnemosyne*-Projekt zum einen überhaupt ermöglichte: Warburg hat seine Analyse der Verwandtschaft innerhalb verschiedener Werke anhand der photographischen Reproduktionen vorgenommen.[30] Zum anderen schien die Photographie die Faszination an der Bewegung des späten 19. Jahrhunderts zu dokumentieren, wenn nicht gar zu generieren.[31] Selbstredend sind in diesem Zusammenhang nicht nur die Werke Étienne Jules-Mareys sondern auch die Photographien Eadweard Muybridges (1830-1904) zu erwähnen, die die exakte Beinstellung eines galoppierenden Pferdes gleichermaßen darstellen (Abb. 7) wie die einer Figur in Bewegung. Mit ähnlichen, freilich absurd-humoristischen, präavantgardistischen (v. a. präfuturistischen) Experimenten arbeitete in Kroatien der Photographie-Amateur Karlo Dragutin Drašković (1873-1900) in seinen Photographien der schnellen Bewegung, wie bsw. *Skok grofa Erdödyja/Sprung des Grafen Erdödy* (Abb. 6). Ein weiteres mit Muybridge vergleichbares Experiment stellt auch die Photographie *Sukcesivan snimak metaka*

---

27 Vgl. hierzu immer noch Peter Bürger. *Theorie der Avantgarde*. Frankfurt/M. 1974 [*Edition Suhrkamp*, Bd. 727].

28 Vgl. Ralf Schnell/Georg Stanitzek (Hg.). *Ephemeres. Mediale Innovationen 1900/ 2000*. Bielefeld 2005 sowie *Spiel: Siegener Periodicum zur Internationalen Empirischen Literaturwissenschaft*. Jg. 20, 2001, H. 2, Sonderdruck 2003 (Forschungskolleg Medienumbrüche).

29 Giorgio Agamben. „Noten zur Geste". In: Hemma Schmutz/Tanja Widmann (Hrsg.): *Dass die Körper sprechen, auch das wissen wir seit langem*. Köln 2004, S. 39-48.

30 Vgl. Ernst H. Gombrich. *Aby Warburg. Eine intellektuelle Biographie*. Frankfurt/M. 1981.

31 Vgl. Gabriele Brandstetter. „‚Ein Stück in Tüchern'. Rhetorik der Drapierung bei A. Warburg, M. Emmanuel, G. Clérambault". In: *Vorträge aus dem Warburg-Haus*. Bd. 4, 2000b, S. 107-139, dies. *Tanz-Lektüren. Körperbilder und Raumfiguren der Avantgarde*. Frankfurt/M. 1995; Philippe-Alain Michaud. *Aby Warburg et l'image en mouvement*. Préface de Georges Didi-Hubermann. Paris 1998, Marta Braun. *Picturing time. The work of Etienne-Jules Marey* (1830-1904). Chicago 1992..

u letu/Momentaufnahme eines fliegenden Profils von Peter Salcher (1848-1928) aus dem Jahr 1886 dar (Abb. 8), die einen wissenschaftlichen Charakter trägt: Sie beweist die Theorie des Physikers Ernst Mach über die Durchbrechung der Schallwand. Eine andere Form photographischer Experimente sind die Photo-Montagen, wie sie zu Beginn des 20. Jhs. Umberto Boccioni (1882-1916) anfertigte, aber auch vorher schon die Photographie-Pioniere, wie bspw. in Kroatien Stjepan Erdödy (1848-1926) in seiner Photo-Montage *Valerija/Valerie* (Abb. 9).

Abb. 6: Karlo Dragutin Drašković: *Skok grofa Erdödyja /*
Sprung des Grafen Erdödy, 1895
(https://www.europeana.eu/portal/hr/record/2048053/MUO_044369.html, 06.02.19)

Abb. 7: Eadweard Muybridge: *Galloping Horse / Galoppierendes Pferd*, 1887

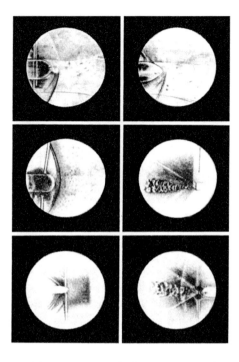

Abb. 8: Peter Salcher: *Momentaufnahme eines fliegenden Profils*, 1886
(http://www.fotomanifeste.de/manifeste/1887-mach-photographischefixierung, 06.02.19)

Abb. 9: Stjepan Erdödy: *Valerija / Valerie*, 1892
(http://athena.muo.hr/?object=linked&c2o=12967&page=3, 06.02.19)

Epochenästhetisch markieren die historischen Avantgarden, namentlich der italienische Futurismus, einen der prägnantesten Orte der angesprochenen Krise der Bewegung, der Gestik und der Wahrnehmung, indem anstatt der Kategorien von Zeit, Raum und Bewegung alternative Parameter wie Ereignis, Erregung, Impuls und Intuition installiert wurden. Die Kraftfelder des bewegten Körpers, der Formen und der Farben sowie die intendierte Erregung des Betrachters durch das kinetische Potential visueller Darstellungen sind hier in den Manifesten[32] und in den (Anti-)Werken formuliert worden. Sie sind im Futurismus immer das Resultat einer mal retrogardistischen[33], mal avantgardistischen[34] Auseinandersetzung mit der Zeitphilosophie Henri Bergsons (1859-1941)[35] und mit den Darstellungsmodi der um 1900 neuen Medien Photographie und Film.[36] Während die Malerei des 'primo futurismo' die Energie ihrer Erregungsbilder zunehmend mittels eines Dynamismus der immer abstrakter werdenden Formen und Farben auszulösen suchte, operierten die Photographien Anton Giulio (1890-1960) und Arturo Bragaglias (1893-1962) sowie Wanda Wulz' (1903-1984) ihrem referentiellen Charakter gemäß mit der Spur einer aufgenommenen Geste, die nicht nur die Körperformen zugunsten von Bewegungen und Impulsen auflösen, sondern die auch den Betrachter affizieren, ihn 'mitten ins Bild' hinein versetzen sollte (Abb. 10). Damit korrespondieren diese Bilder mit Warburgs Pathosformeln: zwar nicht als das Nachleben der Antike in Form des Sujets, sondern als Gedächtnisimpuls und Erregung des Betrachters.

Solche photographisch aufgenommenen Kraftlinien der Bewegung, die dem bloßen Auge unsichtbar sind, scheinen so mit einer geradezu engrammatischen Erregung des Betrachters zu korrespondieren. Damit ist jene zu Beginn des 20. Jahrhunderts angenommene Fähigkeit des Gehirns gemeint, während der Wahrnehmung innezuhalten, in das Gedächtnis eine Art 'Screenshot' des 'bewegten Lebens' einzuprägen und dasselbe 'Erregungszeichen' immer wieder

---

32 Luciano Caruso (Hg.). *Manifesti, proclami, interventi e documenti storici del futurismo. 1909-1944.* Bde 1-5. Florenz 1990.

33 Vgl. Umberto Boccioni. *Futuristische Malerei und Plastik. Bildnerischer Dynamismus.* Hrsg. von Astrid Schmidt-Burkhardt. Aus dem Italienischen von Angelika Chott. Dresden 2002.

34 Anton Giulio Bragaglia. *Fotodinamismo futurista.* Con un regesto di Antonella Vigliani Bragaglia. Turin 1970.

35 Henri Bergson. *L'évolution créatrice.* Paris 121931 (dt.: *Schöpferische Evolution.* Hamburg 2013), ders. *Materie und Gedächtnis. Eine Abhandlung über die Beziehung zwischen Körper und Geist.* Hamburg 1991.

36 Giovanni Lista. *Cinema e fotografia futurista.* Mailand 2001a., ders. *Futurism & Photography.* London 2001b. Vgl. auch: Karl Gunnar Pontus Hulten (Hg.). *Futurismo & futurismi.* Mailand 1986 (Katalog der gleichnamigen Ausstellung im Palazzo Grassi, Venedig 1986), Norbert Nobis. *Der Lärm der Straße. Italienischer Futurismus 1908-1918.* Hannover 2001 (Katalog der gleichnamigen Ausstellung im Sprengel Museum, Hannover 2001), Ingo Bartsch/Maurizio Scudiero (Hg.). *„...auch wir Maschinen, auch wir mechanisiert!...“ Die zweite Phase des italienischen Futurismus 1915-1945.* Bielefeld 2002 (Katalog der gleichnamigen Ausstellung im Museum am Ostwall, Dortmund 2002).

Abb. 10: Anton Giulio Bragaglia: *Cambiando positura /*
Eine Geste des Oberkörpers, 1911
(http://athena.muo.hr/?object=linked&c2o=12967&page=3, 06.02.19)

zu reaktivieren, die Aby Warburg als den Beweis seines *Mnemosyne*-Konzeptes ansah.[37]

Das soziale Gedächtnis[38] ist Warburg zufolge in die Zukunft gerichtet und es trägt einen performativen Charakter.[39] Die Charakterisierung des Werks als „etwas in Richtung auf den Zuschauer feindlich Bewegtes"[40] scheint wiederum mit dem *punctum* Roland Barthes' (1980) geradezu identisch.[41] Die Merkmale einer vergleichbaren Überwindung der Grenze zwischen Kunst und Wirklichkeit sollten den Manifesten zufolge insbesondere in der futuristischen Malerei und Plastik visualisiert werden. Doch es ist die synthetische Bewegungsspur einer Geste innerhalb des *fotodinamismo futurista*, die – eher noch als die Bewegungssynkopen Eadweard James Muybridges, die Bewegungskaligraphien Étienne-Jules Mareys oder auch die futuristische Skulptur und Malerei – mit einer zwischen Ruhe und Bewegung changierenden Struktur der Pathos/Formeln korrespondiert.

---

37 Vgl. Richard Semon. *Die Mneme als erhaltendes Prinzip im Wechsel des modernen Lebens.* Leipzig [4]1920.

38 Carlo Ginzburg. „Da A. Warburg a E. H. Gombrich (Note su un problema del metodo)". In: *Studi Medievali,* 3.R., VII, 1966, S. 1015-1065 (dt. „Kunst und soziales Gedächtnis. Die Warburg-Tradition". In: ders.: *Spurensicherungen. Die Wissenschaft auf der Suche nach sich selbst.* Berlin [3]2002, S. 83-173).

39 Martin Warnke. „Der Leidenschatz der Menschheit wird humaner Besitz". In: Hofmann, Werner/Syamken, Georg/Ders. *Die Menschenrechte des Auges. Über Aby Warburg.* Frankfurt/M. 1980, insb. S. 141.

40 Ernst H. Gombrich. *Aby Warburg,* S. 180f.

41 Zum *studium* und *punctum* vgl. Roland Barthes. *Die helle Kammer. Bemerkung zur Photographie.* Frankfurt/M. 1989. S. 35f.

Der futuristische Ikonoklasmus[42] und die im Verschwinden begriffenen Körper in den Photographien der Avantgarde implizieren zudem eine Weiterführung aber auch eine potenzielle Überwindung des auf die gegenständlichen Aspekte der Figuration konzentrierten Warburg'schen Denkens.[43] Die Frage kann hier lauten, ob die in der aufgelösten, affektierten Gebärdensprache der Photodynamik inbegriffenen Hinterfragungen des Sehens[44] eine Überführung des Warburg'schen Ansatzes auf die Formen der Abstraktion ermöglicht (Abb. 11).

Abb. 11: Anton Giulio Bragaglia: *Mano in moto / Hand in Bewegung*, 1911
(http://www.futur-ism.it/FM/FM.aspx?det=227, 06.02.19)

Abb. 12: Vladimir Horvat: *Mitnica, Maksimirska cesta / Mitnica, Maximir-Straße*, 1935
(http://www.kultura.hr/eng./content/view/full/2285, 06.02.19)

42 Vgl. Hanno Ehrlicher. *Die Kunst der Zerstörung. Gewaltphantasien und Manifestationspraktiken europäischer Avantgarden*. Berlin 2001.

43 Vgl. Gottfried Boehm. „Mnemosyne. Zur Kategorie des erinnernden Sehens". In: Ders./Karlheinz Stierle/Gundolf Winter (Hg.). *Modernität und Tradition. Festschrift für Max Imdahl zum 60. Geburtstag*. München 1985, S. 37-57.

44 Vgl. Jacques Aumont. „Projektor und Pinsel. Zum Verhältnis von Malerei und Film". In: montage/av, Jg.1, 1992, H.1, S. 77-89 und ders.: *L'œil interminable. Cinéma et peinture*. Paris 1989 sowie Michael F. Zimmermann. *Seurat. Sein Werk und die kunsttheoretische Debatte seiner Zeit*. Weinheim 1991 und Jonathan Crary. *Suspensions of perception. Attention, spectacle and modern culture*. Cambridge, Mass. 1999 (dt.: *Aufmerksamkeit. Wahrnehmung und moderne Kultur*. Frankfurt/M. 2002).

Abb. 13: Vladimir Horvat: *Klaićeva ciglana, spaljivanje baraka /*
Ziegelei Klaić, Hüttenbrand, 1931
(http://www.kultura.hr/layout/set/print/Zbirke/Fototeka-kulturne-bastine/
Vladimir-Horvat/Zagreb-Klaiceva-ulica, 06.02.19)

Die skizzierte theoretische Folie könnte auch die Grundlage einer Beschäftigung mit der kroatischen Photographie des 19. und des 20. Jahrhunderts darstellen[45]: So könnten beispielsweise die Photographien des Zagreb-Chronisten
und eines der Vertreter der sog. „zagrebačka škola" (der „Zagreber Schule"), Vladimir Horvats (1891-1962), eines überzeugten Bergsteigers und -forschers[46], im
Hinblick auf ihre Bewegungsmuster bzw. auf ihren *screen-shot*-Charakter hin
untersucht werden. Die Photographien tragen nicht nur einen starken sozialkri-
tischen Charakter.[47] Im Spiel mit dem Licht sowie in der Bewegung lösen sich
auf manchen der Werke die Konturen und die Körper auf. Zwei Beispiele: Während die typische Photographie *Mitnica, Maksimirska cesta/ Mitnica, Maxi-*
mirstraße (Abb. 12) im Moment des langsamen Vorbeifahrens mehrere Wagen
darstellt und die Körper ihren festen, momentanen Platz einnehmen, trägt das
Feuer in der Photographie *Klaićeva ciglana, spaljivanje baraka/ Ziegelei Klaić,*
Hüttenbrand (Abb. 13) einen geradezu ikonoklastischen Charakter, im Licht
des Feuers verschwinden die Formen vollends. Doch hier wie dort entsteht die
Dynamik auch klassisch, aus der diagonalen Ausrichtung der Szene. Hier wie
dort sind die infernoartige Bewegung des Feuers und das Licht die Grundlage
der Bild- und Raumgestaltung.

---

45 Als das Standardwerk zur kroatischen Photographie vgl. Vladimir Maleković
(Hg.). *Fotografija u Hrvatskoj / Photography in Croatia. 1848-1951.* Zagreb 1994.
(Katalog der gleichnamigen Ausstellung Muzej za umjetnost i obrt, Zagreb, 20.09.-
20.11.1994, Photographieauswahl Marija Tonković und Vldimir Maleković). Für
die aufschlussreichen Hinweise auf die Photographien von Drašković in der Stadt-
bibliothek Varaždin bedanke ich mich ganz herzlich bei der Kunsthistorikerin Ana
Kaniški.

46 Als einen Einblick in die Biographie vgl. Mladen Švab. „Životopis". In: Zdenko
Kuzmić. *Vladimir Horvat. Zgrebački kroničar vremena.* Zagreb 1994, S. 108, als
einen Überblick über das Gesamtwerk vgl. Kuzmić: Ebd., S. 7-10.

47 Vgl. Ebd., insb. S. 9f.

Damit geht es in diesen Überlegungen nicht um die im weitesten Sinne kulturanthropologischen Elemente[48] bzw. um die Toposformen und ikonologischen Aspekte der Figurationen.[49] Im Zentrum stehen vielmehr die Bewegungs-Formeln, anhand derer in der Photographie der ersten Dekaden des zwanzigsten Jahrhunderts die durch die veränderten medialen Gegebenheiten bedingten, neuen Wahrnehmungsmuster sichtbar werden. Die bisher weitestgehend unerforschte Kompatibilität der Engrammtheorie Warburgs mit dem Photographieansatz Roland Barthes'[50], primär aber mit dem Gedächtniskonzept Bergsons[51], das weniger als ein ‚Speichern'[52] zu verstehen ist denn als eine in die Zukunft gerichtete Energie und als Impuls[53], kann den theoretischen Ausgangspunkt bilden. Da der Photodynamismus innerhalb der Photographie- und der Filmgeschichte des 20. Jahrhunderts mehrfach zitiert und umcodiert worden ist, können schließlich auch jene aktuellen Körperdynamiken und der mit diesen einhergehenden Formen der Aufmerksamkeit analysiert werden, welche die photographischen Körperauflösungen und Bewegungs-Experimente des Medienumbruchs 1900 (Marey, Muybridge, Drašković, Salcher, Erdödy) zitieren und/oder neu bewerten.[54]

---

48 Vgl. Peter Burke. „Aby Warburg as Historical Anthropologist". In: Horst Bredekamp/Michael Diers/Charlotte Schoell-Glass (Hg.). *Aby Warburg. Akten des internationalen Symposiums*. Hamburg 1990, Sigrid Weigel: „Aby Warburgs Schlangenritual. Korrespondenzen zwischen der Lektüre kultureller und geschriebener Texte". In: Alaida Assmann (Hrsg.): *Texte und Lektüren. Perspektiven in der Literaturwissenschaft*. Frankfurt/M. 1996, S. 269-288, beide in Anschluss an Warburg.

49 Vgl. Ulrich Pfisterer/Max Seidel (Hg.). *Visuelle Topoi. Erfindung und tradiertes Wissen in den Künsten der italienischen Renaissance*. Berlin/München 2003.

50 Roland Barthes. *La chambre claire. Note sur la photographie*. Paris 1980.

51 Vgl. hierzu: Ulrich Raulff. *Der unsichtbare Augenblick. Zeitkonzepte in der Geschichte*. Göttingen 2000, Gabriele Brandstetter: „Choreographie als Grab-Mal. Das Gedächtnis von Bewegung". In: Dies./Hortensia Völckers. *Re-Membering the Body. Körper-Bilder in Bewegung*. Ostfildern/Ruit 2000a, S. 102-134, Gilles Deleuze. *Henri Bergson zur Einführung*. Hamburg 1989.

52 Vgl. hierzu Alaida Assmann. *Erinnerungsräume. Formen und Wandlungen des kulturellen Gedächtnisses*. München 1999, S. 224ff.

53 Walburga Hülk. Bewegung als Mythologie der moderne. Vier Studien zu Baudelaire, Flaubert, Taine, Valéry. Bielefeld 2012, sowie auch Dies. „Mémoire 1900. Umbruch eines Psychems als Signatur eines kulturellen und medialen Umbruchs". In: Katrin van der Meer/Heinz Thoma (Hg.). *Epochale Psycheme*. Würzburg 2006 S. 169-182., Dies. „Fugitive beauté – Spuren einer intermedialen Laune und Leidenschaft". In: Uta Felten u. a. (Hg.). *„Esta locura por los sueños". Traumdiskurse und Intermedialität in der romanischen Literatur- und Mediengeschichte*. Heidelberg 2006, S. 165-178. Die beiden zuletzt genannten Aufsätze befinden sich auch im folgenden Buch von Walburga Hülk: *Herzstücke. Beiträge zur romanistischen Literatur-, Kultur- und Medienwissenschaft*. Hgg. v. Marijana Erstić, Gregor Schuhen und Christian von Tschilschke. Heidelberg 2018.

54 Vgl. dazu: Cornelia Kemp/Susanne Witzgall (Hg.). *Das zweite Gesicht. Metamorphosen des fotografischen Porträts*. München u. a. 2002 (Katalog der gleichnamigen Ausstellung im Deutschen Museum, München 2002), *Alain Fleischer. La Vitesse d'Evasion* (Katalog). Paris 2003, Wolfgang Ullrich: *Die Geschichte der Unschärfe*. Berlin 2003.

Jochen Hörisch (Mannheim)

Mediengeschichte und Medientheorie des Geldes

1. Konstanz und Wandel der Begriffe ‚Geld' und ‚Medium'

Wer die sogenannte Höhenkammliteratur auf die Schlüsselwörter ‚Geld' (inkl. verwandter Begriffe wie Taler, Kreuzer, Schulden, Zins, Schatz etc.) und ‚Medium / Medien' abtastet, muss mit Überraschungen rechnen. Die erste Überraschung dürfte sein, dass das Wort- und Motivfeld ‚Geld' enorm breit vertreten ist, dass Geld also seit dem Beginn schriftlich fixierter Literatur eines ihrer eminenten Themen ist. Überraschend ist zweitens, dass uns die auch in früher (etwa antiker oder mittelalterlicher) Literatur begegnenden Verwendungsweisen des Wortes ‚Geld' unmittelbar vertraut sind. Zwar haben sich die medialen Erscheinungsweisen des Geldes im Laufe der Jahrhunderte und Jahrtausende enorm verändert (dazu gleich mehr), aber die hochgradig literaturtauglichen Probleme, die mit dem Wort ‚Geld' evoziert werden, sind sehr früh präsent, und sie gewinnen zunehmend an Gewicht und Geltung: Probleme um Liquidität und Schatzhortung, Schuld und Schulden, vorteilhaften und unvorteilhaften Tausch, ererbtes und selbst erworbenes Vermögen, soziale Kälte und gönnerhafte Großzügigkeit, gerechte und ungerechte Vermögensverteilung, Diebstahl und Raub, Falschgeld und Geldwechsel, Zins und Zinseszins (um nur sie zu nennen) haben unabhängig davon, in welcher medialen Gestalt Geld auftaucht (Münzgeld, Papiergeld, Wechsel, electronic money etc.), einen hohen Wiedererkennungswert. Es leuchtet unmittelbar ein, dass die evozierten, eng an Geld gekoppelten Probleme der Stoff sind, aus dem große und spannende Literatur gemacht ist. Man muss auch als Zeitgenosse des Internets oder als digital native, der seine Geldgeschäfte weitgehend elektronisch abwickelt, nicht historische Wörterbücher bemühen, um zu verstehen, was alte Texte meinen, wenn sie das Wort ‚Geld' verwenden.

Gänzlich anders verhält es sich mit dem Wort ‚Medium / Medien'. Wer ihm, was deutlich seltener der Fall ist als bei ‚Geld', in Literatur um 400 v. Chr., um die Zeitenwende, um 1200, 1500, 1800 oder 1900 begegnet, wird mit dem heute geläufigen Medien-Verständnis nicht weit kommen. Um nur zwei Beispiele aus der Goethezeit anzuführen: „Musik ist das Medium des Geistes, wodurch das Sinnliche geistig wird"[1] (Arnim: 1959 Bd. 2, 128), heißt es in Bettine von Arnims *Briefwechsel mit einem Kinde*. „Das Medium für den Schall ist die Luft, für das Riechende etwas, das keinen Namen hat"[2], schreibt Goethe in seiner *Farbenlehre*. Und in Hofmannsthals Drama *Der Schwierige*, das 1921 uraufgeführt wurde, also zu Zeiten, als es bereits seit Jahrzehnten die Massenpresse, Illustrierte, Photographien, Telephone, Plattenspieler, Kinos und seit kurzem

---

1 Bettine von Arnim. *Goethes Briefwechsel mit einem Kinde*. In: *Werke und Briefe in fünf Bänden*. Hg. Gustav Konrad, Bd. 2. Frechen 1959, S. 128.
2 Johann Wolfgang Goethe. *Zur Farbenlehre*. Berliner Ausgabe, Bd. 16. Berlin 1960, S. 265.

auch das Radio gab, findet sich eine durchaus repräsentative Szene, in der deutlich wird, dass auch nach dem ersten Weltkrieg mit ‚Medium‘ häufig noch das spiritistische Medium gemeint ist: „HECHINGEN. Das ist bei uns gegenseitig. Sehr oft spricht er etwas aus, was ich im gleichen Augenblick mir gedacht habe. STANI. Du bist offenbar ein großartiges Medium.“[3]

Man muss also anders als beim Wort ‚Geld‘ durchaus historische Wörterbücher konsultieren, wenn man in Hochliteratur dem Wort ‚Medium‘ begegnet, um herauszufinden, was jeweils gemeint sein könnte. Es kann u. a. synonym mit ‚Elemente‘ (Wasser, Feuer, Erde, Luft) verwendet werden, es kann das Mittlere und Vermittelnde in jedem Wortsinne meinen, es kann als Zentralbegriff des Spiritismus verstanden werden, es kann einen Modus des Verbs im Altgriechischen zwischen Aktiv und Passiv bezeichnen, es kann anzeigen, dass man ein Steak nur halb durchgebraten essen möchte etc., man wird es jedoch noch um 1800 oder 1900 nur in raren Ausnahmefällen als Überbegriff für Sprache, Bücher, Zeitschriften, Drucke, Konzerte, Briefe, Telegramme oder dergleichen finden – kurzum: der Wortgebrauch ‚Medium/Medien‘ im heute üblichen und geradezu selbstverständlichen Sinne ist verblüffend jung.[4] Eine Ausnahme sei wegen ihres Seltenheitswertes angeführt: Gleich zu Beginn von Mary Shelleys 1818 erschienenem Roman *Frankenstein* heißt es: „I shall commit my thoughts to paper, it is true; but that is a poor medium for the communication of feeling.“[5] Selbst in Bram Stokers 1897 erschienenem *Dracula*-Roman, der ein Medien- und Geldroman sui generis ist[6] – wird Graf Dracula, der bzw. das personifizierte vormoderne Böse, doch mit moderner Medientechnik wie Telegrammen, Telephonaten, Schreibmaschinen, Diktiergeräten, Photos und schnell transferiertem Geld besiegt – kommt das Wort ‚Medium‘ nur selten vor. Etwa als Charakterisierung eines Kruzifix oder in der Wendung „the medium of his blood“[7]. Eine rätselhafte Passage verdient jedoch besondere Aufmerksamkeit, weil sie Geld und Medien eng aneinander koppelt. In Jonathan Harkers Tagebucheintragung vom 30. September ist zweideutig von „the medium of the currency of the realm“[8] die Rede, wenn es darum geht, diejenigen zu belohnen, die eine schmutzige Arbeit erledigt haben – mit dem in ihrer Sphäre zirkulierendem Geldmedium (currency/Währung) oder, ihren Sitten (gleichfalls currency) entsprechend, mit Durst stillender Flüssigkeit.

Trotz solcher raren Einzelbefunde: Eigenartig ist es, dass weder früher noch heute, also in Zeiten der Hochkonjunktur von ‚Medien‘, die Begriffe ‚Geld‘ und ‚Medium‘ eng aneinander gekoppelt sind. Wendungen wie ‚das Medium Geld‘

3 Hugo von Hofmannsthal. „Der Schwierige“. In: *Gesammelte Werke in zehn Einzelbänden*, Bd. 4, hg. Bernd Schoeller. Frankfurt/M. 1979, S. 413.
4 Vgl. Stefan Hoffmann. *Geschichte des Medienbegriffs*. Hamburg 2002.
5 Mary Shelley. *Frankenstein, or The Modern Prometheus*. Hg. M. K. Joseph. London 1969, S. 19.
6 Vgl. Friedrich Kittler. *Draculas Vermächtnis – Technische Schriften*. Leipzig 1993 und Jochen Hörisch. *Kopf oder Zahl – Die Poesie des Geldes*. 6. Auflage. Frankfurt/M. 1996 (2015), S. 337ff.
7 Bram Stoker. *Dracula*. London 1966, S. 210.
8 Ebd., S. 204.

wird man in der deutschsprachigen Literatur der letzten Jahrhunderte nicht finden. Geld wird auch in gängigen Einführungen in Medienwissenschaft und Medientheorien nur selten ausdrücklich als Medium wahrgenommen und thematisiert – und dies, obwohl einflussreiche Theoretiker wie Georg Simmel, Marshal McLuhan und Niklas Luhmann Geld ausdrücklich und mit guten Gründen als mächtiges Medium verstanden haben (auch dazu später mehr). Dabei ist schon auf der phänomenologischen Ebene unverkennbar, dass Geld und Medien engstens aufeinander angewiesen sind. Geld muss medial erscheinen, um seine Geltung zu entfalten. Es funktioniert nur, wenn es beglaubigt wird, und muss sich dennoch oder deshalb systematische Zweifel an seiner Glaubwürdigkeit gefallen lassen – wie andere Medien auch (lügt dieses Buch wie gedruckt, ist dieses Photo manipuliert, handelt es sich bei diesem tweet um fake-news etc.?)

2. Geldvertrauen, Geldillusion und Gelddeckung

Historisch wandelt sich die Erscheinungsform des Geldes mit dem jeweiligen Stand der Medientechnik. Und mit den jeweiligen materiellen bis eben immateriellen Qualitäten der medialen Erscheinungsformen von Geld ändern sich auch die expliziten, meist aber impliziten Theorien der Deckung des Geldwertes. Es ist und bleibt erstaunlich und also auch erklärungsbedürftig, dass Menschen Geld vertrauen, hat es doch, gut marxistisch gesprochen, keinerlei Gebrauchswert. Man kann mit Geld unmittelbar nichts anfangen, es ist zu nichts zu gebrauchen, man kann es nicht essen und mit seiner Hilfe nichts bewerkstelligen; allenfalls macht man sich aufmerksamkeitsökonomisch interessant, wenn man seine Zigarre mit einem Hundertdollarschein anzündet.

Geld ist ersichtlich kein Werkzeug; es gehört vielmehr zu den rätselhaften Dingen, die nur dann funktionieren, wenn man sie aus der Hand gibt. Sein eigentlicher und ultimativer Zweck ist es ja, veräußert, weggegeben und gegen etwas anderes eingetauscht zu werden. Geld muss Akzeptanz in dem präzisen Sinne finden, dass ein anderer bereit ist, mir für dieses Geldzeichen Waren zu überlassen oder Dienstleistungen zu gewähren. Und das setzt geteiltes Vertrauen voraus[9]: ego muss glauben, dass alter ebenso wie er selbst darauf vertraut, dass auch andere dem Geld vertrauen und es als Wert anerkennen. Dass es sich hierbei nicht um abstrakte Theorien, sondern um handfeste Problemdimensionen handelt, macht jede Banken-, Währungs- und Inflationskrise deutlich. Das Wertversprechen, das Geld innewohnt, steht dann im Verdacht, ein Versprecher zu sein, dem man nicht vertrauen darf. Der prekäre Beglaubigungs-Status des Geldwertes wird wirtschaftswissenschaftlich als ‚Geldillusion‘ (money illusion) gefasst. Um zu pointieren: Eine enge Nähe von Literatur und Geld ist schon deshalb gegeben, weil beide Medien mit Illusionen arbeiten, Literatur dies aber anders als Geld völlig transparent tut. Jeder, der nur einigermaßen bei Sinnen ist, weiß, dass das, was in Romanen zu lesen oder auf Bühnen zu sehen und zu

---

9 Vgl. Niklas Luhmann. *Vertrauen – Ein Mechanismus der Reduktion sozialer Komplexität*. Stuttgart 1973 (2. Auflage).

hören ist, fiktiv ist, also gar nicht den Anspruch erhebt, Fakten zu entsprechen. Wir rufen nicht die Polizei, wenn auf der Bühne Geld gestohlen wird oder wenn wir, eine Novelle lesend, erfahren, dass ein hilfloser Mensch ausgeraubt wurde.

Geld funktioniert hingegen dann besonders gut, wenn intransparent bleibt, was an ihm Illusion ist. Sich allzu viele Gedanken über den Wert und die Deckung von Geld(zeichen) zu machen, heißt an der Dekonstruktion des Mediums zu arbeiten, an das alle, Gläubige wie Ungläubige, glauben müssen, wenn sie nicht dran glauben wollen.[10] „In God we trust" ist bekanntlich auf den Münzen und Scheinen der mächtigsten modernen Währung zu lesen. Fragen nach der Deckung von Geld gehören in der durchmathematisierten Volkswirtschaftslehre von heute zu den am wenigsten populären Problemstellungen; das Fach scheint ab und an zu ahnen, dass es zum reibungslosen Funktionieren von Volkswirtschaften beiträgt, wenn es weise auf Aufklärung verzichtet. Die klassischen Antworten auf die Frage nach der Deckung von Geld lassen sich dennoch zugespitzt referieren. Am populärsten ist die Vorstellung, Geld sei durch Gold gedeckt – ein Narrativ, das um seiner Suggestivität willen bis in die siebziger Jahre des zwanzigsten Jahrhunderts bei vielen Währungen, gerade auch beim Dollar, offiziellen Status hatte. Ein Narrativ aber auch, das immer erneut seine Glaubwürdigkeit riskiert, wenn es auf die Probe gestellt wird. Sprichwörtliche Qualität gewann die von Prinzessin Marianne von Preußen 1813 repräsentierte Initiative „Gold gab ich für Eisen", mit der die Befreiungskriege gegen Napoleon finanziert werden sollte. Die Initiative erlebte am Ende des Ersten Weltkrieges ein comeback: Patrioten tauschten Goldschmuck gegen Eisen, um die horrenden Kosten der Materialschlachten zu finanzieren und die Golddeckungs-Illusion möglichst lange aufrechtzuerhalten.

Weniger martialisch ging es zu, als die amerikanische Zentralbank 1973 kühl erklärte, dass das Versprechen, für 35 Dollar eine Feinunze Gold herauszurücken, nicht mehr gelte. Damit war das Ende der Golddeckungsillusion auch für die weltweit mächtigste Währung erklärt. Die heute weitgehend akzeptierte wirtschaftswissenschaftliche Standardtheorie der Gelddeckung ist weniger glänzend, aber dafür ein wenig plausibler: Geld ist durch das Bruttosozialprodukt im Gebiet der jeweiligen Währung gedeckt. Zu den seltsamen Implikationen dieser Theorie gehört es aber, dass etwa Unfälle und Krankheiten, die ja einen erheblichen Anteil am Bruttosozialprodukt haben, Entscheidendes zur Deckung des Geldes beitragen. Der Porschefahrer, der nach einem verschwenderischen Bordellbesuch angetrunken sein Luxusauto zu Schrott fährt und im Krankenhaus liegt, trägt nach dieser Theorie erheblich mehr zur Gelddeckung bei als das verliebte Paar, das nach dem Verzehr eines Baguettes und einer preiswerten Flasche Rotwein ein Kind zeugt. Sachlich formuliert: Sozialkapital fließt in die traditionelle Berechnung des Bruttosozialprodukts so wenig ein wie unbezahlte Erziehungs- oder Hausarbeit. Für die Etablierung verlässlicher reziproker Vertrauensverhältnisse und damit für Gelddeckung ist Sozialkapital (also prosoziales Verhalten, Kooperationsbereitschaft, Respekt vor Rechtsvorschriften und guten

---

10 Vgl. Jochen Hörisch. *Man muss dran glauben – Die Theologie der Märkte*. München 2013.

Sitten, Steuerehrlichkeit, Ächtung von pathologischem Egoismus, wechselseitige Anerkennung, Ausübung unbezahlter Ehrenämter u. a.) jedoch unabdingbar. Funktional am überzeugendsten ist die systemtheoretische Gelddeckungstheorie: Geld ist durch (den Glauben an bzw. das Vertrauen in) Geld gedeckt: in money we trust. Wenn und solange sich die Zahlzeichen auf dem Monitor in Papiergeld aus der Geldmaschine und dieses sich in Waren verwandeln lässt, ist Geld gedeckt.

3. Wichtige Etappen in der Mediengeschichte des Geldes

Geld muss medial verbindlich präsent sein, um möglichst von allen beglaubigt zu werden. Um die wichtigsten historischen Etappen der Mediengeschichte des Geldes in Erinnerung zu bringen[11]: Früheste Formen des Geldes noch vor der Münzprägung sind schriftlich auf Tontafeln festgehaltene oder in Stein gemeißelte Schuldverhältnisse; Steuer- und Tributverpflichtungen sind in Babylonien schon seit ca. 1800 v. Chr. belegt. Der berühmte Codex Hammurabi entstand in dieser Zeit, er schreibt solche Schuldverhältnisse fest und ist ein starkes Indiz für die These, dass Schulden (inklusive Zinsen) die früheste Geldform noch vor der Tauschfunktion darstellen.[12] Die Tilgung von Schuld(gefühl)en gegenüber der Gottheit und den Göttern ist die Grundform des Geldes; erste Metallanhäufungen finden sich in Tempeln, wo sie als Substitute für Opfertiere galten; in den alltäglichen Umlauf als Tauschmittel kam dieses (noch nicht gemünzte) Metall nicht. Frühes Geld ist Sakralgeld, das in Tempelbezirken gehortet wurde.

Als Tauschmedium kam geprägtes Münzgeld erst im siebten vorchristlichen Jahrhundert in Ionien / Lydien in Umlauf. Zusammen mit der griechischen Alphabetschrift initiiert und manifestiert es zugleich einen ungeheuren Abstraktionsschub, der die damalige Lebenswelt elementar neu strukturiert.[13] Man muss sich vergegenwärtigen, wie revolutionär und funktional es ist, Schriftsysteme nicht über wie auch immer geartete Analogiebeziehungen zu realen Konstellationen laufen zu lassen (wie etwa in der Keil-, Hieroglyphen- oder chinesisch-japanischen Schrift), sondern über gut zwanzig Zeichen für die Wiedergabe von Konsonanten und Vokalen zu schalten: ein ebenso genialer wie ungeheuer abstrahierend-vereinfachender Vorgang. Ähnliches gilt vom Warenverkehr, der über das Medium des gemünzten Geldes geschaltet wird. Er sieht von allen Äußerlichkeiten und Mannigfaltigkeiten ab, wenn er abstrakte Äquivalenzverhältnisse etabliert und fokussiert. Die getauschten Dinge und Dienstleistungen (dieser Krug Wein, dieses Stück Land, dieses Tier, diese sophistische Beratung) sind ersichtlich nicht gleich, aber der geldvermittelte Tausch setzt sie im Hinblick auf ihren Wert gleich und berücksichtigt dabei systematisch Knappheiten in der Konstellation von Angebot und Nachfrage. Diese kühl

11 Henry Werner. Geschichte des Geldes. Berlin 2015, Michael North. *Kleine Geschichte des Geldes – Vom Mittelalter bis heute.* München 2009.
12 David Graeber. *Schulden – Die ersten 5000 Jahre.* Stuttgart 2012.
13 Christina von Braun. *Der Preis des Geldes – Eine Kulturgeschichte.* Berlin 2001.

rechenhafte Gleichmacherei hat frappierend heiße Implikationen, widerspricht sie doch systematisch lebensweltlichen Intuitionen. Gerade deshalb ist sie ein extrem literaturtaugliches Motiv, wie u. a. das geflügelte Wort von Shakespeares Richard III belegt: „A horse, a horse! my kingdom for a horse!" Verrückt scheinende Äquivalenzen können vom Medium Geld rational eingebettet werden: Dieses van Gogh-Gemälde war zur Zeit seiner Entstehung ein Äquivalent für eine ärztliche Behandlung, heute ist es 70 Millionen Euro wert.

Das Medium Geld ist von seltsamer Indifferenz, und dies gleich in dreifacher Hinsicht[14]: Es ist indifferent gegenüber den getauschten Sachen (Brot und Waffen, Drogen und Medikamente haben ihren Preis), gegenüber den tauschenden Personen (man macht Geschäfte auch mit Personen, die einen ansonsten nicht interessieren) und gegenüber dem Zeitpunkt des Tauschs (Geld kann bekanntlich aufbewahrt oder heute geliehen und später zurückgezahlt werden). Temporal indifferent ist materialisiertes Geld (anders als Buchgeld, das mediale Spuren hinterlässt!) auch im Hinblick auf seine Geschichte: Münzen und Geldscheine in unsrem Portemonnaie erzählen uns nicht, in welche Geschäfte sie verwickelt waren, bevor sie in unsere Hände gerieten. Diese kühle Indifferenz des Geldes wird häufig als unheimlich bis pervers empfunden – und ist eben deshalb ein besonders literaturtaugliches Motiv (wie z. B. die Erzählungen über steinerne und kalte Herzen belegen[15]). So wie ein Phonem in Kombination mit anderen Phonemen ganz unterschiedliches bezeichnen kann, was schriftliche Lettern dann festhalten und wiedergeben können, so kann Geld den Wert von „allem" ausdrücken. Geprägte Münzen und Geldscheine, die Zahl-, Laut- und Bildzeichen zusammenbringen, sind faszinierend, weil sie den Wert von schlechthin allem bezeichnen können – und zugleich irritierend nichtssagend sind. Wir erfahren und etablieren, über das Medium Geld tauschend, den Wert aller möglichen Dinge, aber wir erhalten keinerlei Informationen über ihre Sozialverträglichkeit und über deren materielle, formale, ästhetische, zeitliche etc. Qualität.

Die kühle Indifferenz des Geldes schließt nicht aus, sondern offenbar ein, dass es als ein faszinierendes Medium mit magischen Kräften erfahren wird (Goethe hat dieses Motiv im ersten Akt von *Faust II* wirkungsvoll entfaltet). Neben der quasi-religiösen Wandlungskraft des Geldes – „dies Metall läßt sich in alles wandeln", heißt es in Goethes *Faust II* – ist auch die deutlich sexuell konnotierte Vorstellung seiner Fruchtbarkeit zu nennen. Eine Stange Geld stimuliert die reale Wirtschaft, ein potenter Unternehmer kann Gläubiger befriedigen, Geld initiiert, wenn es fruchtbar investiert wird, Wertschöpfungsketten, sodass eingeknickte Bilanzen sich wieder nach oben recken und strecken. Die bis heute anhaltende Faszinationskraft des mittlerweile fast dreitausend Jahre alten Münzgeldes (man denke nur an die Wonnen, die Dagobert Duck erlebt, wenn er, der ansonsten asexuelle, mit erigiertem Entensterz in seinen Geldspeicher springt) verdankt sich der ja nicht ganz falschen Suggestion, dass es einen Wert nicht bloß repräsentiert, sondern selbst, wenn auch nur teilweise, inkarniert.

---

14 Niklas Luhmann. *Die Wirtschaft der Gesellschaft*. Frankfurt/M. 1988, S. 230ff.

15 Vgl. dazu ausführlich Manfred Frank (Hg.). *Das kalte Herz – Texte der Romantik*. Frankfurt/M. 2005.

Der Stoff, aus dem Kupfer-, Silber- und Goldmünzen gemacht sind, ist im Vergleich etwa zu Papier knapp, wertvoll, teuer und extrem haltbar. Es versteht sich gewissermaßen von selbst, dass Münzgeld aufgrund seiner handgreiflichen Qualitäten auch außerordentlich literaturtauglich ist. Man kann es vergraben, um sich werfen, verstecken, finden, stehlen, rauben, anhäufen oder von einer in die andere Hand wechseln lassen. Münzgeld suggeriert substanzielle Werte; es scheint „natürlich" zu sein, dass es wertvoll ist, auch wenn ein Blick auf Münzen genügt, um zu erkennen, dass sie, da sie geprägt und von höchster Autorität in Umlauf gebracht werden, am prototypischen Kreuzungspunkt von Natur und Kultur ihren spezifischen Ort haben. Doch noch das Verhältnis von Silber- und Goldmünzen lässt sich scheinbar „natürlich" bestimmen. Etwa dreizehn mal muss der Mond (Silber) die Erde umkreisen, damit sich ein Sonnen-(Gold-)Jahr vollendet – also kann man messerscharf schließen, dass die natürliche Wertrelation von Gold zu Silber 1:13 ist.

Geld ist aber kein Naturprodukt, sondern das künstlich geschaffene Medium schlechthin. Die Vorstellung, Gott hätte die Welt nicht sprechend erschaffen, sondern Geld erfunden oder sich gar (vom Teufel, von wem sonst?) Geld geliehen, um den Kosmos zu schaffen, ist ein gewaltiges Sakrileg. Umso heikler waren die Versuche, Geld, das nun einmal in die Welt geraten war und die Welt regiert, philosophisch-theologisch zu legitimieren. Der Ursprung des Spruchs ‚Geld regiert die Welt', der sich u. a. auch im Englischen und Französischen findet (‚money rules the world', ‚l'argent est maitre du monde'), ist nicht eindeutig anzugeben. Belegt ist aber das Motto des Herzogs Friedrich I. von Sachsen-Gotha-Altenburg (1649-1691): „Imperat in toto Regina Pecunia Mundo." Unverkennbar ist, dass es zu Beginn der Neuzeit ein verstärktes Interesse an Geld gibt; es genügt, auf die Popularität des Fortunatus-Stoffes zu verweisen, der geballt religiöse und sexuelle Assoziationen um das Medium Geld entfaltet (das deutschsprachige Volksbuch über das stets volle Geldsäckel erschien erstmals 1509 in der Banker- und Kaufmannsstadt Augsburg und erlebte schnell viele Auflagen und eine intensive Rezeption, zu denken ist u. a. an Chamissos populäre *Schlemihl*-Erzählung). Die genannten Sprichwörter, Motive und Stoffe knüpfen an die neuzeitlich auch im Umkreis der Alchemie immer stärker verbreitete, auf antike Motive zurückgehende Idee der Quintessenz an. Aristoteles hatte der älteren Lehre von den vier Elementen (der Begriff ‚Elemente' fand im Begriff ‚Medium' ein Synonym) Wasser, Erde, Feuer und Luft philosophische Dignität verliehen und ein fünftes Element, den Äther, auf den es eigentlich ankommt, weil sich in ihm die anderen Elemente/Medien verdichten, als „Quintessenz" charakterisiert.[16] Geld wird neuzeitlich häufig als das fünfte Element bzw. Medium bezeichnet, gedacht und erfahren, auf das es eigentlich ankommt. Das Medium Geld umgibt uns, bettet uns ein, ist der quintessentielle Äther unsres neuzeitlich-modernen Alltagslebens.

Begleitet wird das Münzgeld seit seinen Anfängen durch Schuldverschreibungen, Verträge, Frühformen des Wechsels, der Zahlungsanweisung etc. Noch

---

16 Vgl. Gernot Böhme, Hartmut Böhme. *Feuer, Wasser, Erde, Luft – Eine Kulturgeschichte der Elemente*. München 1996.

einmal: Solche Formen des Buchgeldes im weiteren Sinne sind logisch wie chronologisch früher als das geprägte Münzgeld, aber sie treten nicht so augenfällig-alltäglich wie dieses in Erscheinung. Im oberitalienischen Raum der frühen Renaissance bilden sich Grundformen des bis heute vertrauten Bankensystems heraus. 1494 erscheint in Venedig das Buch *Summa de arithmetica, geometria, proportioni et proportionalità* des Franziskanermönches Luca Pacioli, das die in der Finanzwelt schon seit längerem praktizierten Grundprinzipien der doppelten Buchführung be- und auch normativ vorschreibt. Jeder Geschäftsvorgang wird demnach zweifach gebucht: als Soll und als Haben. Dem liegt eine tiefe Einsicht zugrunde: Die Schulden des einen sind die Guthaben des anderen; man ist, konsequent gedacht, auch bei sich selbst verschuldet: Soll und Haben. Das Geld, das ich für diese Waren ausgegeben habe, ist das Geld, das ich nicht mehr habe. Spätestens mit der doppelten Buchführung wird deutlich, dass Geld ein binäres, ja das frühe binäre Medium schlechthin ist; es ist dem Code zahlen/ nicht zahlen, haben/nicht haben verschrieben. Das Geld, das A hat, ist das Geld, das B nicht hat.

Eine entscheidende Etappe in der Mediengeschichte des Geldes ist die Emergenz des Papiergeldes. Marco Polo berichtet schon im dreizehnten Jahrhundert erstaunt, dass er in China Papiergeld kennengelernt hat – mitsamt der damit verbundenen Vertrauens- und Inflationsprobleme (1402 wurde in China das Papiergeld offiziell wieder abgeschafft). Frühformen des Papiergeldes im neuzeitlichen Europa sind vielfach belegt; Banken nahmen etwa größere Münzmengen in Verwahrung und stellten dafür Quittungen aus, die gehandelt und getauscht werden konnten. So gab die Bank von Amsterdam ab 1609 Banknoten aus, die einigermaßen seriös durch Münzen gedeckt waren; 1661 wollte eine Bank in Stockholm diesen Erfolg kopieren, scheiterte aber am ihr und dem Papiergeld entgegengebrachten Misstrauen. Im kollektiven Gedächtnis geblieben sind die Inflations- und Akzeptanz-Krisen, die Frankreich von 1718-20 erlebte, nachdem John Law, ein zum Finanzminister avancierter Bilderbuch-Abenteurer, Papiergeld emittiert hatte, ebenso wie der Zusammenbruch der französischen Finanzsphäre nach 1791, als die Revolutionäre Assignaten in Umlauf gebracht und als gesetzliches Zahlungsmittel verbindlich zu machen versucht hatten – die Vorlage für Goethes grandiose Ausgestaltung von Papiergeld-Problemen (und -Möglichkeiten!) in Faust II/1.

Die weitere Mediengeschichte des Geldes weist eine klare Entwicklungstendenz auf: schwindende Materialität. Mit einer ebenso signifikanten wie ambivalenten Ausnahme – Aktien. Auch sie sind zwar nur ein Stück Papier, aber eines, das Teilhabe an einem gemeinsamen Vermögen garantiert. Aktien haben eine lange Vorgeschichte; in der uns heute vertrauten Form gehen sie auf die 1602 in Amsterdam gegründete „Vereinigten Ostindischen Handels-Kompanie" zusammen, die Firmenanteile an der Börse handelte; die East-India-Company firmierte in London ab 1613 ausdrücklich als Aktiengesellschaft. Das Eigentümliche und Faszinierende an Aktien erschließt sich schnell: Sie sind anders als Geld tatsächlich und plausibel durch klar zurechenbare realökonomische Werte (wie die Immobilien, Maschinen, Produkte, Patente einer Firma) gedeckt – und eben deshalb hochgradig volatil. Geld muss Wertkonstanz sowie

Risikoneutralität suggerieren und steht doch immer unter Inflationsverdacht; bei Aktien ist hingegen transparent, dass ihr Wert hochgradig schwanken kann. Aktien sind insofern vergleichsweise verlässliche Papiere, signalisieren sie doch, dass sie unverlässlich, weil von schwankenden Nachrichten und wechselnder Nachfrage abhängig sind. Wer sein Start-up-Unternehmen an die Börse bringen will, muss eine plausible zukunftsschwangere Story präsentieren. Schon in Alexandre Dumas' 1844 erschienenen Bestseller-Roman *Der Graf von Monte Christo* findet sich eine zentrale Szene, in der geschildert wird, wie eine Telegraphenverbindung nach Paris gehackt wird, um Börsenkurse zu manipulieren. Wie denn die Literatur des europäischen neunzehnten Jahrhunderts überhaupt (u. a. Balzac, Hugo, Dickens, Keller, Gotthelf, Zola, Fontane) bis hin zu den *Buddenbrooks* stets erneut Koppelungen von Geld und medial vermittelten Informationen thematisiert.

Geld kann (ab ca. 1900) Kreditkartengeld sein, telegraphisch überwiesen werden und zu electronic money werden. Klassisches handfestes Münz- und Papiergeld, das buchstäblich von Hand zu Hand wandert, verschwindet in vielen modernen Gesellschaften zusehends; in den skandinavischen Ländern ist Bargeld heute auch bei alltäglichen Käufen kleiner Werte kaum mehr im Umlauf. Die in jüngerer Zeit auffallend intensiven Diskussionen um die Eindämmung, gar Abschaffung des Bargeldes haben einen auch in emotionaler Hinsicht hohen Streitwert. Dabei spielen vier Aspekte eine entscheidende Rolle. Erstens: In Zeiten von Negativzinsen erweist sich Bargeld als Antidot zur Deflation; man kann es, ohne Negativzinsverlust in Kauf nehmen zu müssen, horten und speichern. Zweitens: Bargeld ist das bevorzugte Zahlungsmittel der – nomen ist omen – lichtscheuen Schattenwirtschaft; wer Steuern vermeiden will, zahlt schwarz; wer bestechen will, hat kein Interesse an Bankbelegen etc. Bargeld hinterlässt anders als Buchgeld kaum Spuren. Drittens: Wenn Geld zu immateriell und abstrakt wird, droht ihm ein Vertrauensverlust, es verliert seine quasi-religiösen und durchaus auch seine erotischen Qualitäten. Viertens: Auch klassisches Geld kann gefälscht werden, aber das ist mit handfesten handwerklichen Risiken verbunden; elektronisches Geld kann in gänzlich anderen Größenordnungen fehlgeleitet und gehackt werden.

Schon im 1975 erschienenen Roman *JR* von William Gaddis wird eindringlich geschildert, wie ein an Mozart gemahnendes Wunderkind über Telefontransaktionen Geldströme manipuliert. Medial stimulierte Manipulationen von Börsenwerten sind ein Standardmotiv der amerikanischen Gegenwartsliteratur (etwa in den Werken von Don DeLillo, Thomas Pynchon und Philipp Roth) und des Kinos (legendär ist Oliver Stones Film *Wallstreet* aus dem Jahr 1987). Neben den Sicherheitsproblemen, die jedem vertraut sind, der über ein Online-Konto verfügt (in Deutschland waren das im Jahr 2016 38 Millionen), haben großdimensionierte (abgewehrte) Hacker-Angriffe auf die US-Technologiebörse Nasdaq im Oktober 2010, vor allem aber ein halbwegs erfolgreicher Angriff auf die US-Notenbank Fed im Februar 2016 Aufsehen erregt. Einer Gruppe von Hackern war es gelungen, an die Codes zu kommen, mit denen sich die über zehntausend Banken ausweisen, die dem internationalen Bankenkommunikationswerk Swift zugehören. Im Namen der Notenbank von Bangladesh wollten sie Zahlungen in Höhe von fast einer Milliarde Dollar auf diverse Konten veranlassen. Der Schaden war bereits auf 81 Millionen Dollar aufgelaufen, als einem Bank-mitarbeiter ein schlichter Rechtschreibefehler verdächtig vorkam: 20 Millionen Dollar sollten auf das Konto einer „Fandation" statt „Foundation" in Sri Lanka überwiesen werden. Ein durch Hacker verursachter Kollaps des internationalen Bankensystems ist seither mehr als eine Roman- oder Film-Phantasie.

Mit der Erfindung der Bitcoin-Internet-Währung im Jahr 2009 hat die mediale Entwicklung des Geldes einen spannenden Höhepunkt erreicht. Handelt es sich dabei doch um eine nicht-staatliche reine Rechnungs- und Rechnerwährung, die auf computerkontrollierter wechselseitiger Akzeptanz beruht und auf (fast) jedes materielle Deckungsversprechen verzichtet. Fast: Als Computerwährung ist sie – diese höhere medienmaterialistische Trivialität wird heute signifikanter Weise häufig ausgeblendet – auf Stromversorgung, störungsfreien Zugang zum Internet und zum nicht überlasteten Bitcoin-Server angewiesen. Gerade die Bitcoin-Währung ist zudem, auch wenn sie autark zu sein verspricht, auf Konversionsmöglichkeiten in klassische Währungen angewiesen (der Kurs zum Dollar ist außerordentlich volatil; er schwankt zwischen wenigen Dollar und 266 Dollar pro Bitcoin im April 2013). Auch für sie gilt, dass Geld durch Geld gedeckt ist. Und Geld ist ein Medium, das über Knappheiten informiert. Deshalb ist es auf die knappe Ressource Vertrauen angewiesen. Das binäre Medium Geld hat eine genuin dialektische Qualität: Es ist ein Medium künstlicher Knappheit, das einen (im Vergleich zum Naturalientausch, um von Diebstahl, Raub oder Krieg zu schweigen) eleganten und friedlichen Zugang zu den begehrten Gütern des anderen ermöglicht. Und die sind bekanntlich knapp, nicht jeder kann alles Wertvolle (Villen am See, Gemälde, edle Weine, Trüffeln, luxuriöse Kleidung etc.) besitzen. Das künstlich knappe Medium Geld aber verspricht, dass die primäre Knappheit an Gütern und Dienstleistungen knapp wird. Die Produktivität von kapitalistischen Volkswirtschaften, die über komplexe Geldzahlungen gesteuert werden, ist signifikant höher als die von Volkswirtschaften, die am Medium Geld vorbei operieren (staatliche Kommandowirtschaft, feudale oder mafiose Ökonomien etc.). Über die angemessene Verteilung der so produzierten Güter, mit Marx zu sprechen, der „ungeheuren Warenansammlung" kapitalistischer Gesellschaften, ist damit aber noch nichts gesagt. Das Lob des „belebenden Geldes", das man beim Romantiker Novalis wie beim Marxisten Brecht findet, verträgt sich plausibel mit der Kritik an sozialer Ungerechtigkeit.

Geld als Leitmedium

Geld ist nicht nur wie komplexe Gedanken, Kommunikation, Gefühle etc. auf mediale Repräsentanz bzw. Präsenz angewiesen, Geld ist vielmehr selbst ein zentrales Medium. Es erfüllt ersichtlich nicht nur die trivialen Medien-Kriterien nach dem Muster: Absender A sendet über Kanal K eine Botschaft B an Empfänger E / Käufer zahlt mit Geldscheinen für ein Essen eine bestimmte Summe an Verkäufer. Geld erfüllt in signifikanter Weise auch alle nicht-trivialen Kriterien für ein komplexes Medien-Verständnis. Das hat u. a. schon der Soziologe Georg Simmel erkannt, in dessen 1896 erschienenem Essay *Das Geld in der modernen Kultur* es heißt: „Indem sein (des Geldes, J. H.) Wert als *Mittel* steigt, steigt sein *Wert* als Mittel, und zwar so hoch, daß es als Wert schlechthin gilt und das Zweckbewußtsein an ihm definitiv haltmacht."[17] In Anschluss an Georg Simmel, Marshal McLuhan und Niklas Luhmann lassen sich nicht-triviale Mediendefinitionen in so prägnanter Weise auf das Medium Geld beziehen, dass es als das neuzeitliche Leitmedium schlechthin verstanden werden kann. Unter ‚Leitmedium' ist (in Abweichung zu unscharfen Verwendungen dieses Begriffs, die z. B. ein Nachrichtenmagazin als Leitmedium des politischen Journalismus oder Facebook als Leitmedium für Jugendliche bezeichnen) ein nur um den Preis weitreichender Sanktionen zu vermeidendes und für „alle" verbindliches Massenmedium zu verstehen.[18] In vorreformatorischen christlichen Sphären ist die Eucharistie / Heilige Kommunion ein solches verbindliches Leitmedium; wer die Teilnahme verweigert bzw. wem sie verweigert wird, ist in jedem Wortsinne exkommuniziert. Erst mit der Einführung der Schulpflicht wird Schrift ein solches Leitmedium; wer nicht alphabetisiert ist, erfährt sich ebenfalls als exkommuniziert und deklassiert. Gleiches gilt in neuzeitlich-modernen Sphären vom Leitmedium Geld. Man kann es kulturkonservativ oder revolutionär kritisieren, aber nicht bzw. nur um den Preis erheblicher Nachteile vermeiden.

Medien und Leitmedien zumal erbringen faszinierende Leistungen. Um nur einige zu nennen: Sie geben dem Unwahrscheinlichen eine starke Durchsetzungschance – dass jemand mir seine wertvollen Güter kampflos überlässt, ist unwahrscheinlich, aber Geldzahlungen sorgen dafür, dass aus dem Unwahrscheinlichen eine Wahrscheinlichkeit wird (so wie wir unwahrscheinliche Neuigkeiten wie 9/11 glauben, wenn alle Medien davon berichten, oder so, wie die unwahrscheinlichen Botschaften vom Gottessohn, der sich für uns geopfert hat und von uns verzehren lässt, in der Eucharistie rituell und massenhaft beglaubigt werden). Medien sind nach der berühmten Definition von McLuhan „extension of man", eine Bestimmung, die sich unschwer auf die Eucharistie und eben auch auf Geld beziehen lässt. Die Faust- bzw. Mephisto-Verse „Wenn ich sechs Hengste zahlen kann, / Sind ihre Kräfte nicht die meine? / Ich renne zu und bin ein rechter Mann, / Als hätt' ich vierundzwanzig Beine" waren ein Lieblingszitat von Marx. Medien sind Absenzüberbrücker (Briefe, Telephonate, mails, Testamente etc. sorgen dafür, dass Abwesende(s) dennoch anwesend ist; der himmlische Gottessohn ist in Brot und Wein irdisch gegenwärtig) – Geld sorgt dafür, dass begehrte abwesende Güter in meine Hand gelangen, mit Geld-Investments kann ich in entfernten Weltecken engagiert sein. Medien sind

---

17 Georg Simmel. *Das Geld in der modernen Kultur.* In: ders. *Schriften zur Soziologie.* Frankfurt/M. 1983, S. 85. Siehe auch Georg Simmel. *Philosophie des Geldes* (1900). Berlin 1977 (7. Auflage).

18 Jochen Hörisch. *Eine Geschichte der Medien – Vom Urknall zum Internet.* Frankfurt/M. 2012 (5. Auflage), S. 62ff. und Jochen Hörisch. *Gott, Geld, Medien – Studien zu den Medien, die die Welt im Innersten zusammenhalten.* Frankfurt/M. 2004.

Interaktionskoordinatoren (wir telephonieren und schreiben, um uns zu verabreden; die Kirchenglocke erschallt, um die Gläubigen zum Gottesdienst zu rufen) – Geld koordiniert systematisch das Tun von Käufern und Verkäufern, es bringt Angebot und Nachfrage zusammen. Kurzum: Geld ist ein bemerkenswert leistungsfähiges, aber eben auch und gerade in liberalen Zeiten teilnahmepflichtiges Leitmedium.

Luhmanns systemtheoretische Begrifflichkeit charakterisiert Geld als „symbolisch generalisiertes Medium". Damit, so Luhmann, „wollen wir Medien bezeichnen, die Generalisierungen verwenden, um den Zusammenhang von Selektion und Motivation zu symbolisieren, das heißt, als Einheit darzustellen."[19] Dieses besondere Gut (Selektion) will ich erwerben, dieser Wunsch motiviert mich, zu arbeiten und damit Geld zu verdienen – eine Erfahrung, von der ich unterstellen kann, dass sie auch anderen vertraut ist. Zu den verborgenen und eben deshalb wirkungsmächtigsten Effekten des Mediums Geld gehört es, die Grundstruktur von Rationalität zu formieren – einschließlich der Struktur der in cartesianisch-kantischer Tradition beschriebener selbstbewußter, rationaler Transzendentalsubjekte. Die ebenso komplexe wie abstrakte Theorie, die um diese Intuition kreist (Alfred Sohn-Rethel hat sie am eindringlichsten vorgetragen), sprengt knappe Essays, sei aber immerhin angedeutet. Die Grundform wissenschaftlicher Rationalität besteht seit ihren sokratischen Anfängen ganz offenbar darin, nichttriviale Identitäten zu ergründen. Sie haben die Form von Gleichungen zwischen definiendum und definiens: Ein Junggeselle ist ein erwachsener unverheirateter Mann. Bei mathematischen und naturwissenschaftlichen Gleichungen ist das sofort einsichtig: Auf der linken Seite des Gleichheitszeichens steht anderes zu lesen als auf der rechten; dennoch sind beide Seiten auf vertrackte, nämlich nicht-triviale Weise (trivial sind Tautologien wie A=A, dieser Stein ist dieser Stein) identisch. Man muss rechnen, um zu erkennen, dass gilt: $\pi=3,14...$; man muss Einsteins Genie haben, um herauszufinden, dass gilt: $E=mc^2$. Die Grundform solcher Gleichungen sind in der monetären Gleichsetzung des Nichtgleichen gegeben: der Wert von zehn Äpfeln = 3 Euro = Wert einer Busfahrkarte.

Wer solche Gleichungen vollzieht – und das tun wir bei jedem Kontakt mit dem Medium Geld quasi-automatisch –, vollzieht in der Terminologie Sohn-Rethels eine selten als solche registrierte Denkabstraktion, aber eben auch eine Realabstraktion, setzt er doch Realien wertgleich. Eben dies tun auch die von Kant analysierten Transzendentalsubjekte. Die Geldabstraktion ist die Grundfigur aller Abstraktionen / Kalkulationen überhaupt.[20] Subjekte, die Unterschiedlichstes unter abstrakte Kategorien wie Quantität, Qualität und Modalität subsummieren, übersehen vieles und behalten eben deshalb den synthetisierenden Überblick über die Fülle des Mannigfaltigen. Sohn-Rethels Pointe ist eine Provokation für jeden an Kant und idealistischer Bewußtseinsphilosophie geschulten Kopf: Das mit sich selbst identische Transzendentalsubjekt, das die Fülle

---

19 Niklas Luhmann. *Soziale Systeme*. Frankfurt/M. 1984, S. 222.
20 Vgl. Joseph Vogl. *Kalkül und Leidenschaft – Poetik des ökonomischen Menschen*. 2. Auflage. Berlin 2004.

seiner Apperzeptionen synthetisiert, ist in der Geldform versteckt und mit dem Geldmedium gegeben.[21] Literatur, die um Geldmotive kreist, ist, wie intuitiv auch immer, dieser Einsicht häufig nahe, ab und an auch in ihrem Zentrum. So heißt es in Gottfried Kellers großartigem Geld-Roman *Der grüne Heinrich*, dessen erste Fassung 1855 erschien: „Also ist das Geheimnis und die Lösung dieser ganzen Identitätsherrlichkeit doch nur das Gold, und zwar das gemünzte?"[22]

21 Siehe Alfred Sohn-Rethel. *Geistige und körperliche Arbeit – Zur Theorie der gesellschaftlichen Synthesis.* Frankfurt/M. 1972. Vgl. dazu ausführlicher Jochen Hörisch. *Tauschen, sprechen, begehren – Eine Kritik der unreinen Vernunft.* München 2011, S. 29ff.

22 Gottfried Keller. Der grüne Heinrich (Erste Fassung); *Sämtliche Werke in fünf Bänden.* Hg. Thomas Böning / Gerhard Kaiser. Bd. 2. Frankfurt/M. 1985, S. 776.

Jörn Glasenapp (Bamberg)

GREY GARDENS
oder: Was macht die Katze hinter dem Porträt?

> Everybody sends mothers away to rot in
> nursing homes. Not me, Mr. Goodman.
> Little Edie

1. Entstehung und Wirkung

Auf den Weg nach Grey Gardens machten sich Albert und David Maysles im
Jahr 1972 – und zwar auf Geheiß Lee Radziwills, der jüngeren Schwester der
ehemaligen First Lady Jacqueline („Jackie") Bouvier Kennedy Onassis.[1] Radziwill hatte die Brüder damit beauftragt, eine Art kinematografisches Familienalbum ihrer Kindheit zu erstellen, und ihnen zu diesem Zweck eine Liste von
Personen und Orten ausgehändigt, die ihrer Meinung nach in dem Film nicht
fehlen sollten. Auf ihr genannt waren unter anderem ihre zum damaligen Zeitpunkt 77-jährige Tante Edith Ewing Bouvier Beale („Big Edie"), ihre 54-jährige
Cousine Edith Bouvier Beale („Little Edie") sowie Grey Gardens, ein Sommer-
anwesen in East Hampton auf Long Island, New York, das die beiden Beales
seit 1952 gemeinsam bewohnten.[2] Getrost wird man annehmen dürfen, dass es
allein die (Kindheits-)Erinnerungen an die Schönheit des 1897 erbauten Gebäu-
des und seiner Lage direkt am Meer waren, die Radziwill Grey Gardens mit auf
die Liste hat nehmen lassen, dass dagegen eine genaue Kenntnis des aktuellen
Zustands des Hauses sie davon abgehalten hätte. Anfang der 1970er Jahre nämlich war dieses komplett heruntergekommen, waren seine zwei Bewohnerinnen
gesellschaftlich vollkommen isoliert und in derartigen finanziellen Nöten, dass
sie die Kosten weder für die Strom- und Wasserversorgung noch für die Müll-
abfuhr aufbringen konnten. Letzteres hatte zur Folge, dass sich Abfallberge in
Haus und Garten türmten, die zusammen mit den Exkrementen von Dutzen-
den von Katzen und Waschbären, mit denen sich Mutter und Tochter Beale die

---

1 Zu dem Radziwill-Auftrag und seinen Folgen vgl. Jonathan B. Vogels. *The Direct
Cinema of David and Albert Maysles.* Carbondale 2005, S. 124, Matthew Tinkcom.
GREY GARDENS. London 2011, S. 18, Georg Vogt. „Malapropos Desires: The Cine-
matic Oikos of GREY GARDENS". In: Ingrid Hotz-Davies, Georg Vogt und Franziska
Bergmann (Hg.): *The Dark Side of Camp Aesthetics: Queer Economies of Dirt, Dust
and Patina.* New York und London 2018, S. 127-144, hier: S. 128 sowie Albert Mays-
les' und Ellen Hovdes Kommentare auf der Criterion-Collection-DVD von GREY
GARDEN.

2 Phelan Beale, der Gatte Big Edies und Vater Little Edies, hatte es zu Beginn der 1920er
Jahre als Sommerresidenz erworben. Nach der Trennung von ihrem Mann Anfang der
1930er Jahre zog Big Edie vollständig in Grey Gardens ein.

28-Zimmer-Immobilie bereitwillig teilten, diese in einen von Zeugen bisweilen als atemberaubend beschriebenen Gestank hüllten.[3]

Dass Radziwill, nachdem ihr die Maysles die in Grey Gardens entstandenen Aufnahmen präsentiert hatten, nicht nur jedwedes Interesse an dem Familienalbum verlor, sondern darüber hinaus die Herausgabe der Negative verlangte, ist leicht einsehbar: Die desolat anmutenden Lebensumstände der beiden Familienmitglieder sollten nicht publik werden. Sie wurden es aber trotz alledem, nachdem das örtliche Gesundheitsamt, den zahlreichen Beschwerden der Nachbarn Folge leistend, eine unangekündigte, von den Beales als „raid" titulierte Inspektion von Grey Gardens durchgeführt und im Anschluss daran das Haus kurzerhand für unbewohnbar erklärt hatte. Mit anderen Worten: Den beiden Frauen drohte der Rauswurf aus den eigenen vier Wänden. Ob der Prominenz des Familiennamens Bouvier war dies natürlich ein gefundenes Fressen für die (Klatsch-)Presse, die wenig später von einem weiteren die Beales-Damen und Grey Gardens betreffenden Ereignis berichten konnte, und zwar der großangelegten Renovierungs-, Aufräum-, Entrümpelungs- und Reinigungsaktion, die von der Familie Bouvier, Jackie Kennedy Onassis eingeschlossen, veranlasst (und selbstredend auch finanziert) worden war und die dafür sorgte, dass Big und Little Edie in Grey Gardens bleiben konnten.[4]

Die Maysles hatten derweil den Entschluss gefasst, ein kinematografisches Porträt allein über die beiden Frauen zu drehen, die es ihnen in ihrer vitalen Exzentrik angetan hatten und die ihrerseits nur allzu bereit waren, als Protagonistinnen eines Films zu fungieren. Ohne dass irgendein Plan bestand, in welche Richtung sich dieser entwickeln bzw. was für eine Struktur er letztlich erhalten sollte – eine gängige Ausgangslage für eine *direct-cinema*-Produktion –, begannen im Sommer 1973 die Dreharbeiten, die sich über sechs Wochen bis in den Herbst hinzogen und an deren Ende die Maysles mit insgesamt 72 Stunden Bildmaterial dastanden, aus denen es den gut 90-minütigen Film gleichsam zu extrahieren galt – eine gewaltige Aufgabe, der sich Ellen Hovde, Muffie Meyer und Susan Froemke widmeten und die nicht weniger als zwei Jahre in Anspruch nahm. Dass sich die drei Cutterinnen hierbei in Kenntnis der damals prominent kursierenden Positionen des *second-wave feminism* darum bemühten, GREY GARDENS eine entsprechende Stoßrichtung zu verleihen, vermerken sie im DVD-Kommentar der Criterion-Collection-Edition des Films ausdrücklich.[5]

---

3 Die olfaktorische Herausforderung war auch der Grund, so Albert Maysles später, warum er und sein Bruder von ihrem ursprünglichen Plan, während der Dreharbeiten von GREY GARDENS in dem Haus Quartier zu beziehen, letztlich Abstand nahmen. Vgl. Stephanie Thames. „A Trip to Grey Gardens with Albert Maysles" (11.4.2014), http://2014.filmfestival.tcm.com/a-trip-to-grey-gardens-with-albert-maysles/ [Zuletzt aufgerufen am 9.4.2018].

4 Vgl. hierzu Vogels. *The Direct Cinema of David and Albert Maysles*, S. 124, John David Rhodes. „'Concentrated Ground': GREY GARDENS and the Cinema of the Domestic". *Framework*, Jg. 47 (2006), H. 1, S. 83–105, hier: S. 86 sowie Vogt: „Malapropos Desires", S. 128.

5 Vgl. hierzu ferner Tinkcom. GREY GARDENS, S. 20.

Seine Premiere feierte GREY GARDENS schließlich am 21. September 1975, und zwar just an dem Ort, wo das Werk entstanden war, in Grey Gardens, genauer: in der Halle im ersten Stock, wobei sich das Publikum, bestehend aus den Maysles-Brüdern, Big und Little Edie sowie deren kurz im Film auftauchenden Freunden Karl und Lois, begeistert zeigte. Verlief die am 20. Februar 1976 erfolgte öffentliche Uraufführung im Rahmen des New York Film Festivals vor ca. 2.000 Zuschauern ebenfalls erfolgreich, so fiel die Kritik, die der Film erntete, in großen Teilen negativ bis vernichtend aus. Die Maysles hätten die beiden Protagonistinnen in ihrem unübersehbaren Elend für die Kamera ausgebeutet und gleichsam *enfreakment*[6] betrieben, so lautete der Hauptvorwurf, prägnant und unmissverständlich vorgebracht unter anderem von Walter Goodman und David Sargent. Er hätte eine „circus sideshow" gesehen, vermerkte Ersterer in seinem ausführlichen Totalverriss für die *New York Times*, der auf folgendes Fazit hinausläuft: „The sagging flesh, the ludicrous poses, the prized and private recollections strewn about among the tins of cat food – everything is grist for that merciless camera. The sadness for mother and daughter turns to disgust at the brothers."[7] Sargent pflichtete dem vollkommen bei und sprach von einem „unwarranted and cynical usage of people's lives [...] in the dubious service of two men's careers."[8] Eine der wenigen Stimmen, die sich für den Film aussprachen, war immerhin eine enorm gewichtige. Sie stammte vom Großkritiker Roger Ebert, der GREY GARDENS zu „one of the most haunting documentaries in a long time" erklärte. „It expands", so begründete er sein Votum, „our notions of the possibilities. It's about two classic eccentrics, two people who refuse to live the way they're supposed to, but by the film's end we see that they live fully, in ways of their own choosing."[9]

Mittlerweile gilt Eberts Position in der Diskussion um GREY GARDENS als die eindeutig dominante, Letzterer noch vor SALESMAN (1969) und GIMME SHELTER (1970) als wichtigstes und ambitioniertestes Werk der Maysles und zugleich Meilenstein des Dokumentarfilmgenres, den eine kürzlich vom British Film Institute erstellte Liste der „50 Greatest Documentaries of All Time" auf Platz 9 führt.[10] Seine Wirkung, auch jenseits des Films, ist kaum zu übersehen. Längst ist er fester, von vielen geradezu kultisch verehrter Bestandteil der US-amerikanischen Populärkulturgeschichte, wovon nicht zuletzt zahlreiche Adaptionen zeugen, etwa das 2006 uraufgeführte, bei Publikum und Kritik gleichermaßen erfolgreiche, zudem mit drei Tony Awards ausgezeichnete Musical

---

6 Zum *enfreakment* und seinen Strategien vgl. Niall Richardson und Adam Locks. *Body Studies: The Basics*. London und New York 2014, S. 54-62.

7 Walter Goodman. „GREY GARDENS: Cinéma Vérité or Sideshow?" *New York Times* (22.2.1976), https://www.nytimes.com/1976/02/22/archives/grey-gardens-cinema-verite-or-sideshow-cin-ma-verit-or-sideshow.html [Zuletzt aufgerufen am 9.4.2018].

8 Zitiert nach Vogels. *The Direct Cinema of David and Albert Maysles*, S. 146.

9 Roger Ebert. „GREY GARDENS" (10.11.1976), https://www.rogerebert.com/reviews/grey-gardens-1976 [Zuletzt aufgerufen am 9.4.2018].

10 Vgl. http://www.bfi.org.uk/sight-sound-magazine/greatest-docs [Zuletzt aufgerufen am 9.4.2018].

Grey Gardens, das gleichnamige, mit Drew Barrymore und Jessica Lange hoch-karätig besetzte Biopic von 2009 oder aber die zig YouTube-Videos, in denen nicht selten männliche Akteure in Drag als Big und Little Edie paradieren. Die extravagante Kleidung, in der Letztere vor die Kamera der Maysles tritt, hat sie zur Stilikone werden lassen, von der sich namhafte Modedesigner, darunter John Galliano und John Bartlett, und Modefotografen haben inspirieren lassen. 2007 brachte das Luxuslabel Marc Jacobs das Handtaschen-Modell „Little Edie" heraus, dessen Preis – es kostete 1.795 US-Dollar – es für ihre Namensgeberin zur Zeit des Filmdrehs völlig unerschwinglich gemacht hätte. Bereits 2001 war die Ballade „Grey Gardens" des US-amerikanischen Sängers und Songwriters Rufus Wainwright erschienen, der sich selbst als „huge GREY GARDENS fana-tic" bezeichnet[11], den Film mindestens ein Dutzend Mal gesehen haben will und der zu den seit jeher besonders zahlreichen schwulen Bewunderern desselben zählt. Dass der Film angesichts der grellen, lustvoll ausgestellten Manierismen und Extravaganzen sowie dem theatralen ‚Zuviel' beider Beales sogleich der „Erlebnisweise des Camp"[12] bzw. „der gescheiterten Ernsthaftigkeit"[13] überant-wortet wurde und rasch Eingang in den Olymp der Camp-Klassiker fand, wo er in einer Reihe neben anderen, ihm durchaus nahe stehenden ‚Frauenfilmen' wie SUNSET BOULEVARD (Billy Wilder, 1950) oder WHAT EVER HAPPENED TO BABY JANE? (Robert Aldrich, 1962) rangiert, kann nicht im Geringsten überraschen.[14]

Mit GREY GARDENS, ihrem vierten Langfilm, betraten die Maysles in mehr-facher Hinsicht künstlerisches Neuland, sei es dadurch, dass sie erstmals in ihrer Karriere ihre Kamera auf die häusliche Sphäre richteten und dabei Frauen sowie dezidiert ‚weibliche' Themen in den Fokus rückten, sei es dadurch, dass sie, als Hauptvertreter des *direct cinema*[15], Ideale und Überzeugungen desselben mas-siv preisgaben, oder vielleicht sollte man eher sagen: preisgeben mussten, weil sich beide Beales partout nicht an die entsprechenden ‚Spielregeln' hielten.

---

11 Rufus Wainwright. „Why I Love GREY GARDENS". In: *Rolling Stone* (16.3.2015), https://www.rollingstone.com/movies/features/grey-gardens-at-40-rufus-wain-wright-on-cult-docs-enduring-appeal-20150316 [Zuletzt aufgerufen am 9.4.2018].

12 Susan Sontag. „Anmerkungen zu ‚Camp'" (1964). In: dies.: *Kunst und Antikunst: 24 literarische Analysen.* Frankfurt/M. 1995, S. 322-341, hier: S. 333.

13 Ebd., S. 335.

14 Eine entsprechende Lesart desselben bietet vor allen Dingen Agnieszka Graff. „Bitchy, Messy, Queer: Femininity and Camp in Maysles Brothers' GREY GAR-DENS, Its HBO Remake, and Krzysztof Warlikowski's *Tramway*". In: Aleksandra M. Różalska und Grażyna Zygadło (Hg.): *Narrating American Gender and Ethnic Identities.* Newcastle upon Tyne 2013, S. 15-33, vgl. darüber hinaus aber auch Vogt. „Malapropos Desires", S. 131-133.

15 Vgl. hierzu vor allem Vogels. *The Direct Cinema of David and Albert Maysles*, pas-sim, Joe McElhaney. *Albert Maysles.* Urbana und Chicago 2009, passim, aber auch Tinkcom. GREY GARDENS, S. 14-18, allgemein zum *direct cinema* hingegen Dave Saunders. *Direct Cinema: Observational Documentary and the Politics of the Sixties.* London und New York 2007 sowie ders. *Documentary.* London und New York 2010, S. 62-70.

Während nämlich das *direct cinema* ein Agieren vor der Kamera vorsieht, das deren Vorhandensein leugnet, performen die Beales, und zwar mit Verve, fortwährend für das auf sie gerichtete Objektiv (und durch dieses für ein Kinopublikum) einerseits sowie für die beiden in der Situation anwesenden Filmemacher andererseits.[16] Diese haben durch ihr ständiges Angesprochen- und Angespieltwerden denn auch nichts mit der sprichwörtlichen, von Regie-Kollege Richard Leacock als *direct-cinema*-Ideal ausgeflaggten *fly on the wall* gemein.[17] Vielmehr werden sie in ihrem eigenen Film in die Rolle von Nebencharakteren gedrängt und sind als solche immer wieder auf der Tonspur, bisweilen aber auch im Bild präsent. „GREY GARDENS as a direct cinema project", resümiert Matthew Tinkcom, „is always under siege by the Beales"[18], deren exzessives Performen – „Edith and Edie have difficulty *not* performing"[19], schreibt Jonathan B. Vogels zu Recht – zweifelsohne mit einer (von den Maysles zugegebenerweise bereitwillig zugelassenen) Ermächtigung, genauer: der Aneignung von, wenn man so will, interpellativer Macht einhergeht. Oder mit Rekurs auf Bill Nichols' sinnvolle Unterscheidung von Modi des Dokumentarischen: Dass sich in GREY GARDENS eine – im Werk der Maysles noch dazu initiale – drastische Abkehr vom *observational* hin zum *participatory mode* vollzieht[20], verdankt sich den beiden Beales. Schon allein dieser Befund legt es uns nahe, in ihnen überhaupt keine naiven, von den Filmemachern übertölpelten Opfer einer „merciless camera"[21] zu sehen, die sie einer sensationslüsternen, allein Hohn, Spott oder Entsetzen für sie bereithaltenden Öffentlichkeit überantwortete. Dass sich die Beales nach der Premiere nicht ein einziges Mal als missbraucht oder in ein

---

16 An dieser Stelle sei erwähnt, dass das *direct cinema* und speziell jenes der Maysles von Anfang an in besonderer Weise an – fast durchweg männlichen – Performern interessiert war. Man denke in diesem Zusammenhang nur an die zahlreichen Musik(er)dokumentationen, neben GIMME SHELTER etwa an den Beatles-Film WHAT'S HAPPENING! THE BEATLES IN THE USA (Albert und David Maysles, 1964), das Bob-Dylan-Porträt DONT LOOK BACK (D. A. Pennebaker, 1967) oder aber den Festivalfilm MONTEREY POP (D. A. Pennebaker, 1968). McElhaney zufolge nimmt GREY GARDENS in dieser Reihe auch insofern eine Sonderstellung ein, als es verhinderte Performer sind, die im Zentrum stehen. „[W]e might loosely term them", so führt er aus, „frustrated' in that both women were, due to family and social circumstances, denied their dream of becoming professional performers." (McElhaney. *Albert Maysles*, S. 105.)

17 Wenngleich es beim Dreh gewiss nicht intendiert war, so passt es vor diesem Hintergrund natürlich durchaus, dass uns der Film nicht nur Katzen und Waschbären, sondern immer wieder auch Fliegen prominent zu sehen gibt.

18 Tinkcom. GREY GARDENS, S. 64.

19 Vogels. *The Direct Cinema of David and Albert Maysles*, S. 126.

20 „[T]hat what we see is what would have occurred were the camera not there to observe it", lautet die immer wieder als naiv bzw. illusorisch diskreditierte Prämisse des *observational mode*, wohingegen für den *participatory mode* gilt: „What happens in front of the camera becomes an index of the nature of the interaction between filmmaker and subject." Bill Nichols. *Introduction to Documentary*. Bloomington 2017 (¹2001), S. 136 und 138.

21 Goodman. „GREY GARDENS".

schlechtes Licht gerückt sahen, dass sie vielmehr bis zum Schluss mit dem Film höchst zufrieden waren, sei an dieser Stelle ausdrücklich erwähnt. „GREY GARDENS is a breakthrough into the very beautiful and precious thing called life"[22], befand Little Edie 1976 in einem Brief an Walter Goodman. Und als Big Edie 1977 unmittelbar vor ihrem Tod von ihrer Tochter gefragt wurde, ob sie noch irgendetwas sagen oder richtigstellen wolle, antwortete die Sterbende: „There's nothing more to say. It's all in the film."[23]

Diesen in der Diskussion um GREY GARDENS viel zitierten Worten möchte ich im vorliegenden Beitrag nachgehen und den Film dabei als ein kinematografisches Doppelporträt begreifen, das, wie es Jean-Luc Nancy zufolge für das Bildform Porträt generell typisch, wenn nicht gar konstitutiv ist, „vor allem die Spannung einer Beziehung [präsentiert]."[24] In diesem Zusammenhang wird mich allerdings weder die Spannung zwischen den Porträtierten, also der Mutter-Tochter-Dualismus, noch die zwischen den Porträtierten und den Porträtierenden, also den Maysles, sonderlich interessieren, sondern vielmehr die zwischen dem Porträt, das heißt dem Film, und anderen Porträts – und zwar jenen, die der Film in seinem, wenn man so will, bis zum Bersten gefüllten intermedialen Laderaum mit sich führt. Was sich rasch zeigen wird, ließe sich unter Rekurs auf Pierre Bourdieus Ausführungen zur männlichen Herrschaft[25] wie folgt formulieren: GREY GARDENS ist auch und vor allem ein in vielerlei Hinsicht heterodoxes Antiporträt, das gegenüber Bildwerken in Stellung gebracht wird, die der androzentrischen Doxa voll und ganz entsprechen.

2. Big Edie oder: Die Unbeschämbare

Gilt es, Aufschluss über den spezifischen Charakter des Porträts zu erhalten, so stellt Oscar Wildes *The Picture of Dorian Gray* (1890) selbstredend eine lohnende Lektüre dar. In ihm zeigt sich der bildschöne Titelheld geradezu entsetzt, nachdem ihm erstmals jenes Gemälde vorgeführt wird, für das er wochenlang Modell gestanden hat. Und zwar ist es der mit der Zeit zunehmend klaffende Abgrund zwischen seinem Konterfei und der eigenen Person, der ihm zu schaffen macht. „Wie traurig ist das! Ich werde alt und gräßlich und widerwärtig werden, aber dieses Bild wird immer jung bleiben. Es wird nie älter sein als dieser

---

22 Edith Bouvier Beale. „Edie Beale's Answer to Water Goodman's Review of GREY GARDENS" (20.2.1976). In: Sara Maysles und Rebekah Maysles (Hg.): GREY GARDENS, Philadelphia 2009, o. S.

23 Zitiert nach Thames: „A Trip to Grey Gardens with Albert Maysles". In der Spielfilmadaption von GREY GARDENS gibt Big Edie diese Antwort dem oben genannten Filmkritiker Walter Goodman, der sie direkt nach der New Yorker Premiere über Telefon fragt, ob sie einen Kommentar zu dem Maysles-Film abgeben wolle.

24 Jean-Luc Nancy. *Das andere Porträt*. Zürich und Berlin 2015 (¹2014), S. 29.

25 Vgl. hierzu vor allen Dingen Pierre Bourdieu: *Die männliche Herrschaft*, Frankfurt/M. 2005 (¹1998), aber auch ders. „Die männliche Herrschaft" (1990). In: Irene Dölling und Beate Krais (Hg.). *Ein alltägliches Spiel: Geschlechterkonstruktion in der sozialen Praxis*. Frankfurt/M. 1997, S. 153-217.

Junitag heute"[26], klagt der junge Protagonist, nur um kurz darauf hinzuzufügen, das Porträt werde ihn „eines Tages verhöhnen – furchtbar verhöhnen!"[27]

Was Dorian befürchtet, scheint auch im Falle von Big Edie Realität zu werden, und zwar am Ende jener zum Anthologiestück avancierten Szene, in der die ehemalige durchaus nicht untalentierte Sängerin mit altersschwacher, aber keineswegs miserabler Stimme den Songklassiker „Tea for Two" zum Besten gibt, begleitet von André Kostelanetz' Orchesterversion desselben, die von Schallplatte zu hören ist. Wie andere Performances auch – erinnert sei an Little Edies ebenfalls legendär gewordenen Flaggen-Tanz – fungiert die Darbietung im Gefüge des Films als vergleichsweise eigenständige ‚Nummer', wobei Rechts- und Linksschwenks neben dem steten Wechsel zwischen Zoom-Ins und Zoom-Outs für einen lebendigen Bildeindruck sorgen. Während Big Edie singt, liegt sie mit farbenprächtigen Sonnenhut in ihrem Bett (Abb. 1), das, übersät von allerlei Dingen, das unschwer zum Ekel reizende Zentrum des häuslichen Chaos bildet, welches in Grey Gardens herrscht. Gegen Ende des Songs nimmt sie den Hut schließlich ab, um sich, als es zum dritten Mal an die Zeile „Oh, can't you see how happy we would be" geht, mit outrierter Gestik und schmachtend geschlossenen Augen mit ihrem Haarkamm durch die sichtlich ungewaschenen, grau-weißen Haare zu fahren. Während sie das „Would be" noch einmal wiederholt, erfolgt sodann ein Schnitt, der umso härter wirkt, als zuvor nahezu drei Minuten nicht geschnitten, uns die „Tea for Two"-Performance als Plansequenz präsentiert worden war.

Abb.1

---

26 Oscar Wilde. *Das Bildnis des Dorian Gray*. Frankfurt/M. 1994 ([1]1890), S. 39.
27 Ebd., S. 40.

Abb. 2

Was die neue Einstellung ins Bild rückt, ist ein direkt neben Big Edies Bett nachlässig an die Wand gelehntes, aus den 1920er Jahren stammendes Gemälde, das uns Big Edie in jungen Jahren zeigt, und zwar als eine üppig mit Schmuck behängte Schönheit in exquisit anmutendem azurblauem Kleid, die die Ostküsten-Upperclass und deren reaktionären Weiblichkeitsvorstellungen geradezu mustergültig verkörpert (Abb. 2). Ein weiterer Schnitt, durch den plötzlichen Einsatz des düster-dissonant, im vorliegenden Fall vage ‚schicksalhaft' anmutenden Orchesterausklangs zusätzlich markiert, bringt uns dem Porträt entschieden näher, so dass wir nur mehr den Kopf und die Schulterpartie in Großaufnahme sehen, wobei die Kamera langsam auf das Bild zufährt, bis am Ende zumal die Augen in den Fokus geraten (Abb. 3). Der grenzüberschreitende Blick aus dem Bild – von Nancy als der „durchdringendste"[28] aller Blicke tituliert –, ist, wie vielfach betont wurde, eine gravierende Verletzung der Autarkie bzw. Selbstgenügsamkeit des Bildes und als eine solche ein Mittel der Adressierung nach außen.[29] Trägt man Position und Ausrichtung des Big-Edie-Porträts im innerdiegetischen Raum Rechnung, so ist es die im Bett liegende, vom Alter gezeichnete und aus der Form geratene, zudem reichlich verwahrlost aussehende Big Edie, auf die der Blick ihres gemalten Konterfeis fällt – missbilligend oder, im Sinne Dorian Grays, sein reales Alter Ego ‚furchtbar verhöhnend', möchte man

---

28 Nancy. *Das andere Porträt*, S. 23.
29 Vgl. hierzu nach wie vor insbesondere Alfred Neumeyer. *Der Blick aus dem Bilde.* Berlin 1964, passim, zudem aber auch Michael Fürst. *Emersive Bilder: Angriff der Bilder auf ihr Publikum.* Paderborn 2017, S. 10-11.

Abb. 3

hinzufügen, wobei der Zuschauer dazu angehalten scheint, vergleichend tätig zu werden: Das war sie und das ist aus ihr geworden! Wie traurig ist das![30]

Wie wenig Big Edie dies anficht bzw. wie wenig sie dazu bereit ist, sich einer solchen Sichtweise auf ihre Person anzuschließen, wird allerorten im Film mehr als ersichtlich. Ob sie mit fast freiem Oberkörper auf dem Balkon ein Sonnenbad nimmt und droht, vor laufender Kamera alle Hüllen fallenzulassen, oder aber erklärt, sie liebe den stechenden Geruch im Haus („I love that smell. I thrive on it. It makes me feel good.") – Big Edie zeigt sich mit dem, was sie ist und was sie tut, einverstanden, und das ganz und gar und ohne jeden Anflug von Scham, diesem mächtigen sozialen Korrektiv und Regelungssystem. „Indem man sich schämt, wird die Fremdbewertung in eine Selbsteinschätzung transformiert und das ‚Urteil' angenommen"[31], vermerkt Claudia Benthien unter Rekurs auf Jean-Paul Sartre, der die Scham an den Blick des Anderen gebunden sieht. „[S]ie ist", so postuliert er, „*Anerkennung* des Tatbestandes, daß ich wirklich jenes Objekt *bin*, das der Andere ansieht und aburteilt."[32] Eine derartige Anerkennung bleibt im Falle von Big Edie zur Gänze aus. „I'm not ashamed of anything", erklärt sie, die ihre Nicht-Beschämbarkeit bzw. ihr Nicht-Tangiert-Werden durch die

30 Vgl. hierzu auch Vogels. *The Direct Cinema of David and Albert Maysles*, S. 131 sowie Vogt. „Malapropos Desires", S. 137.

31 Claudia Benthien: „Die Disziplinierung des Blicks", in: Daniel Tyradellis (Hg.). *Scham: 100 Gründe, rot zu werden*. Göttingen 2016, S. 76-83, hier: S. 77-78.

32 Jean-Paul Sartre. *Das Sein und das Nichts: Versuch einer phänomenologischen Ontologie*. Reinbek 1974 (¹1943), S. 348.

Interpellation der Scham offensiv zur Schau stellt und sich hierfür bemerkens-
werterweise des – potenziell beschämenden und, wie oben dargelegt, von Lee
Radziwill auch so empfundenen – Blicks des Anderen, repräsentiert durch die
Kamera Albert Maysles', bedient. Ja, ihr Tun vor selbiger ist solcherart, dass wir
es als fortwährende *performance of shamelessness*[33] bezeichnen können, die, im
Kern eine Art Gegen-Aufführung, sicher nicht zufällig ihren Höhepunkt in
jener ebenfalls berühmten Szene findet, in der erneut dem alten Porträt eine
entscheidende Rolle zukommt.

Dieses Mal freilich fungiert das Gemälde nicht, wie bei seinem ersten In-
Erscheinung-Treten, als ‚richterliche Blickautorität', sondern, im Gegenteil, als
blickhemmendes Element, konkret: als Sichtschutz für eine defäkierende Katze!
Als ein solcher erfährt es eine Profanierung, die man sich schwerlich größer vorstellen könnte, und bezeichnenderweise ist es Big Edie, die dafür Sorge trägt,
dass die Kamera das Ereignis dokumentiert. „The cat's going to the bathroom
right in back of my portrait", vermerkt die wie so oft in ihrem Bett Liegende,
deren das Tier fixierender, zur Linken ins Off gerichteter Blick durch die Kame-
rabewegung aufgenommen wird, so dass das Porträt mit der jungen Big Edie im
Kader erscheint. Ein diagonaler Schwenk von deren Gesicht nach links unten
entdeckt uns schließlich die Katze, deren im Entleerungsvorgang befindlicher
Körper bis auf den Kopf durch das Gemälde und dessen Rahmen verdeckt ist
(Abb. 4). Als fühle es sich ertappt und als sei ihm die Aufmerksamkeit unangenehm, blickt das Tier beschämt im Raum umher – eine anthropozentrische
Zuweisung, gewiss, doch drängt sie sich dem Zuschauer förmlich auf, zumal dieser parallel dazu mit einem weiteren, ja, dem im Film vielleicht eindrücklichs-
ten Beweis der Nicht-Beschämbarkeit Big Edies konfrontiert wird. Die nämlich
quittiert die durch den Katzenvorfall ausgelöste Schamreaktion ihrer Tochter
(„God, isn't that awful?") mit einem entschiedenen, unter Lachen vorgebrachten „No, I'm glad he is. I'm glad somebody's doing something he wanted to."
Dieser verbale Konter wiederum löst bei einem der Maysles ebenfalls ein deutlich aus dem Off vernehmbares Lachen aus.

„Scheiße ist die *heitere Materie*"[34] und als solche die für die Degradierung
alles Hohen „geeignetste Materie."[35] Was Michail Bachtin im Rahmen seiner
wirkmächtigen Auslassungen zur mittelalterlichen Karnevalskultur und deren
Subversionspotenzialen zu bedenken gibt, wird von Big Edie sichtlich erkannt.
Hierbei ließe sich ihre zum Ausdruck gebrachte widerständig-heterodoxe Haltung in etwa wie folgt konturieren: Sie, die sich dem disziplinierenden Zugriff
ihrer Klasse, aber auch der Gesellschaft allgemein seit Jahrzehnten schon ent-
zogen und eigenen Aussagen zufolge die Trennung von ihrem Mann in Kauf

---

33 Vgl. hierzu Ingrid Hotz-Davies. „Quentin Crisp, Camp and the Art of Shameless-
    ness" (2009). In: Willemijn Ruberg und Kristine Steenbergh (Hg.): *Sexed Senti-
    ments: Interdisciplinary Perspectives on Gender and Emotion.* Amsterdam und New
    York 2011, S. 165-184, hier: S. 171-173.

34 Michail Bachtin. *Rabelais und seine Welt: Volkskultur als Gegenkultur.* Frankfurt/M.
    1995 (¹1965), S. 216; vgl. auch ebd., S. 264.

35 Ebd., S. 193.

Abb. 4

genommen hat, um sich voll und ganz ihrer Leidenschaft, dem Singen, zu widmen, ,scheißt' auf ihre Vergangenheit als zur Gänze angepasste und dressierte, nur scheinbar beneidenswerte High-Society-Dame – und ist insofern hoch erfreut darüber, dass eine ihrer geliebten Katzen es ihr, wenn man so will, in materiell-konkreter Weise gleichtut.[36]

Momente wie diese sind es, in denen Grey Gardens, erfüllt vom Gestank der Tierfäzes, den Geist einer auf den Kopf gestellten Welt des Karnevalesken atmet und den ambivalenten Reiz einer quer zur Doxa stehenden, „alle anderen Räume in Frage [stellenden]"[37] Heterotopie entfaltet. Nur zwei Autostunden von der Weltmetropole New York entfernt, mutet das Beale-Anwesen aus der

---

36 Mit Blick auf Big Edies offenkundige Identifikation mit der Katze sei an jene vorherige, auf dem Balkon spielende Szene verwiesen, in der Little Edie erklärt, sie gehe davon aus, dass sie Grey Gardens nicht verlassen werde, „until she dies, or I die." Big Edie kontert einmal mehr schlagfertig: „Who's she? The cat?" Später, im Epilog des Films, wird Big Edie dadurch mit ihren Katzen enggeführt, dass ihre in Großaufnahme gezeigten nackten Füße samt ungepflegter Zehen über die Montage mit den Pfoten der Tiere verbunden werden.

37 Michel Foucault. „Die Heterotopien" (1966). In: Michel Foucault: *Schriften zur Medientheorie*. Frankfurt/M. 2013, S. 119-127, hier: S. 125. Zur Heterotopie vgl. auch ders.: „Von anderen Räumen" (1967), in: Jörg Dünne und Stephan Günzel (Hg.). *Raumtheorie: Grundlagentexte aus Philosophie und Kulturwissenschaften*. Frankfurt/M. 2015 ([1]2006), S. 317-327.

Welt gefallen an, wobei es vollauf bestätigt, was Michel Foucault vermerkt: dass Heterotopien zumeist heterochron strukturiert sind, das heißt einen „Bruch mit der traditionellen Zeit"[38] markieren. Das heißt, „a land that time has forgotten"[39], ist Grey Gardens, wie Vogels behauptet, nicht wirklich. Vielmehr haben wir in ihm ein hegemoniale Zeitregimes in Frage stellendes Areal temporaler Devianz bzw. eigensinniger Zeithandhabung auszumachen.[40] Dass sich auch und vor allem in Letzterer der Widerstandsgeist der Beales offenbart, gilt es im folgenden Abschnitt – erneut unter Berücksichtigung einzelner Exponate aus Grey Gardens reichhaltigem Porträtarsenal – zu explizieren.

Zuvor allerdings sei ein letztes Mal kurz auf das Big-Edie-Porträt zurück-gekommen. Dieses nämlich tritt im Film noch ein drittes Mal augenfällig in Erscheinung, und zwar im Epilog des Films, in dem wir Big Edie in sich versun-ken und mit geschlossenen Augen singend in ihrem gleichsam als ‚Thron ihrer Unbeschämbarkeit' fungierenden Bett sehen, zusammen mit zahlreichen Kat-zen. Eine Halbtotale belegt, dass sich der Unrat, der Dreck und das Chaos, als gingen sie wuchernd vom Bett der Matriarchin aus, mittlerweile auf das gesamte Zimmer ausgebreitet haben, so dass nun auch der Boden nahezu vollkommen bedeckt ist (Abb. 5). Sodann erfolgt der Schnitt, und erneut rückt die gemalte Big Edie der 1920er Jahre in den Fokus, der sich mittlerweile noch entschieden mehr – aus ihrer Sicht – Empörendes bzw. zu Verhöhnendes offenbart als es zuvor bereits der Fall war. Jedoch: Lange wird sie ihren Status als – durch den Katzenvorfall ohnehin schon arg in Frage gestellte – ‚richterliche Blickautori-tät' nicht mehr aufrechterhalten können, und das in ganz handfestem Sinne. Schließlich steigt der Müll- und Chaos-Pegel unaufhörlich. Bereits jetzt haben unter anderem Kleenexrollen, Pappkartons sowie Wäsche- und Stoffberge gut die Hälfte des Porträts verdeckt (Abb. 6), und bald schon wird es – daran besteht kein Zweifel – ganz verschwunden sein.

3. Little Edie oder: Das alte Kind

„Die Merkmale der Zeit", konstatiert Bachtin im Rahmen seiner Überlegungen zum Chronotopos, „offenbaren sich im Raum, und der Raum wird von der Zeit mit Sinn erfüllt und dimensioniert."[41] Grey Gardens bestätigt dies, vor allem aber das im ersten Teilsatz Gesagte – und zwar durch seinen Verfall, dessen Vor-anschreiten der Film markant in Szene setzt, etwa durch das Ins-Bild-Rücken des von Waschbären verursachten, sowohl im Prolog als auch im Epilog gezeig-ten Lochs in der Wand, das anfangs noch vergleichsweise klein ist, am Ende aber beim besten Willen nicht mehr derart bezeichnet werden kann. Dadurch, dass sie dem Verfallsprozess nicht entgegentreten, lassen die Beales die Zeit, ein sich

---

38 Ebd., S. 324. Vgl. zudem ders.: „Die Heterotopien", S. 123.
39 Vogels. *The Direct Cinema of David and Albert Maysles*, S. 128.
40 Hierzu grundlegend vgl. Michael Gamper und Helmut Hühn. *Was sind Ästhetische Eigenzeiten?* Hannover 2014, passim.
41 Michail M. Bachtin. *Chronotopos.* Frankfurt/M. 2008 (¹1975), S. 7.

Abb. 5

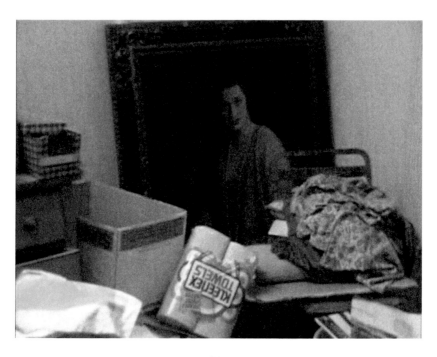

Abb. 6

der unmittelbaren Anschauung bekanntermaßen entziehendes Phänomen[42], in der Substanz des Hauses sichtbar werden, sich in ihr gleichsam spurhaft niederschlagen.[43] Natürlich verdient in diesem Zusammenhang auch der dichte, ungehindert wuchernde Grüngürtel Beachtung, der das Anwesen umgibt und von der äußeren Welt nahezu vollkommen abkapselt. Im Film mal als „jungle", mal als „sea of leaves" tituliert, erinnert er nicht zuletzt an eine Dornröschenhecke – und dies vor allem mit Blick auf Little Edie. „And my hair will grow, I hope", erklärt die unter Haarausfall Leidende am Ende einer Szene, an die sich direkt eine kurze Einstellung anschließt, welche die Flora vor dem Hauseingang in all ihrem Überhandnehmen zeigt (Abb. 7). Das heißt, per ‚sinnstiftender' Montage, derer sich das *direct cinema* gewöhnlich zu enthalten sucht, wird das Ausbleiben des Haarwachstums mit dem hypertrophen Pflanzenwachstum in Beziehung gebracht.[44]

Abb. 7

42 Vgl. hierzu Ines Detmers und Michael Ostheimer. *Das temporale Imaginäre: Zum Chronotopos als Paradigma literaturästhetischer Eigenzeiten.* Hannover 2016, S. 26: „Da Zeit grundsätzlich nicht unmittelbar wahrnehmbar ist, müssen Zeitverhältnisse in Raumverhältnisse transponiert werden." Vgl. darüber hinaus Gamper/Hühn. *Was sind Ästhetische Eigenzeiten?*, S. 11-12.

43 Dass ein Gebäude, wie dies Lorenz Engell behauptet, stets ein „Bollwerk gegen die Zeit" sei, die sich an ihm bricht, will sich einem hier, aber auch in anderen Kontexten nicht recht erschließen. Lorenz Engell. *Playtime: Münchener Film-Vorlesungen.* Konstanz 2010, S. 236.

44 In der Spielfilmadaption von 2009 wird diesbezüglich gar eine kausale Verbindung insinuiert: Little Edie fallen die Haare auch deswegen aus, *weil* die Pflanzen wuchern und sich darin der Verfall von Grey Gardens manifestiert.

Wie die Alopezie Little Edies eindrücklich belegt, tragen die Körper der Beales wie deren Zuhause die Zeichen der Zeit. Ja, unzweifelhaft ist GREY GARDENS, und zwar dominant, ein Film über das physische Altern, woran uns, wie im vorangegangenen Abschnitt gezeigt, insbesondere jene Szenen gemahnen, in denen jahrzehntealte Bildnisse der beiden Frauen, seien sie gemalt, gezeichnet oder aber fotografischer Natur, als Vergleichs- und Kontrastfolie für die Gegenwart des Films in Erscheinung treten. Genauer gesagt: GREY GARDENS ist ein Film über das physische Altern von Frauen, noch genauer: ein Film über das physische Altern von Frauen, die nicht gewillt sind, den durch und durch androzentrischen Reglementierungen Rechnung zu tragen, welche dem älteren und alten weiblichen Körper auferlegt werden.[45] Im Falle der unbeschämbaren Big Edie versteht sich die fehlende Konzilianz förmlich von selbst, nicht jedoch bei ihrer sich durchaus noch im Radius der Beschämbarkeit befindlichen Tochter, die denn auch nicht zufällig – ob bewusst oder unbewusst, ist hier nicht entscheidend – einen Weg der Renitenz wählt, dem das offensichtlich konfrontative Moment einigermaßen abgeht.

Wie wir in der zweiten, Little Edie gewidmeten Bildnis- bzw. Rückschau-Sequenz erfahren, war diese in jungen Jahren eine ausgesprochen normschöne Frau. Dies belegen vor allem zahlreiche Fotos, schwarzweiße wie farbige, die die Beales der Maysles'schen Kamera kommentierend zur Kenntnis geben, darunter auch jene, die Little Edie als Model auf einer unter freiem Himmel stattfindenden Modenschau zeigen. Wir sehen sie knapp bekleidet im dunklen Badeanzug und weißen High Heels und betrachtet von zahlreichen den Laufsteg flankierenden Gästen (Abb. 8), das heißt im – zumal von Frauen habitualisierten – Modus dessen, was Bourdieu den „Körper-für-andere" nennt, „der unablässig der Objektivierung durch den Blick und die Reden der anderen ausgesetzt"[46] und dessen „Sein (esse) ein Wahrgenommenwerden (percipi) ist."[47] Doch auch die anderen Fotos, die wir der Reihe nach vorgeführt bekommen, streichen Little Edies Freude an schöner und, ihrem Status gemäß, eleganter Kleidung, ihre Kompetenz, diese zu tragen und in Szene zu setzen, sowie ihr ungetrübtes Aufgehen im eigenen „Angesehen-werden-Wollen"[48], ihrer To-be-looked-at-ness, unmissverständlich heraus (Abb. 9). Kurz: Die Little Edie der 1930er und frühen 1940er Jahre gibt ein Musterbild an angepasster Weiblichkeit ab.

---

45 Dass diese erheblich rigider sind als jene den männlichen Körper betreffenden und dass zudem der Alterungsprozess zumal für den weiblichen Körper als ein aktiv zu begegnendes ‚Problem' gehandelt wird, ist hinreichend bekannt. Vgl. hierzu Richardson/Locks. Body Studies, S. 40-46 sowie Chris Gilleard und Paul Higgs. Cultures of Ageing: Self, Citizen and the Body. Harlow 2000, S. 72-75, passim, aber auch Jane M. Ussher. Fantasies of Femininity: Reframing the Boundaries of Sex. New Brunswick 1997, S. 46-47.

46 Bourdieu. Die männliche Herrschaft, S. 112.

47 Ebd., S. 117.

48 Laura Mulvey. „Visuelle Lust und narratives Kino" (1975). In: Franz-Josef Albersmeier (Hg.): Texte zur Theorie des Films. Stuttgart 1998, S. 389-408, hier: S. 397.

Abb. 8

Abb. 9

Allerdings – und das ist der entscheidende Unterschied zu ihrer in ihrer Renitenz gleichsam aufs Ganze gehenden Mutter – wird dieses Musterbild von der Little Edie der 1970er Jahre keineswegs als *ad acta* gelegt bzw. ‚überwunden' betrachtet oder gar verabscheut. Im Gegenteil: In ihren fantastischen, stets wechselnden und mitunter sehr freizügigen und offensiv auf Sexyness abgestellten Outfits[49], die sie den Maysles ebenso engagiert wie lustvoll vorführt, als handele es sich um die teure Kleidung, die sie einst präsentierte, agiert Little Edie vor der Kamera voll und ganz im Stile ihres jüngeren Selbst – also so, als seien keine zwanzig Jahre vergangen und sie keine Frau mittleren Alters. In diesem Zusammenhang führt Tinkcom treffend aus: „[S]he appears – literally – to be unaware that the relation she has to herself and to others through her body and through fashion is more appropriate to the role a younger woman is expected to inhabit. Put another way, Little Edie's twenty years of privation before the making of the film have prevented her from aging in the more customary manner, where her sense of herself might increasingly be divorced from her embrace of her physical presence and the delight she takes in clothing."[50] Dass sich in dem – vom Standpunkt normierter Weiblichkeitsvorstellungen aus – altersinadäquaten Verhalten Unangepasstheit und Widerständigkeit von Little Edie ausmachen lassen, die sich als selbsternannte „staunch woman" nicht darum schert, ob man sie in Hotpants und Netzstrumpfhose oder durchsichtigem Top als „mutton dressed as lamb"[51] wahrnimmt, liegt auf der Hand; dass sie als Mittfünfzigerin, die ihr, wenn man so will, ‚vestimentäres Programm' nicht auf die neue Lebenssituation, eben ihr Nicht-mehr-jung-Sein, umstellt, vor der Folie des Bergson'schen Axioms von der Lächerlichkeit jedweder *mécanisation de la vie* aus Sicht der Norm potenziell lächerlich wirkt, ebenso.[52]

Das Gesagte in Rechnung gestellt, ließe sich mit vergleichendem Blick auf ihre Mutter Folgendes pointieren: Äußert sich die Widerständigkeit Big Edies darin, dass sie ihrem frühen Selbst ganz und gar nicht entspricht, besteht die Widerständigkeit ihrer Tochter darin, dass sie ihm nur allzu sehr entspricht – und dies auch in anderer Hinsicht, wie schnell deutlich wird. So fällt beispielsweise bereits nach wenigen Filmminuten auf, dass sie, die 56-Jährige, die aus bis zum Schluss äußerst vage bleibenden Gründen unverheiratet zu Hause bei ihrer Mutter wohnt – und damit im Übrigen den Vorgaben des klassischen, die Transformation von der Tochter zur Gattin vorsehenden „script of femininity"[53] eine konsequente Absage erteilt hat –, sich wie eine junge Frau benimmt, die soeben

---

49 Zur modischen Kompetenz und vestimentären Virtuosität Little Edies, die sich bei der Zusammenstellung ihrer Outfits als ungemein originelle, einer Art ludischen Logik verpflichtete ‚Bastlerin' erweist, vgl. vor allem Tinkcom: GREY GARDENS, S. 44-61, darüber hinaus aber auch Rhodes: „‚Concentrated Ground'", S. 93-94.

50 Tinkcom: GREY GARDENS, S. 49-50.

51 Die seit dem 18. Jahrhundert geläufige Redewendung bezeichnet eine ältere Frau, die sich erheblich jünger aufmacht und kleidet und dabei ‚billig' wirkt. Vgl. hierzu Richardson/Locks: *Body Studies*, S. 42-43.

52 Vgl. in diesem Zusammenhang Henri Bergson: *Das Lachen*, Meisenheim am Glan 1948 ([1]1900), passim.

53 Vgl. hierzu Ussher. *Fantasies of Femininity*, S. 7-83.

erst den Heiratsmarkt betreten hat. Und was hierbei besonders bemerkenswert ist: Ebendies wird augenfällig speziell in ihrem unverhohlenen, mitunter
geradezu mädchenhaft wirkenden Flirt- und Werbungsverhalten dem knapp
15 Jahre jüngeren David Maysles gegenüber, der beim Dreh, zumeist links neben
seinem die Kamera führenden Bruder Albert positioniert, für die Tonaufzeich-
nungen verantwortlich zeichnete. Jedwede *direct-cinema*-Gepflogenheit konter-
karierend und den *participatory mode* immerfort erzwingend, macht Little Edie
ihm Komplimente („David, you look absolutely terrific, honestly!"), schmachtet
sie ihn nach ihrer Flaggen-Tanzperformance mit den Worten „Darling David,
where've you been all my life!" an und gesteht sie ihm schließlich gegen Ende
des Films gesanglich und mit dem Finger auf ihn zeigend ihre Liebe („.... and
I'm in love with YOU!"). „This is", vermerkt Tinkcom gewiss zu Recht, „perhaps
a first – and singular – instance in documentary film, where a film-maker becomes, perhaps despite his best wishes, part of a romantic narrative that unfolds
before him."[54]

Zu dieser, wenn man so will, romantischen *plot line* von GREY GARDENS,
der sich dessen erhebliche Nähe zum Melodram maßgeblich verdankt[55], passt
es natürlich, dass sich die Maysles eingangs bei ihrer initialen Begrüßung durch
Little Edie als „gentleman callers", das heißt als Verehrer, vorstellen, sie damit
zudem unverkennbar auf *The Glass Menagerie* (1944) anspielen, jenes frühe
Erfolgsstück von Tennessee Williams, das als „Spiel der Erinnerungen"[56] dem
– mit seiner Dialoglastigkeit, seinem äußerst limitierten Personal und seiner
Konzentration auf einen Schauplatz ohnehin sehr bühnenstückartig wirkenden
– Maysles-Film in vielerlei Hinsicht so außerordentlich nahesteht. Auch in Williams' Drama geht es um eine abgekapselt in ihrer eigenen Zeitlichkeit lebende
Familie; auch in ihm fungiert der Vater als „villain of the piece" (so Little Edie
über Phelan Beale) und ist als solcher absent bzw. allein durch ein prominent
behandeltes Foto präsent, weswegen die reichlich exzentrische Mutter an seiner
statt die Familienleitung übernommen hat; auch in ihm dreht sich (fast) alles
um die – ausgebliebene und offenbar auch forthin ausbleibende – Eheschlie-
ßung der Tochter; auch in ihm erscheint deren vermeintlicher „gentleman caller"
gleichsam als „Abgesandter"[57] der äußeren Welt, an der die Familie schon seit
geraumer Zeit nicht mehr partizipiert; und auch in ihm lässt dieser die Tochter
schlussendlich in ihrem inselhaften, von ihr zu gleichen Teilen als Schutzraum
und Gefängnis wahrgenommenen Exklusionsareal zurück.

---

54 Tinkcom. GREY GARDENS, S. 62-63.
55 Vgl. hierzu vor allem ebd., S. 23-43, passim. Dass GREY GARDENS darüber hinaus
    auch Affinitäten zu den Genres Filmmusical, Horrorfilm und Western unterhält,
    versucht Rhodes nachzuweisen. Vgl. Rhodes. „Concentrated Ground"', S. 83 und
    102-103. Auch eine Lektüre als – zugegebenermaßen etwas anderer – Tierfilm wäre
    angesichts der markanten Behandlung der Katzen, Waschbären und Fliegen denk-
    bar.
56 Tennessee Williams. *Die Glasmenagerie*. Frankfurt/M. 1987 ([1]1944), S. 6.
57 Ebd., S. 14.

Abb. 10

Die Ambivalenz dieses Exklusionsareals wird am Ende von GREY GARDENS noch einmal ebenso fulminant wie sinnfällig eingefangen, und zwar in der finalen Einstellung des Films. Aufgenommen von der Galerie des ersten Stocks aus, zeigt sie Little Edie, die Entwicklungsarretierte bzw. sich der Entwicklung Widersetzende, die stark an ein altes Kind Erinnernde, kurz: die Unbewegte – und das, wie so oft, in Bewegung. Wir sehen sie in schwarzem Spitzendress, weißen Pumps und grünen Bändern an den Knöcheln allein in der Eingangshalle beim Ausüben ,ihrer' Kunst, dem Tanzen, und zwar zu dem unter anderem von Frank Sinatra gesungenen Schlager „I See Your Face Before Me" (Abb. 10). Hierbei wirkt sie entrückt in ihrer eigenen Welt und durchaus zufrieden. Keine Frage: Der Film bemüht die weit verbreitete und auch vom Kino prominent bediente Vorstellung vom Tanz als ,Befreiung', die Marcus Stiglegger mit Blick auf ihre übliche kinematografische Realisierung treffend wie folgt zusammenfasst: „Der Tanz schmeichelt dem menschlichen Körper: Er nimmt ihm – von außen betrachtet – jede Schwere, erhebt ihn über seine Umwelt, isoliert ihn förmlich von seiner Umgebung. Daher erscheinen Tanzszenen in Filmen oft als entrückte, stilisierte Kadenz."[58] Die Vorstellung von der ,Befreiung' via Tanz wird im vorliegenden Falle jedoch zugleich markant durch jene vom Gefangensein gekontert, wofür die Enge des Raums, insbesondere aber das an Gitterstäbe erinnernde grüne Geländer verantwortlich zeichnet, durch das hindurch

---

58 Marcus Stiglegger. *Ritual und Verführung: Schaulust, Spektakel und Sinnlichkeit im Film.* Berlin 2006, S. 125.

das Geschehen dokumentiert wird. Und da Little Edie, noch dazu zu einem Lovesong, einen Gesellschaftstanz tanzt, der zur tanzenden Frau üblicherweise einen männlichen Partner vorsieht, steht dessen Fehlen und mit ihm das (für die Tänzerin schmerzliche?) Nichtvorhandensein eines Tänzers und Ehemannes implizit im Raum. Das heißt, auf den letzten Metern verliert GREY GARDENS in Sachen weiblicher Ermächtigung und Unabhängigkeit entschieden an Fahrt, indem er uns mit Bildern konfrontiert, die es uns nahelegen, die „staunch woman" Little Edie ob ihrer Ehelosigkeit letztlich als eine im Zeichen des Mangels Stehende zu betrachten.

„All I want in life is a dance partner", erklärt diese entsprechend. Allerdings äußert sie den Wunsch nicht in GREY GARDENS, dem Film von 1975, sondern – und noch dazu während sie mit einem Mann tanzt, der bald darauf schon ihr Liebhaber sein wird – in der oben bereits genannten gleichnamigen Spielfilmadaption von 2009. Auf sie sei abschließend noch kurz vergleichend eingegangen.

4. Noch einmal: Die Katze hinter dem Porträt

Vom US-amerikanischen Bezahlsender HBO in Auftrag gegeben, handelt es sich bei dem unter der Regie von Michael Sucsy gedrehten GREY GARDENS wie beim Film der Maysles um ein Doppelporträt der beiden Beales, das zwischen den Bildern der 1920er, 1930er und 1940er und jenen der 1970er Jahren changiert und zumal durch den steten Wechsel zwischen ihnen ein vergleichendes Sehen beim Zuschauer provoziert. Allerdings zeigt sich die Fernsehproduktion – und das ist der entscheidende Unterschied zum Originalfilm – als Biopic darum bemüht, den historischen Verlauf von den frühen zu den späten Bildern nachzuzeichnen und hierbei deren kausale Verlinkung zu explizieren. Sie fragt also, und zwar indem sie die bei den Maysles vor allen Dingen verbal vorgebrachten Backstories der beiden Beales szenisch-unmittelbar erschließt, wie es zu den Bildern, und zumal denen aus den 1970er Jahren, überhaupt hat kommen können. Das Ergebnis ist eine den Konventionen des *classical cinema* ganz und gar verpflichtete, zwischen den Zeiten hin- und herspringende *from-riches-to-rags*-Story, die, wenn auch etwas kantenfrei-bieder, ob ihrer Liebe zum Detail und einer hervorragenden Drew Barrymore in der Rolle der Little Edie als durchaus gelungen apostrophiert werden kann. Zu Recht erhielt der Film zahlreiche Preise, darunter zwei Golden Globes und sechs Emmy Awards, sowie größtenteils gute bis hervorragende Kritiken.

Wie es nicht nur der GREY-GARDENS-Fan sogleich bemerkt, nimmt sich Sucsys Adaption gegenüber dem Maysles-Werk so manche – mitunter frappierende – Freiheit heraus, und unverkennbar geschieht dies vornehmlich zu folgendem Zweck: die beiden Protagonistinnen bezüglich ihres Handelns bzw. Nicht-Handelns nachvollziehbarer und als identifikationstaugliche Heldinnen goutierbarer wirken zu lassen und ihnen insbesondere eine gepflegtere, das heißt weniger ekelbehaftete, Statur zu verleihen. Entsprechend ist es nur konsequent, dass unter anderem der oben *in extenso* diskutierte Vorfall mit der hinter dem Porträt defäkierenden Katze allein in einer gegenüber dem Original drastisch

,entschärften' Version Eingang in den neuen Film fand. Bei Sucsy nämlich findet er nicht in der Intimität des Schlafzimmers, sondern in der Eingangshalle statt, das heißt, das ekelerregende Ereignis mit seiner sich aufdrängenden Präsenz erfährt eine beträchtliche Auslagerung. Doch was noch erheblich wichtiger ist: Bei Sucsy ist es niemand anderes als die zu Besuch nach Grey Gardens kommende, nicht zuletzt über den Gestank entsetzte Jackie Kennedy, welche die Anwesenden, und zwar reichlich pikiert, auf das sein Geschäft verrichtende Tier (Abb. 11) aufmerksam macht, und niemand anderes als Big Edie, welche den – zum Scheitern verurteilten – Versuch unternimmt, das Geschehnis zu bagatellisieren und von ihm abzulenken. Im Maysles-Film noch unbeschämbar, ist die Herrin von Grey Gardens – und dies im wörtlichen wie übertragenen Sinne – vom ,Thron ihrer Unbeschämbarkeit' herabgestiegen.

Abb. 11

Andreas Mahler (Berlin)

John Keats und der Parnasse

Versuch einer intermedialen Lektüre der „Elgin Marbles"
als medienkomparatistische *transposition d'art*

Für Klaus Hempfer

1.

Vermutlich in den ersten Monaten des Jahres 1817 besucht der englische Dichter John Keats zusammen mit dem Freund und ebenso selbstbewussten wie streitbaren Historienmaler Benjamin Robert Haydon das British Museum und verfasst im Anschluss daran tief beeindruckt zwei Sonette, die seiner Reaktion auf das Erlebte Ausdruck geben. Am 3. März bedankt sich Haydon beim Freund überschwänglich mit den Worten: „Many thanks My dear fellow for your two noble sonnets".[1] Anlass für die ‚noblen' Texte waren die in den Jahren 1799-1803 von Thomas Lord Elgin in Griechenland requirierten und 1816 erstmals in London ausgestellten Marmorbildwerke, insbesondere die Fragmente des Parthenon-Frieses wie eine Kore vom Erechtheion in Athen. Das erste Sonett, „On Seeing the Elgin Marbles", verarbeitet den Eindruck, den der Anblick der Überreste der griechischen Skulpturen auf den Dichter hinterließ, das zweite, „To B. R. Haydon, with a Sonnet on Seeing the Elgin Marbles", liest sich gleichsam wie ein exkulpierendes Begleitschreiben, das das Ungenügen des gleichwohl gemachten Unterfangens zu entschuldigen sucht. Der erste der beiden Texte gilt als exemplarisch für das, was man die ‚zweite Generation' der englischen Romantiker nennt. Während die Texte der ersten Generation mit Wordsworth und Coleridge weithin einlösen, was deren *Preface* programmatisch als expressiv ausgerichtete sprachliche Umsetzung eines „spontaneous overflow of powerful feelings" samt damit zu erzielender „emotion recollected in tranquillity" bezeichnet[2] und sich mit am paradigmatischsten in Wordsworths bekanntem

---

1 Zum Hintergrund und zur Person Haydons siehe die Anmerkungen des Herausgebers in John Keats. *The Complete Poems*. Hg. John Barnard. London: Penguin, ³1988 (Penguin Classics). S. 572 u. 581f.; dort auch der Verweis aufs Briefzitat. Zu Kontext und Stellenwert der Erwerbung der ‚Elgin Marbles' siehe auch Timothy Webb. „Romantic Hellenism". *The Cambridge Companion to British Romanticism*. Hg. Stuart Curran. Cambridge: Cambridge UP, 1993. S. 148-176, insbes. S. 163f.

2 Siehe William Wordsworth. "Preface to Lyrical Ballads" (1800). *English Critical Texts. 16th Century to 20th Century*. Hg. D. J. Enright/Ernst de Chickera. Delhi: Oxford UP, ⁴1979. S. 162-189, S. 165 u. 180; dort auch mehrfach das subjektivitätsgebundene Leitwort „express". Der *locus classicus* für den entscheidenden Wandel in der westlichen Literaturauffassung von einem an der Metapher des Spiegels orientierten und in dieser Hinsicht imitativ verstandenen ‚mimetischen' zu einem an der Metapher der Lampe ausgerichteten und dementsprechend spontan aus dem erlebenden Subjekt

„Daffodils"-Gedicht als Koppelung der Deskription einer unerwarteten ein-
maligen Naturerfahrung mit dem Kommentar einer auf Dauer gestellten ima-
ginationsgeleiteten Wiederholungsmöglichkeit ebendieser Erfahrung („For oft
when on my couch I lie"[19]) ausgeführt findet[3], sieht man die Texte der zweiten
Generation von Keats und Shelley – oftmals mit ein wenig ratloser Aussparung
Byrons – vorzugsweise eher als, wenn auch heterogene, so doch kontinuierli-
che Fortführung des romantisch-expressiven Projekts mit einerseits verstärkt
ästhetisierendem und andererseits deutlicher politisierendem Einschlag.[4] Ich
will im Folgenden zunächst in einem ersten Schritt einer solchen noch weitgehend mimetisch an der abbildenden Darstellung von Objekten orientierten
Lektüre nachgehen, bevor ich sodann in einem sich daran anschließenden zweiten Schritt den Versuch unternehme, Keats' Sonett in einer intermedial und
medienkomparatistisch an der Textperformanz ausgerichteten Lektüre als ein
Beispiel dafür zu lesen, dass sich erstaunlich früh schon im 19. Jahrhundert eine
Tendenz abzuzeichnen beginnt, die man gewissermaßen als zukunftsweisenden
Ausbruch aus der Mimesis bezeichnen kann.[5]

---

herausbrechenden ‚expressiven' Literaturbegriff findet sich bei M. H. Abrams. *The
Mirror and the Lamp. Romantic Theory and the Critical Tradition* (1953). Oxford:
Oxford UP, 1971; zur Theorie S. 3-29, zur Praxis S. 70-99.

3 Für „The Daffodils" siehe William Wordsworth. *Poems*. Hg. W. E. Williams. Har-
mondsworth: Penguin, 1986. S. 35f. (ich belege in der Folge Gedichtzitate jeweils
mit tiefergestellter Versangabe nach dem Textzitat).

4 So etwa stellvertretend die Charakterisierungen in der *Metzler Englischen Literaturgeschichte*. Hg. Hans Ulrich Seeber. Stuttgart: J. B. Metzler, 1991. S. 223-255, oder
auch, in der Differenzierung der ‚älteren' gegen die ‚jüngeren' Romantiker, in *Die englische Literatur. Epochen – Formen – Autoren*. Hg. Bernhard Fabian. 2 Bde. München:
dtv, 1991. Bd. 1. S. 132-153 u. 315-331; beide Romantikkapitel stammen jeweils
vom Herausgeber. Vgl. die einschlägigen Analysen in Peter Hühn. *Geschichte der englischen Lyrik*. 2 Bde. Tübingen: Francke, 1995, v. a. Bd. 1. S. 283-396, wie auch die
Kapitel von Kai Merten. „Poetic Genres in the Romantic Age I. Nature Poetry and
William Wordsworth and Samuel Taylor Coleridge's *Lyrical Ballads*" und Ute Berns.
„Poetic Genres in the Romantic Age II. Percy Bysshe Shelley's, John Keats's and Lord
Byron's Odes". *A History of British Poetry. Genres – Developments – Interpretations*.
Hg. Sibylle Baumbach/Birgit Neumann/Ansgar Nünning. Trier: wvt, 2015. S. 217-
228 u. 229-242. Für eine anregende monographische Darstellung siehe Christoph
Reinfandt. *Englische Romantik. Eine Einführung*. Berlin: E. Schmidt, 2008.

5 Ich stütze mich in der Entgegensetzung von wirklichkeitsdarstellender ‚imitierender'
Mimesis und texterstellender ‚symbolisierender' Performanz auf die Überlegungen
in Wolfgang Iser. *Das Fiktive und das Imaginäre. Perspektiven literarischer Anthropo-
logie*. Frankfurt/M.: Suhrkamp, 1993. S. 426-515, insbes. S. 481-504; für eine Aus-
wertung dieser Unterscheidung mit Blick auf lyrische Textsorten siehe Vf. „Towards a
Pragmasemiotics of Poetry". *Poetica* 38 (2006): S. 217-257. Ich nutze in der Folge diesen weiteren, sowohl das Abrams'sche ‚Mimetische' als auch sein ‚Expressives' mitein-
schließenden Mimesis-Begriff. Den näherhin für postmodernes US-amerikanisches
Erzählen formulierten Gedanken eines ‚Ausbruchs aus der Mimesis' entnehme ich
den Überlegungen bei Joseph C. Schöpp. *Ausbruch aus der Mimesis. Der amerikanische Roman im Zeichen der Postmoderne*. München: W. Fink, 1990, v. a. S. 19-45.

2.

Doch zunächst zum Text selbst. Das Sonett unter dem Titel „On Seeing the Elgin Marbles" lautet in seiner Version von 1817 wie folgt:

My spirit is too weak – mortality
    Weighs heavily on me like unwilling sleep,
    And each imagined pinnacle and steep
Of godlike hardship, tells me I must die
Like a sick Eagle looking at the sky.
    Yet, 'tis a gentle luxury to weep
    That I have not the cloudy winds to keep
Fresh for the opening of the morning's eye.
Such dim-conceivèd glories of the brain
    Bring round the heart an undescribable feud;
So do these wonders a most dizzy pain,
    That mingles Grecian grandeur with the rude
Wasting of old Time – with a billowy main –
A sun – a shadow of a magnitude.[6]

Allein schon die gewählte begrenzte Form des Sonetts ist untypisch für romantisch expressive Redseligkeit. Keats' Text folgt der romanischen Einteilung in Quartette und Terzette und beschränkt sich spartanisch auf vier Reime (abba abba cdc dcd).[7] Gegenstrebig zum engen formalen Schema überspielt die in die Form eingepasste Syntax sowohl die Vers- als auch die Strophengrenzen. Die überhäufige Aktualisierung von Enjambements (V. 1, 3, 4, 6, 7, 9 u. 12) wie die strophenüberlaufende Beendigung des ersten Satzes erst in Vers 5 widersetzen sich klar dem gewählten Schema und signalisieren eine deutliche Spannung zwischen Form und Inhalt. Auf diese Weise ergibt sich bereits auf formal-syntaktischer Ebene ein Moment der Unruhe und des Ungenügens, welches gleich zu Beginn und vor allem gegen Ende hin verstärkt wird durch auffällig rekurrent gesetzte Gedankenstriche, die das syntaktische Gefüge aufsprengen in momenthaft singuläre Eindrücke aufblitzen lassende Einzelsyntagmen. Entsprechend begleitet die Gestaltung des jambischen metrischen Gitters durch gegenstrebige Akzentsetzungen – etwa zwei konsekutiv ikonisch verlangsamende Akzente samt zweier unbetonter Folgesilben in jeweils einer Senkung und einer Hebung im Auftakt des zweiten Verses (‚Wéighs héavily') – oder durch die Aufsprengung der Silbenstruktur – etwa die die ‚unwillingness' ikonisch umsetzende 11-Silbigkeit desselben Verses – den Eindruck

---

6 Ich zitiere den Text nach der von John Barnard besorgten Penguin Classics-Ausgabe der Gedichte von John Keats. *The Complete Poems* (wie Anm. 1). S. 99f.

7 Zum Gedanken, dass die romanische Form die schwierigere sei und in Keats' Augen zudem die ‚legitimere', wenn auch (oder auch gerade weil) dem Englischen schwerer gefügig zu machende, siehe, mit Belegen aus Keats' Briefen, Christoph Bode. *Einführung in die Lyrikanalyse*. Trier: wvt, 2001, S. 132 u. 135.

von Zerrissenheit und innerer Unvollständigkeit und Spannung im Rahmen einer gleichwohl strengen Form.[8]

Auf dieser flackernden syntaktischen Basis von im Groben vier Aussage-sätzen (V. 1-5; 6-8; 9-10; 11-14) entfaltet sich als erster Bedeutungseffekt auf binnenpragmatischer Ebene die Sprechsituation.[9] Sie ist für die Quartette noch gebunden an eine relativ dicht gesetzte Sprechinstanz, die sich programmatisch bestimmt über das allererste Wort des Gedichts („My‘[1]) und sodann deiktisch weiter konstituiert über den Wiederaufruf von Pronomina der 1. Person Singular („me‘[2]; „me‘[4]; „I‘[4]; „I‘[7]), bevor sie in den Terzetten schwindet hinter metony-misch generalisierten („the brain‘[9]) oder aber auch partikularisierenden Floskeln („a feud‘[10]; „a pain‘[11]) einer eher allgemein gefassten Unbeschreibbarkeit. Dem Sprecher korrespondiert im Sonetttext keine Angesprocheneninstanz, noch spezifiziert sich ein genauer Zeitpunkt oder Ort des Sprechens, wenngleich das möglicherweise präsentische „seeing‘ des Titels und die über das Demonstra-tivpronomen signalisierte Referenz auf „these wonders‘[11] eine gewisse Nähe zu Ort und Zeit des Betrachtens des ausgestellten Parthenon-Frieses nahezulegen scheinen. Der romanisch geprägten Aufgliederung des Gedichts in die beiden Quartette und die beiden Terzette mit einer charakteristischen *volta* zwischen Vers 8 und 9 folgt als zweiter Bedeutungseffekt auch das semantische Argument des Gedichts. Sein Sprechgegenstand – die „Elgin Marbles‘ aus dem Titel – wird im ersten Teil, wenngleich auch vage und sich zunehmend entziehend, vom Sprecher referenzsemantisch über wenige – gleichwohl lediglich „imaginierte‘ – Teilgegenstände („pinnacle‘[3]; „steep‘[3]) evoziert und im zweiten sodann über seine Effekte auf den Sprecher/Betrachter bedeutungssemantisch schlussfolgernd („Such‘[9]; „So‘[11]) qualifiziert (nochmalig „feud‘[10] und „pain‘[11]).

Damit folgt der Text allem Anschein nach dem Muster eines romantischen Beschreibungsgedichts. Wie etwa im bereits erwähnten „Daffodils“-Text folgt dort einem in der Regel längeren Teil der Beschreibung des gewählten Gegen-stands – das einmalige Naturschauspiel der Narzissen, zusammengefasst in „the show“[18] – ein in der Regel kürzerer Teil seiner subjektiven Bewertung, in Aus-sicht gestellt durch „what wealth“[18] – dessen ewig „wieder-holbare‘ Bewahrung vor dem inneren Auge des betrachtenden und sodann geistig wie sprachlich ver-arbeitenden Subjekts.[10] Auf diese Weise scheint der Keats'sche Text genau die

8   Zum Zusammenspiel von metrischem Gitter und Akzentstruktur siehe Hans-Wer-ner Ludwig. *Arbeitsbuch Lyrikanalyse*. Tübingen: Narr, ²1981. S. 41-72, zum Enjam-bement mit *rejet* und *contre-rejet* insbes. S. 61f.; generell verlagern die vielen Enjam-bements in der Regel zumindest einen Sekundär-, wenn nicht einen Primärakzent in die an sich unbetonte erste Silbe des *rejet* der Folgezeile, was unter anderem den vermerkten Schaukeleffekt zur Folge hat.

9   Ich folge in der Textanalyse meinen auf die semiotischen Ebenen der Syntaktik, Pragmatik und Semantik hin perspektivierten Überlegungen in Vf. „Pragmasemi-otics“ (wie Anm. 5), v. a. S. 234-254.

10 Zum Typus des Beschreibungsgedichts, vor allem am Beispiel seiner kreativen Wei-terentwicklung in der Tradition der französischen Dichtkunst durch Baudelaire, siehe Klaus Dirscherl. *Zur Typologie der poetischen Sprechweisen bei Baudelaire. Formen des Besprechens und Beschreibens in den* Fleurs du Mal. München: W. Fink,

poetologische Forderung nach einer romantisch geprägten expressiven Vertextung eines ‚spontaneous overflow of powerful feelings recollected in tranquillity‘ einzulösen: dem überwältigenden Erlebnis des in Fragmenten überlieferten antiken Frieses beim Besuch des British Museum folgt eine zu resümieren suchende Bilanz des Gesehenen durch das reflektierend bedichtende Subjekt. Dies verortet das Gedicht anscheinend geradewegs in der ekphrastischen Tradition einer ‚doppelten Mimesis‘: so wie der Fries mit seinen Skulpturen bildnerisch Gegenstände aus der griechischen Mythologie nachahmt, ahmt das Sonett sprachlich den Fries und seine Objekte nach und stellt dessen Inhalt in erster Ableitung auf einer weiteren Imitationsebene altermedial nochmals dar. Was also vorliegt, wäre eine ‚verbal representation of visual representation‘, die Potenzierung der Objektrepräsentation mit dem potentiell paragonalen – wie darüber hinaus latent selbstreflexiven – Effekt einer sich hieraus ergebenden ‚Rivalität der Künste‘.[11] Hierin zeigt sich zudem eine eindeutige Illusion der Verzeitlichung; die mythischen Inhalte sind vermeintlich präexistente *Vor*gabe für den Fries und der Fries vermeintlich präexistente *Vor*gabe für das Sonett, welches den Fries genauso zu *re*präsentieren sucht, wie der Fries seinerseits die mythischen Inhalte *re*präsentiert.

3.

Allerdings hat sich bei Keats einiges verkehrt. Wo üblicherweise der Beschreibungsteil ohne Referenzen auf das sprechende Subjekt auskommt, bis der in den Konsequenzen auswertende Besprechungsteil sie explizit hereinnimmt, ist es im Sonett der „Elgin Marbles" genau umgekehrt; wo zudem sonst der

---

1975. S. 117-164, sowie ders. „Das Beschreiben als poetische Sprechweise in Baudelaires *Fleurs du Mal*". *Baudelaire*. Hg. Alfred Noyer-Weidner. Darmstadt: Wiss. Buchges., 1976. S. 318-361; zu einer Darstellung des Problems unter dem Schlagwort des ‚Dinggedichts‘ siehe auch Wolfgang G. Müller. „Das Problem der Subjektivität der Lyrik und die Dichtung der Dinge und Orte". *Literaturwissenschaftliche Theorien, Modelle und Methoden. Eine Einführung*. Hg. Ansgar Nünning. Trier: wvt, 1995. S. 93-105, insbes. S. 97-100.

11 Für den Versuch einer präzisierenden Umdefinition der oben zitierten, auf W. J. T. Mitchell zurückgehenden, gegenwärtig gängigen Formel für Ekphrasis zu „*ekphrasis is the verbal representation of graphic representation*" siehe James A. W. Heffernan. „Ekphrasis and Representation". *New Literary History* 22 (1991): S. 297-316, das Zitat S. 299 (seine Herv.); Heffernan, dem es explizit auch darum geht, dass im ekphrastischen Prozess die Repräsentation selbst zum Gegenstand von Repräsentation wird, bespricht in diesem Zusammenhang als ekphrastische Texte auch Keats’ ein Jahr nach den „Elgin Marbles" verfasste „Ode on a Grecian Urn" (S. 304-309) wie auch Shelleys nicht unverwandtes, in etwa zeitgleiches Sonett „Ozymandias" (S. 309-312). Für zusammenfassende Darstellungen siehe Mario Klarer. *Ekphrasis. Bildbeschreibung als Repräsentationstheorie bei Spenser, Sidney, Lyly und Shakespeare.* Tübingen: Niemeyer, 2001. S. 2-22, sowie in allgemeiner Weiterung Gabriele Rippl. „Intermedialität. Text/Bild-Verhältnisse". *Handbuch Literatur & Visuelle Kultur*. Hg. Claudia Benthien/Brigitte Weingart. Berlin: de Gruyter, 2014. S. 139-158.

Beschreibungsgegenstand romantikgeboten vornehmlich der Natur entspringt, entstammt er bei Keats selbst schon der Kunst; und wo im romantischen Gedicht die Deskription ihren Gegenstand ‚zergliedernd‘ und ‚verweilend‘ zelebriert, bleibt dies im Keats’schen Sonett angesichts der unerhörten Überwältigung durch das Wahrgenommene durchweg aus.[12] Denn was der vermeintliche ‚Beschreibungsteil‘ leistet, ist eher eine gedehnte Klage über ein in der eigenen Sterblichkeit begründetes unausbleibliches Sprecherscheitern (‚too weak‘[1]; ‚mortality‘[1]; ‚heavily‘[2]; ‚tells me I must die‘[4]; ‚sick‘[5]; ‚I have not‘[7]) samt kürzerer resignativer (Selbst-)Tröstung (‚Yet‘[6]; ‚gentle luxury‘[6]) denn eine gelungene sprachliche Darstellung des Gesehenen. Damit zerfällt in gewisser Weise der mimetische Anspruch des deskriptiven Teils, damit zerfällt aber zugleich auch gewissermaßen die Deskription selbst. Denn was der Sprecher ausdrückt, ist nicht die darstellerische Bewältigung des unmittelbar gesehenen – oder vielleicht auch nur nachträglich am Schreibtisch im Geiste imaginativ beschworenen – Gegenstands (‚spirit‘[1]; ‚imagined‘[3]; ‚dim-conceivèd glories of the brain‘[9]), sondern gerade die Vergeblichkeit eines solchen Versuchs darstellerischer Bewältigung angesichts dessen unerkannter Größe (‚godlike hardship‘[4]; ‚these wonders‘[11]; ‚Grecian grandeur‘[12]).[13] Das Sonett steht angesichts seines sich ihm entziehenden Objekts mithin verstärkt im Zeichen seiner Unausdrückbarkeit, gewissermaßen einer ‚negativen Expressivität‘, welche zudem begründet liegt in der erhabenen Unbeschreibbarkeit (‚undescribable‘[10]) des Wahrgenommenen, also in einer Art ‚negativer Deskription‘.

Dies zielt nun eher auf ein ureigenes poetologisches Konzept von Keats selbst. Im berühmten Brief vom 21.12.1817 an seine Brüder George und Thomas formuliert er, dass es aus seiner Sicht vor allem eine „quality" gebe, die einen „Man of Achievement, especially in Literature" ausmache, „and which Shakespeare possessed so enormously", und das sei die von ihm so genannte „*Negative Capability, that is, when man is capable of being in uncertainties, mysteries, doubts, without any irritable reaching after fact and reason*".[14] Diese Fähigkeit, das Ungewisse, Unbestimmte, Entzogene jenseits aller positiver rationaler Ergründbarkeit subjektiv auszuhalten und es als somit ‚Unsagbares‘ gleichwohl auszudrücken, ließe sich lesen – und dies ist gern gemacht worden – als konsequente Weiterführung

---

12 Ich entnehme die Techniken des ‚Zergliederns‘ und ‚Verweilens‘ den oben erwähnten Überlegungen Klaus Dirscherls (wie Anm. 10); für eine kritische Bestandsaufnahme des Gestus verbaler Deskription im Rahmen der gegenwärtigen Visualitätsstudien siehe die Überlegungen bei Guido Isekenmeier. „Literary Visuality. Visibility – Visualisation – Description". *Handbook of Intermediality. Literature – Image – Sound – Music*. Hg. Gabriele Rippl. Berlin: de Gruyter, 2015. S. 325-342, v. a. S. 330-332.

13 Dieses eingestandene Sprecherscheitern an der Darstellung der wahrgenommenen ‚Größe‘ des Gesehenen wiederholt noch einmal das Begleitsonett in der Bitte an Haydon um Vergebung „that I cannot speak/ Definitively on these mighty things"[1f.] und dem ohnmächtigen Eingeständnis „That what I want I know not where to seek"[4].

14 Zit. n. John Keats. „From the Letters". *English Critical Texts*. Hg. Enright/de Chickera (wie Anm. 2). S. 256-259, S. 257 (Herv. i. Orig.).

romantischer Expressivität im Sinne einer die Literaturgeschichte generell kennzeichnenden fortschreitenden ,Entgrenzung des Darstellbaren' auch auf an sich nicht zugängliche Bereiche durch das besonders begabte, einfühlsame Subjekt.[15] Hierin läge eine Steigerung des Expressiven im Sinne eines gegenständlich begriffenen ,Hereinholens von Ausgegrenztem' und zugleich eine Rettung des mimetischen Projekts.[16] Dabei sichert gerade die Negativität der Deskription die Erweiterung des Auszudrückenden um das Unsagbare in Evokation und Suggestion, so dass angesichts einer im konkreten Fall allemal zum Scheitern verdammten Mimesis ans Objekt kompensatorisch zumindest eins entsteht: eine gelingende Mimesis an das begnadete und in diesem Sinne ,sehende' Subjekt.[17] Dargestellt wird mithin nicht so sehr das in sich inexpressible Erlebte denn sein Effekt auf das die Unermesslichkeit der ,emotion' und der ,powerful feelings' gleichwohl ausmessende Ich, seine negative ,capability'.

---

15 Zum Problem romantischer Subjektivität siehe Wolfgang G. Müller. „Das Problem der Subjektivität in der Lyrik der englischen Romantik". *Eine andere Geschichte der englischen Literatur. Epochen, Gattungen und Teilgebiete im Überblick.* Hg. Ansgar Nünning. Trier: wvt, 1996. S. 127-149, der jedoch zugleich warnt: „Wenn man das Subjektivitätskriterium im Hinblick auf die romantische Dichtung absolut setzt, müßte man John Keats (1795-1821) aus dem Kreis der romantischen Dichter ausschließen." (S. 138; ähnlich S. 146) Zu einem groß angelegten Versuch der Beschreibung des romantischen Projekts als das einer durchgehenden Subjektivitäts- und Identitätskonstruktion siehe Christoph Bode. *Selbst-Begründungen. Diskursive Konstruktion von Identität in der britischen Romantik. I: Subjektive Identität.* Trier: wvt, 2008, zu Keats v. a. S. 197-234; zu einer noch weitergehenden Entwicklung einer auf Luhmann aufbauenden, subjektorientiert zeitübergreifenden ,romantischen Kommunikation' siehe Christoph Reinfandt. *Romantische Kommunikation. Zur Kontinuität der Romantik in der Kultur der Moderne.* Heidelberg: Winter, 2003. Für den Gedanken, dass sich die westliche Literaturgeschichte als zunehmende Weitung des ernsthaft Darstellbaren mit deutlichen Referenzen auch auf die historische Gegenwart beschreiben lässt, siehe, unter dem nicht ganz glücklichen Stichwort eines typologisch verstandenen ,Realismus', die klassischen Ausführungen bei Erich Auerbach. *Mimesis. Dargestellte Wirklichkeit in der abendländischen Literatur* (1949). Bern/ München: Francke, [6]1977, v. a. S. 452 u. 458.

16 Für die am Beispiel der Funktion des Lachens und der Komik entwickelte Formel des ,Hereinholens des Ausgegrenzten' als ,Positivierung von Negativität' siehe Joachim Ritter. „Über das Lachen" (1940). *Subjektivität. Sechs Aufsätze.* Frankfurt/M.: Suhrkamp, 1989. S. 62-92, v. a. S. 76; für einen in mehrfachen Schüben vorgetragenen Versuch der Übertragung der Formel auf das Ästhetische und dessen in Aussicht stellenden grundsätzlichen ,anthropologischen Dimensionsgewinn' siehe, stellvertretend, Rainer Warning. *Funktion und Struktur. Die Ambivalenzen des geistlichen Spiels.* München: W. Fink, 1974, insbes. die zusammenfassenden Bemerkungen S. 244-250.

17 Dies wäre der *vates*-Gedanke des romantischen Dichtens; für den Beginn des Unsagbarkeitstopos in der Romantik, näherhin mit Schleiermacher, und dessen Folgen bis in die insbesondere französisch getriebene poststrukturale Jetztzeit siehe die weitgreifenden Überlegungen in Manfred Frank. *Das Sagbare und das Unsagbare. Studien zur deutsch-französischen Hermeneutik und Texttheorie. Erweiterte Neuausgabe.* Frankfurt/M.: Suhrkamp, 1990.

Gegen solche mimetischen Rettungsversuche hat der Romanist Klaus Hempfer mit Blick auf die Lyrik des französischen Parnasse eingewandt, dass bereits in der ersten Hälfte des 19. Jahrhundert nicht überall dort, wo ‚Mimesis‘ – wenn nicht gar ‚doppelte Mimesis‘ – draufzustehen scheint, überhaupt recht eigentlich Mimesis drin ist.[18] Gerade am kunstbezogenen parnassischen ‚Dinggedicht‘ mit seinem entsubjektivierenden Verzicht auf pragmatische Situierung des Sprechens zugunsten einer vermeintlich alleinigen Fokussierung auf das sowohl lexematisch als auch in ikonischer Stützung syntaktisch ‚rarefizierte‘ Objekt[19] lässt sich ihm zufolge zeigen, dass, entgegen der landläufigen – und auch eher langweiligen – mimetischen Annahme, es gehe dort um möglichst präzise, sprachlöschende *Dar*stellung eines ins Zentrum gesetzten, möglichst erlesenen, wenn auch häufig banalen, Objekts, es den Parnasse-Dichtern vornehmlich um dessen vor den Augen des Rezipienten im Medium der Sprache unternommene verbale *Her*stellung zu tun ist. Es geht also viel weniger darum, was der Text *sagt*, als darum, was er *tut*: viel weniger um welt*dar*stellende Mimesis als um text*her*stellende Performanz.[20] Was sich mithin gedoppelt findet, ist weniger die Mimesis, sondern die Medialität. Dies hat Hempfer zu fassen gesucht über den Begriff der ‚*transposition d'art*‘ und das damit avisierte Phänomen zugleich geteilt in zwei grundsätzliche Varianten: eine quasi-pikturalistisch Realitätsgegenstände als Kunst simulierende ‚Wirklichkeitsmediation‘ und eine ekphrasisähnlich Kunstgegenstände in Gegenstände der Textkunst verwandelnde ‚Artefakttransposition‘.[21] Allerdings geht es in beiden Varianten – dies

---

18 Dies war Teil eines an der Freien Universität Berlin angesiedelten Projekts. Für eine erste Skizze siehe Klaus W. Hempfer. „*Transposition d'art* und die Problematisierung der Mimesis in der Parnasse-Lyrik“. *Frankreich an der Freien Universität Berlin. Geschichte und Aktualität.* Hg. Winfried Engler. Stuttgart: Steiner, 1997. S. 177-196; für eine Zusammenfassung der Ergebnisse siehe den Band *Jenseits der Mimesis. Parnassische* transposition d'art *und der Paradigmenwandel in der Lyrik des 19. Jahrhunderts.* Hg. Klaus W. Hempfer. Stuttgart: Steiner, 2000.

19 Zu den Merkmalen parnassischen Dichtens siehe Klaus W. Hempfer. „Konstituenten Parnassischer Lyrik“. *Romanische Lyrik. Dichtung und Poetik. Walter Pabst zu Ehren.* Hg. Titus Heydenreich/Eberhard Leube/Ludwig Schrader. Tübingen: Narr, 1993. S. 69-91.

20 Dieses Kippen habe ich unter Zuhilfenahme des Begriffs vom ‚Vexiertext‘ genauer darzulegen versucht in Vf. „Sprache – Mimesis – Diskurs. Die Vexiertexte des Parnasse als Paradigma anti-mimetischer Sprachrevolution“. *Zeitschrift für Französische Sprache und Literatur* 116 (2006): S. 34-47.

21 Zur Entgegensetzung einer von ihm so verstandenen ‚doppelten Mimesis‘ als einer auf derselben Abbildungsebene rivalisierenden ‚Mimesis ersten Grades‘ mit der in der *transposition d'art* vorliegenden, um eine Stelle verschobenen und damit ‚transmimetisch‘ nachgeordneten ‚Mimesis zweiten Grades‘ entweder als fiktive Überführung textueller Kunst in nicht-textuelle (‚Wirklichkeitsmediation‘) oder als reale Überführung nicht-textueller Kunst in textuelle (‚Artefakttransposition‘) siehe Hempfer. „*Transposition d'art*“ (wie Anm. 18). S. 179-184; zu den beiden Typen, von denen er vornehmlich lediglich letzteren als ‚eigentliche‘ *transposition* gelten lassen will, siehe die Überlegungen bei Stefan Hartung. „Kunstautonome Ästhetik – Parnassische Mediatisierung. Der Spielraum der *transposition d'art* am Beispiel fünf

wäre gegen Termini wie ,Pikturalismus' und ,Ekphrasis' einzuwenden – nicht um Gegenstands*abbildung*, sondern um Gegenstands*konstitution*, nicht also vorderhand um Nachahmung, sondern – im Sinne von Hans Blumenbergs Überlegungen zur Emergenz des Gedankens originärer künstlerischer Kreativität – um ,Vor-ahmung': nicht *Re*präsentation, vielmehr *Prä*sentation.[22] Dies verkehrt zugleich die vektoriale Illusion der Zeitlichkeit; nicht geht es mehr um *nach*träglich mimetische *Dar*stellung eines Präexistenten, sondern es geht um eine kreativ ,vor Augen stellende' ,*vor*-läufige' *Her*stellung eines altermedialen nicht-textuellen Artefaktes *durch den poetischen Text*.[23] Vor diesem Hintergrund erscheint das Keats-Gedicht nunmehr eher wie ein medienkomparatistisch zu beschreibendes intermediales Projekt.

4.

,Intermedialität' hat man zu fassen gesucht „als eine intendierte, in einem Artefakt nachweisliche Verwendung oder Einbeziehung wenigstens zweier konventionell als distinkt angesehener Ausdrucks- oder Kommunikationsmedien" und tentativ klassifiziert in die drei Untertypen der mischenden ,Medienkombination', des adaptierenden ,Medienwechsels' und der relationierenden ,Intermedialen Bezüge'.[24] Vor diesem Hintergrund ließe sich das Sonett der „Elgin Marb-

komplexer Texte". *Jenseits der Mimesis*. Hg. Hempfer (wie Anm. 18). S. 9-41, v. a. S. 19f.

22 Ich übernehme den Begriff der ,Vorahmung' den Ausführungen in Hans Blumenberg. „,Nachahmung der Natur'. Zur Vorgeschichte der Idee des schöpferischen Menschen" (1957). Ästhetische und metaphorologische Schriften. Hg. Anselm Haverkamp. Frankfurt/M.: Suhrkamp, 2001. S. 9-46, insbes. S. 45f. Einen solchen beginnenden Wandel von der Abbildung zur Konstitution zeichnet aus theoretischer Sicht auch Bode. *Selbst-Begründungen* (wie Anm. 15), v. a. S. 7-14; zu Keats, der sich als Dichter „experimentierend an der Schnittstelle von Tradition und Innovation bewegt und die Sonettform als paradigmatisches Modell dichterischer Selbstverfertigung nutzt", wie zu seinen Texten als Vorgaben für ein stetes weiteres ,Spiel' seitens des Lesers vgl. auch ders. *John Keats. Play On*. Heidelberg: C. Winter, 1996, das Zitat S. 8. Zu ,Ekphrasis' und ,Pikturalismus' wie auch zu ihren Problemen siehe Rippl. „Intermedialität: Text/Bild-Verhältnisse" (wie Anm. 11). S. 150-154; zur Darstellung des Paradigmenwandels aus französischer Sicht vgl. auch Klaus W. Hempfer. „Zur Differenz der Gegenstandskonstitution in romantischer und parnassischer Lyrik am Beispiel der Kunstwerk- und Künstlerbezüge". *Jenseits der Mimesis* Hg. ders (wie Anm. 18). S. 43-75.

23 Zur rhetorischen Tradition verbalen Vor-Augen-Stellens von Visuellem siehe Rüdiger Campe. „Vor Augen stellen. Über den Rahmen rhetorischer Bildgebung". *Poststrukturalismus. Herausforderung an die Literaturwissenschaft. DFG-Symposion 1995*. Hg. Gerhard Neumann. Stuttgart/Weimar: J. B. Metzler, 1997. S. 208-225.

24 Für diese mehrfach vorgetragene und dabei immer wieder leicht modifizierte Definition siehe zusammenfassend Werner Wolf. Art. „Intermedialität". *Metzler Lexikon Literatur- und Kulturtheorie. Ansätze – Personen – Grundbegriffe*. Hg. Ansgar Nünning. Stuttgart/Weimar: J. B. Metzler, 1998. S. 238-239, das Zitat S. 238; für eine

les" insofern als ein ‚intermediales' Artefakt begreifen, als es sich ausweist durch die nachweisliche Einbeziehung des Bildmediums eines Skulpturenfrieses in das Textmedium des Sonetts und hierüber Relationen erstellt, die beide distinkte Medien aus medienkomparatistischer Perspektive vergleichend in Beziehung setzen. Was mithin vorliegt, wäre eine *transposition d'art* in Gestalt einer Artefakttransposition: das real im Museum ausgestellte Artefakt des Frieses wird überführt in das des vorliegenden Sonetts, welches das altermediale Artefakt mit eigenmedialen Mitteln verbal zu modellieren sucht und es von daher nicht abbildet, sondern – dem Leser ‚vor-Augen-stellend' – konstituiert.[25] Ich habe selbst gegenüber einem weiten Intermedialitätsbegriff, der riskiert, ebenso unterschieds- wie erkenntnislos etwa jedes inszenierte Theaterstück, jede bloße Thematisierung eines anderen Mediums, aber gar auch jedes betitelte Gemälde oder jedes mit einer verbalen Benennung versehene Musikstück – mithin nahezu alles – unter das bezeichnete Phänomen einzureihen, eine engere Konzeptualisierung vorgeschlagen, die vor allem auf die im Präfix einbegriffene Interaktion der jeweils im Spiel befindlichen distinkten Medien abzielt und dabei eine ‚reale' Variante expliziter hybrider Medienmischung von einer ‚fiktiven' Variante einer allemal implizit bleibenden nicht-hybriden gedanklichen Mischungssimulation geschieden.[26] Keats' Text fiele hierbei eindeutig in die zweite Kategorie. Ich suche demzufolge nunmehr in einem zweiten Lektüregang, das Sonett als mit den Mitteln der Sprache durchgeführte strukturale Simulation eines fragmentarischen antiken Skulpturenfrieses zu profilieren.

Damit kommen wir zurück zur Syntaktik. Denn die Performanz des Frieses durch den Text zeigt sich nicht so sehr metaphorisierend auf der Ebene der Semantik und schon gar nicht auf derjenigen der – Parnasse-ähnlich weitgehend

---

überblicksartige Zusammenfassung siehe Gabriele Rippl. „Introduction". *Handbook of Intermediality*. Hg. dies. (wie Anm. 12). S. 1-31. Für die – nicht ganz unproblematische – Klassifikation in Typen siehe Irina O. Rajewsky. *Intermedialität*. Tübingen/ Basel: A. Francke, 2002. S. 19; ein Problem besteht darin, dass der dritte Typus der ‚Intermedialen Bezüge' augenscheinlich als bloßes Sammelbecken fungiert für das, was die ersten beiden Typen übrig gelassen haben, welche ihrerseits überdies wiederum lediglich als Spezifikationen des dritten Typus erscheinen.

25 Zum Gedanken, dass die *transposition d'art* „die spezifisch parnassische Realisation von Intermedialität" sein könnte, siehe Hempfer. „Zur Differenz der Gegenstandskonstitution" (wie Anm. 22). S. 68, Anm. 74; zur Frage nach der Relation zwischen Keats und dem Parnasse siehe unten Anm. 27.

26 Für einen solchen Differenzierungsvorschlag von ‚Intermedialität' im engeren Sinne gegenüber als weiter begriffenen Phänomenen wie ‚Multimedialität' oder ‚Plurimedialität' mit dem Ziel, über die Relationierung ‚inter-medial' Reibungen und damit Medienbewusstheit zu produzieren, siehe die Überlegungen in Vf. „Probleme der Intermedialitätsforschung. Medienbegriff – Interaktion – Spannweite". *Poetica* 44 (2012): S. 239-260, insbes. S. 256; für eine vertiefte Diskussion der Relation zwischen Mimesis einerseits und Simulation andererseits siehe die Beiträge in *Mimesis und Simulation*. Hg. Andreas Kablitz/Gerhard Neumann. Freiburg i.Br.: Rombach, 1998.

getilgten – Pragmatik[27], sondern vornehmlich auf der materiellen Ebene der syntaktisch-syntagmatischen Gestaltung. Was Keats' Zeitgenosse William Hazlitt bereits für die Fragmente der ‚Marbles' selbst vermerkt hat – sie seien „harmonious, flowing, varied prose"[28] –, setzt das Sonett in seiner Vers- wie Strophengrenzen einbeziehenden wie zugleich überbordenden Fluidität konstruktiv herstellend syntaktisch um. Vers- um Verszeile baut es gewissermaßen an Block- um Blockfragment des Frieses. Sieht man den antiken Architekturfries als eine zuweilen ornamenthafte, oftmals jedoch figürlich ausgestattete horizontale Aneinanderreihung von bildhaften Blöcken, so zeigen sich die architekturalen Parthenonfragmente der ‚Elgin Marbles' als diskontinuierlich gereihte lückenhafte Einzelbilder von figuralen Gegenständen mythischer Überlieferung, welche sie in kontinuierlichen oder konsekutiven oder aber eben auch durch Verfall oder Verlust rätselhaft durchbrochenen Sequenzen repräsentieren.[29] Dies baut das Sonett in seinen eigenen Schemata nach. Bereits die erste Zeile besteht sichtbar schon aus zwei Fragmentstücken: einem das mimetische Projekt eingestandenermaßen aufkündigenden lakonisch-einfachen, dominant einsilbig zusammengesetzten Satz zum imaginativen Sprecherscheitern (‚My spirit is too weak'₁) und einem – durch die einer Aposiopese gleichende graphematisch-syntaktische Lücke, wie zudem Sprechpause, des Gedankenstrichs – davon abgetrennten, langen viersilbigen Abstraktum, das als im *contre-rejet* der Zeile isoliertes Subjekt des Folgesatzes quasi-monolithisch hierfür in schwerer Last die Begründung liefert (‚mortality'₁). Dabei scheint das Zusammenspiel von gebundener syntaktischer Struktur und freiem semantischen Effekt auf die Wirkung des Frieses selbst abzuzielen: die in sich gebrochenen Blöcke von Skulpturen

---

27 Dies wäre nun die Einlösung der im Titel versprochenen Relation ‚Keats und der Parnasse'. Zu Keats' „entschiedener Zurückweisung der Ichbezogenheit der Kunst" siehe nochmals Müller. „Das Problem der Subjektivität" (wie Anm. 10). S. 146. Die hier suggerierte Nähe des Keats'schen Projekts zur Lyrik des französischen Parnasse ist so anachronistisch nicht, wie dies auf den ersten Blick erscheinen mag; zur Belegbarkeit parnassischer Theoriebildung bis zurück in das zweite Jahrzehnt des 19. Jahrhunderts, also die Entstehungszeit der „Elgin Marbles", siehe die vornehmlich auf die französische Kant-Rezeption rekurrierenden Ausführungen bei Stefan Hartung. „Victor Cousins ästhetische Theorie. Eine nur relative Autonomie des Schönen und ihre Rezeption durch Baudelaire". *Zeitschrift für Französische Sprache und Literatur* 107 (1997): S. 173-213 (für einen expliziten Beleg des *„l'art pour l'art"*-Prinzips aus dem Jahr 1819 vgl. S. 194, Anm. 114); für eine Rekonstruktion der Poetik parnassischen Dichtens siehe die großangelegte, auch die gesamte Vorgeschichte nachzeichnende Studie von Anne Hofmann. *Parnassische Theoriebildung und romantische Tradition. Mimesis im Fokus der ästhetischen Diskussion und die ‚Konkurrenz' der Paradigmen in der zweiten Hälfte des 19. Jahrhunderts. Ein Beitrag zur Bestimmung des Parnasse-Begriffs aus dem Selbstverständnis der Epoche.* Stuttgart: Steiner, 2001.

28 Zit. n. Webb. „Romantic Hellenism" (wie Anm. 1). S. 164.

29 Für eine Darstellung der architektonischen Gegebenheiten des Frieses im Rahmen antiken Tempelbaus siehe Walter-Herwig Schuchhardt. *Griechische Kunst*. Belser Stilgeschichte 2. München: dtv, 1978. S. 150-185; für eine nach wie vor erhellende kunsthistorische Beschreibung der Epoche und ihrer Kunst siehe E. H. Gombrich. *Die Geschichte der Kunst*. Frankfurt/M.: Fischer, ¹⁶1996, S. 75-115.

suggerieren einen ‚prosa'haften Zusammenhalt des Inhalts, welchen sie selbst als
Fragmente jedoch nicht einzulösen vermögen. Was die inszenierte Strukturho-
mologie mithin thematisiert, ist nicht so sehr den Inhalt des Frieses, sondern
seine aus den syntaktischen Blöcken herausgetriebene Wirkung: Ohnmacht,
Erschütterung, gleichermaßen gelähmte wie in Bann schlagende Faszination.
Auf den ersten Block des Schwächeeingeständnisses folgt nach dem trennend-
verbindenden Gedankenstrich als zweiter Block dessen erweiterte Begründung
in der Sterblichkeit des wahrnehmenden Subjekts (‚mortality/ Weighs heavily on me‘₁f), die sich sodann in kontinuierlich-additiver Reihung (‚And‘₃) in
einem gewähnten dritten Block über die strukturell gebotene Quartettgrenze
hinaus verlängert findet in dem über das Enjambement angeschlossene, Größe
und Scheitern in eins setzenden Bild vom Dichter als durch das Geschaute ein-
geschüchtertem, flugunfähigem Adler (‚Like a sick Eagle looking at the sky‘₅),
wodurch sich die in drei Blöcken artikulierte syntaktische Einheit des ersten
Quartetts argumentativ-semantisch um eine Zeile verlängert und die des zweiten um eine Zeile verkürzt. Davon setzt sich der mögliche vierte Block mit dem
adversativen Konnektor ‚Yet‘₆ dergestalt als Trostbewegung ab, als das in der
Sterblichkeit begründete Sprecherscheitern nunmehr semantisch umgewertet
wird in eine gleichwohl positiv gewendete ‚gentle luxury‘₆, welche dem Sprecher
als Betrachter eine zumindest ahnende Teilhabe bekundet, die sich im direkten
Anschluss durch den Auftakt des ersten Terzetts (‚Such‘₉) in einem potentiellen
fünften Block schlussfolgernd bestätigt findet als, wenn auch ‚dim-conceivèd‘₉,
so immerhin doch ‚glories of the brain‘₉ mit dem ambivalenten Effekt innerer
Spaltung und Zerrissenheit (‚round the heart an undescribable feud‘₁₀), um
schließlich in einem sechsten Block in Missachtung der Terzettgrenzen, aber
konsekutiver Wiederaufnahme eines weiteren Bestätigungskonnektors (‚So‘₁₁)
nochmals bekräftigt zu werden als diffus schmerzauslösende, dem Herzen
gewissermaßen einen erneuten ‚Stich‘ gebende Entzugserfahrung (‚a most dizzy
pain‘₁₁) einer in sich widersprüchlichen Mischung (‚mingles‘₁₂) aus zugleich
Ewigkeit (‚these wonders‘₁₁; ‚Grecian grandeur‘₁₂) und Vergänglichkeit (‚with
the rude/ Wasting of old Time‘₁₂f).[30]

Dieser Aufbau von sechs Blöcken mit überwältigender, gleichwohl unnenn-
barer Wirkung mündet zum Schluss kyklisch in die Wiederaufnahme einer
erneut von Gedankenstrichen geprägten fragmenthaften Zerreissung der Syntax
in drei weitere für sich stehende, rästelhaft isolierte Syntagmen, die noch einmal die paradoxale Verschränkung von Unendlichkeit und Zeitlichkeit in drei
scheinbar disparaten Bildern blockhaft aufrufen: als auf ewig auswaschendes
Meer (‚with a billowy main‘₁₃); als unerschöpflich niedersengende Sonne (‚A
sun‘₁₄); als gleichwohl verbleibender Schattenwurf geahnter einstiger Größe (‚a

---

30 Der konstruktive Bau des Textfrieses ruht mithin zum großen Teil auf den Gelenk-
    stellen der nicht umsonst rhetorisch argumentativ, aber eben auch vorwiegend
    syntaktisch verknüpfend jeweils am Versbeginn eingesetzten Konnektoren ‚And‘₃,
    ‚Yet‘₆, ‚Such‘₉ und ‚So‘₁₁; zu Funktion und Strukturen von Konnektoren im Engli-
    schen siehe ausführlich Ursula Lenker. *Argument and Rhetoric. Adverbial Connectors
    in the History of English*. Berlin/New York: de Gruyter Mouton, 2010.

shadow of a magnitude'14).[31] Hierin zeigt sich erneut die Absage an die Mimesis; dem Text geht es nicht um die nochmalige Abbildung der Darstellungen des Frieses – davon erfahren wir so gut wie nichts –, sondern es geht ihm, mag man dies im Detail so nachvollziehen wollen oder nicht, allgemein um den das Architektonische ins Textuelle transponierenden Bau des Frieses im Sonett: er repräsentiert nicht ekphrastisch eine visuelle Repräsentation, sei es gedoppelt oder sekundär, noch einmal im Gedicht, sondern präsentiert in einer *transposition d'art* das Sonett altermedial simulierend so, als wäre es ein Fries.[32] Hierüber aber gelingt nunmehr auf syntaktischer Ebene dem Text, woran sein Sprecher auf pragmatischer scheinbar scheitert: statt der vergeblichen Bemühung, das, was allemal ‚undescribable' verbleibt, über einen Akt der Deskription mimetisch in Worte zu fassen, stellt er das Unfassliche ohne Darstellungsnot über einen performativen Akt der Transposition textuell vor Augen stellend *her*. Dies wäre nochmalig der Gestus des ‚Hereinholens von Ausgegrenztem', einer im Warning'schen Sinne mit einem unerwarteten anthropologischen Dimensionsgewinn verbundenen ‚Positivierung von Negativität'[33], nunmehr aber nicht mehr objekt- oder auch in Steigerung subjektbezogen thematisch, sondern im radikalen Sinne strukturell. Statt mittelbarer Gegenstandsmimesis betreibt Keats' Sonett unmittelbare Medienperformanz.

5.

Der hier unternommene Versuch, das Keats'sche Sonett der „Elgin Marbles" intermedial zu lesen, lässt es potentiell erscheinen als medienbewusste Transposition eines fragmentarischen Frieses aus dem distinkten Medium der Architektur ins distinkte Medium der Literatur. Damit erwiese sich das Gedicht – ähnlich der in etwa zeitgleichen „Ode on a Grecian Urn" oder auch Shelleys „Ozymandias" – nicht so sehr verankert in der romantischen Tradition emphatisch-subjektiver Gegenstandsfeier denn bereits vorausweisend in einer ‚proto-parnassischen' medienvergleichenden Medienperformanz; es wäre Indiz für den

---

31 Für eine Vorgeschichte des Gedankenstrichs als non-verbaler Ausdruck für verbal Nicht-Ausdrückbares siehe die Untersuchung von Martina Michelsen. *Weg vom Wort – zum Gedankenstrich. Zur stilistischen Funktion eines Satzzeichens in der englischen Literatur des 17. und 18. Jahrhunderts*. München: W. Fink, 1993; für einen Ausblick auf die Folgezeit siehe v. a. S. 254-265. Dass die syntaktische Fragmentarisierung des Sonetts eine eigens für diesen Text so konzipierte ist, verdeutlicht zudem ein Blick auf die zwar auch mit – weitgehend aposiopetischen – Gedankenstrichen arbeitende, doch insgesamt wesentlich traditionellere, weil bruchlose syntaktische Gestaltung des lediglich eine erläuternde Erklärung liefernden Begleitsonetts.

32 Dies ist ein anderes ‚Als-Ob' als das des Pikturalismus; tut der pikturalistische Text so, als sei sein Gegenstand nicht ein natürlicher wie etwa eine Landschaft, sondern selbst schon ein Kunstwerk wie etwa ein Gemälde, so bezieht sich das Als-Ob im Fall der Artefakttransposition nicht auf die Simulation des Gegenstands (Natur, als wäre sie Kunst), sondern auf die Simulation der Medialität (Text, als wäre er Architektur).

33 Siehe nochmal oben Anm. 16.

entscheidenden Paradigmenwechsel in der Lyrik des 19. Jahrhunderts als einem zunehmend text- und konstruktionsbewussten Ausstieg aus der Mimesis. Auf diese Weise sind Keats' parnassische „Elgin Marbles" wie ein erster Schritt zur Entromantisierung der Romantik auf ihrem Weg des Aufbruchs zur Moderne.[34]

---

34 Zur Formel von der Moderne als „entromantisierte Romantik" siehe Hugo Friedrich. *Die Struktur der modernen Lyrik. Von der Mitte des neunzehnten bis zur Mitte des zwanzigsten Jahrhunderts. Erweiterte Neuausgabe.* Hamburg: Rowohlt, ⁹1979. S. 58; für eine umfassende Diskussion der Romantik als einer ambivalenten Epoche zukunftsweisenden Aufbruchs siehe den Band *Romantik. Aufbruch zur Moderne.* Hg. Karl Maurer/Winfried Wehle. München: W. Fink, 1991.

Monika Class (Mainz)

Einblicke in die medialen Zwischenräume von *Wide Sargasso Sea*

Wide Sargasso Sea (*Die weite Sargassosee*) legt Leserinnen und Lesern nahe, den verbalen Text zu visualisieren.[1] Vor dem inneren Auge der Leserinnen und Leser erscheint Antoinette, Tochter des verstorbenen Sklavenhalters Cosway, die sich auf der verwilderten Zuckerplantage Coulibri lieber die Beine am Messergras zerschneidet, als in der Gesellschaft Gleichaltriger beschimpft und beleidigt zu werden.[2] Bildlichkeit wie diese regt an zur Hinterfragung hegemonialer Strukturen von Zentrum und Peripherie, Eigen und Fremd, Täter und Opfer. Denn der Roman richtet die visuelle Vorstellung der Leserinnen und Leser auf komplexe Signifikationsprozesse, die über binäre Oppositionspaare hinauslaufen und zwar auf ein räumlich-zeitliches Zwischenstadium, welches im Sinne von Homi K. Bhabhas Theorie sowohl Identität wie Differenz, Vergangenheit wie Gegenwart, Innen wie Außen, Einbeziehung wie Ausgrenzung stiftet.[3]

Der 1966 erschienene Roman der anglo-karibischen Autorin Jean Rhys gilt als Wegbereiter für (post-)moderne und postkoloniale Literatur. Darin verlagert Rhys die Vorgeschichte von Charlotte Brontës *Jane Eyre* in die Karibik in der Zeit nach der Abschaffung der Sklaverei im Britischen Weltreich (1832). Erzählt werden zwei der drei Teile des Romans aus der Perspektive der angeblich verrückten, karibischen Gefangenen auf Brontës fiktivem Dachboden des englischen Herrenhauses Thornfield. *Wide Sargasso Sea* stellt Brontës Nebenfigur ins Zentrum der Handlung und erzählt, wie das vitale Mädchen Antoinette Cosway in die gespensterhafte Bertha Mason degeneriert. Der zweite Teil fokalisiert durch die sogenannte „Rochesterfigur". Die koloniale Sichtweise dieser Figur vermittelt der Leserschaft vor allem die äußere Verwandlung Antoinettes. Dabei handelt es sich um den mittellosen englischen Aristokraten, an den der Stiefvater (Mr. Mason) Antoinette für eine Mitgift von 30 000 Pfund Sterling verschachert. Dieser Engländer ähnelt Rochester in *Jane Eyre* und bleibt bezeichnenderweise namenlos, denn diese Namenlosigkeit unterbindet sowohl den Erhalt des Patronyms wie auch seine Individualität.[4] Somit setzt sich *Wide Sargasso Sea* kritisch mit *Jane Eyre* auseinander. Seit den 1980er Jahren zählt *Wide Sargasso Sea* deswegen auch als wichtiger Beitrag zur feministischen

---

1 Visualisierung bezeichnet hier die Produktion visueller Vorstellungen durch den Leseprozess. Vgl. Renate Brosch. „Experiencing Narratives: Default and Vivid Modes of Visualization." *Poetics Today* 38.2 (2017): S. 255-72, S. 256.

2 Vgl. Jean Rhys. *Wide Sargasso Sea*. Hg. Judith Raiskin. New York: Norton Critical Editions, (1966) 1999, S. 16.

3 Vgl. Homi K Bhabha. *Die Verortung der Kultur*. Übersetz. Michael Schiffmann und Jürgen Freudl. Studien zur Inter- und Multikultur. Hg. Elisabeth Bronfen et. al. Tübingen: Stauffenburg, 2000, S. 27.

4 Vgl. Gayatri Chakravorty Spivak. "Three Women's Texts and a Critique of Imperialism." *Critical Inquiry* 2.1 (1985): S. 243-61, S. 252.

Literatur.[5] Entscheidend für die Anknüpfung der feministischen an die post-koloniale Rezeption von *Wide Sargasso Sea* war die Intervention von Gayatri C. Spivak, die ein einflussreiches Korrektiv zu Gilberts und Gubars *Madwo-man in the Attic* bot.[6] Durch den expliziten Bezug auf *Wide Sargasso Sea* wurde Spivaks Aufsatz „Three Women's Texts" richtungsweisend für Brontëstudien: Diese setzen sich seither intensiv mit der Kolonialvergangenheit des britischen Weltreichs und Sklaverei auseinander. In der Tat scheint es, als ob anglophone Studien die Werke Brontës in den letzten Jahren teilweise durch die Linse von *Wide Sargasso Sea* läsen.[7] Wie Helen Tiffin betont, ist Rhys' Roman maßge-bend für ein dynamisches Rezeptionsmodell. Tiffin nennt es den „kanonischen Gegendiskurs" (canonical counter-discourse).[8] Dieser verbindet Ablehnung mit Anlehnung, reflektiert die eigene Position kritisch und entwickelt sie weiter. Diese rezipierende wie emanzipatorische Dynamik trifft auch auf das Verhältnis der Kopräsenz von Bild und Text in *Jane Eyre* und *Wide Sargasso Sea* zu. Besteht doch auch ein Wesensmerkmal der viktorianischen Vorlage bekanntermaßen aus einem bildlichen Erzählverfahren: Die Wirkung von *Jane Eyre* hängt haupt-sächlich von den Assoziationen der Rezipientinnen und Rezipienten ab, das heißt nicht von der „mechanischen Zusammensetzung" der Handlung, sondern von „Bildlichkeit und Symbolismus".[9] *Wide Sargasso Sea* setzt sich vor allem mit dem rassistischen Vermächtnis von Brontës Bestialisierung der karibischen Fremden Bertha Mason auseinander und entwickelt dabei eigene medienrefle-xive Verfahren.[10]

Dieser Aufsatz untersucht die Frage, welche Rolle die verdeckte Kopräsenz visueller Medien in Rhys' Roman bei der zunehmenden Desorientierung und De-plazierung der Hauptfigur spielt. Mithin nimmt sich dieser Aufsatz vor zu zeigen, wie mediale Spannungsfelder zwischen Text und Bild in *Wide Sargasso*

---

5   Vgl. Liedeke Plate. *Transforming Memories in Contemporary Women's Rewriting.* Basingstoke: Palgrave Macmillan, 2011, S. 114 und Cristina-Georgiana Voicu. *Exploring Cultural Identities in Jean Rhys' Fiction.* Berlin: De Gruyter, 2014, S. 74.

6   Vgl. Spivak, S. 248 und Sandra M. Gilbert und Susan Gubar. *The Madwoman in the Attic: The Woman Writer and the Nineteenth-century Literary Imagination.* 2. Aufl. New Haven: Yale University Press, (1979) 2000, S. 336-72.

7   Vgl. Susan Meyer. *Imperialism at Home: Race and Victorian Women's Fiction.* Lon-don: Cornell University Press, 1996; Carol Margaret Davison. „Burning Down the Master's (Prison)-House: Revolution and Revelation in Colonial and Postcolonial Female Gothic." *Empire and the Gothic: The Politics of Genre.* Hg. Andrew Smith und William Hughes. Basingstoke: Palgrave Macmillan, 2003. S. 136-54; Julia Sun-Joo Lee. „The (Slave) Narrative of ,Jane Eyre'." *Victorian Literature and Culture* 36.2 (2008): S. 317-29 und Patricia McKee. „Racial Strategies in *Jane Eyre*." *Victorian Literature and Culture* 37.1 (2009): S. 67-83.

8   Helen Tiffin. „Post-Colonial Literatures and Counter-Discourse." *Kunapipi* 9.3 (1987): S. 17-34, S. 17.

9   Meine Übersetzung von Queenie Dorothy Leavis zitiert in Davison, S. 139.

10 Vgl. „But I [Jean Rhys], reading it [*Jane Eyre*] later, and often, was vexed at her por-trait of the ,paper tiger' lunatic, the all wrong creole scenes, and above all by the real cruelty of Mr Rochester." Rhys' Brief an Mr Windham vom 14. April 1964 in Rhys, S. 139.

Sea die Grenzen aufrührerischer und dazwischen liegender Existenzen reflektieren.[11] Konkret erzeugt der Roman eine Innen- und Außensicht von Antoinettes Metamorphose. Rhys' medienreflexive Verfahren in *Wide Sargasso Sea*, so lautet die These, versinnbildlichen Antoinettes leiblichen Zerfall. Obwohl verbale Texte eigentlich die Wesenseigenschaft des Leibs nicht fassen können[12], vermag *Wide Sargasso Sea* mit Hilfe von verdeckter Intermedialität (von Bild und Wort) in der wechselnd homodiegetischen Erzählung das leibliche Erleben Antoinettes in der Form ihres zunehmenden Wahrnehmungs- und Sichtbarkeitsverlusts zu evozieren.[13] Das Spannungsverhältnis von Bild und Wort im Roman legt den Leserinnen und Lesern im Zuge dieser ästhetischen Psychologisierung eine stete Weiterdifferenzierung nahe, welche Ambiguität vor Eindeutigkeit und Dissens vor Konsens setzt.

Die *postcolonial studies* haben sich bisher bezüglich der ikonischen Dimension in Rhys' Werken entweder auf die Konstruktion des räumlichen Heims[14] oder auf die Verortung karibischer Tropen konzentriert.[15] Diese Zusammenhänge im Einzelwerk *Wide Sargasso Sea* unter dem Gesichtspunkt der verdeckten Intermedialität zu erschließen, blieb bisher noch aus, obwohl das heterogene Feld der Intermedialität ein besonders „vielsprechendes und belebendes" Forschungsgebiet der *postcolonial studies* darstellt.[16] Aus den Synergien der Theoreme von *postcolonial studies* und Intermedialität ergeben sich nämlich Einblicke in die unausgesprochenen und unsichtbaren Erfahrungen von Frauen und ethnischen Minderheiten, die *Wide Sargasso Sea* vermittelt und politisiert. Diese Komplementarität von Intermedialitätsforschung und *postcolonial studies* beruht beidseitig auf einem gewissen Maß an begrifflicher Durchlässigkeit. Die Begriffe

---

11 Vgl. Bhabha, S. 27.

12 Vgl. David Hillman und Ulrika Maude. „Introduction." *The Cambridge Companion to the Body in Literature*. Hg. David Hillman und Ulrika Maude. Cambridge Companions to Literature. Cambridge: Cambridge University Press, 2015. S. 1-9, S. 6.

13 Vgl. Maurice Merleau-Ponty. *Das Auge und der Geist: Philosophische Essays*. Übersetz. Hans Werner Arndt. Philosophische Bibliothek 530. Hg. Hans Werner Arndt. Hamburg: Felix Meiner, 1984, S. 16.

14 Vgl. Erica L. Johnson. *Home, Maison, Casa: The Politics of Location in Works by Jean Rhys, Marguerite Duras, and Erminia Dell'oro*. Madison, [N. J.]: Fairleigh Dickinson University Press, 2003 und Lauren Elkin. „The Room and the Street: Gwen John's and Jean Rhys's Insider/Outsider Modernism." *Women: A Cultural Review* 27.3 (2016): S. 239-64.

15 Vgl. Mary Lou Emery. „On the Veranda: Jean Rhys's Material Modernism."*Jean Rhys: Twenty-First-Century Approaches*. Hg. Johnson, Erica L. und Patricia Moran. Edinburgh: Edinburgh University Press, 2015. S. 59-82; Dies. „Refiguring the Postcolonial Imagination: Tropes of Visuality in Writing by Rhys, Kincaid, and Cliff." *Tulsa Studies in Women's Literature* 16.2 (1997): S. 259-80; Dies. *Jean Rhys at „World's End": Novels of Colonial and Sexual Exile*. Austin: University of Texas Press, 1990 und Dies. *Modernism, the Visual, and Caribbean Literature*. Cambridge: Cambridge University Press, 2007.

16 Meine Übersetzung von Birgit Neumann. „Intermedial Negotiations: Postcolonial Literatures." *Handbook of Intermediality: Literature – Image – Sound – Music*. Hg. Gabriele Rippl. Berlin: De Gruyter, 2015. S. 512-29, S. 512.

„Differenz", „Grenze" und „Zwischenraum" stellen den gemeinsamen Nenner von Bhabhas postkolonialer Perspektive und Intermedialität dar. Wird Intermedialität doch gemeinhin als Zwischenspiel „mindestens zweier konventionell als distinkt angesehener Ausdrucks- oder Kommunikationsmedien" definiert.[17] Aber dieser gemeinsame Ausgangspunkt ist eben, wie der marxistisch orientierte Postkolonialismus bemängelt[18], historisch nicht besonders konkret, sondern vor allem bildlich, übertragbar und elastisch. Laut Bhabha ist die „Differenz [...] ein unumgänglicher Ort der Mitte", und „die Grenze [der] Ort, von woher etwas *sein* Wesen beginnt".[19] Bhabhas theoretisches Engagement setzt bei der Entstehung von „Zwischenräumen" an, das heißt dem „Überlappen und De-plazieren (displacement) von Differenzbereichen".[20] Begrifflichkeiten wie diese fallen in *Die Verortung der Kultur* immer wieder auf die Bildlichkeit der Sprache zur Veranschaulichung abstrakter Zusammenhänge zurück, wenn von „Treppenhaus" (S. 5), „Brücke" (S. 7), „Zwischenraum" (S. 10), der „dritte Raum" (S. 56), „Dazwischen" (S. 185), „Grenzen" (S. 278) und „De-plazierung" (S. 324) die Rede ist. Diese Formulierungen haben einerseits den von Bhabha betonten Vorteil, globale Aussagen angesichts historischer Besonderheiten und kultureller Verschiedenheit zu vermeiden (S. 15).[21] Andererseits sind Bhabhas Formulierungen einer gewissen Vorläufigkeit verhaftet, wie Endre Hars bemerkt: „Bhabhas Nennungen erfassen etwas vom Sachverhalt, treffen ihn aber nicht mit Sicherheit. Die Sache selbst bleibt ein Versprechen der Bilder, die sich zwanghaft wiederholen, weil sie letztendlich immer leer ausgehen".[22] Das „Dazwischen" und die damit einhergehende Tendenz zu offenen Modellen und Entgrenzung scheint somit ebenso wichtig für Bhabhas Theorie wie für die Intermedialitätsforschung.[23] Darüber hinaus bietet die Auffächerung der Medienspezifik eine Handhabe für die im verbalen Text verdeckte Dynamik von Wort und Bild in Rhys' Roman.[24]

Die Beziehung zwischen Text und Bild stellt ein umfangreiches Feld der Intermedialitätsforschung dar. Ekphrasis spielt darin eine zentrale Rolle und ist seit den 1960er Jahren Gegenstand intensiver Studien.[25] Im enggefassten

---

17 Werner Wolf. „Intermedialität." *Metzler Lexikon Literatur- und Kulturtheorie.* Hg. Ansgar Nünning. Stuttgart: Metzler, 2001. S. 284-85.

18 Vgl. Benita Parry. *Postcolonial Studies: A Materialist Critique.* London: Routledge, 2004, S. 3 und Richard Brock. „Framing Theory: Toward an Ekphrastic Postcolonial Methodology." *Cultural Critique* 77 (2011): S. 102-45, S. 112.

19 Bhabha, S. xi.

20 Bhabha, S. 2.

21 Die eingeklammerten Seitenzahlen beziehen sich jeweils auf Bhabha.

22 Endre Hars. „Postkolonialismus – Nur Arbeit am Text?" *Arcadia* 39.1 (2004): 121-35, S. 124.

23 Vgl. Neumann, S. 514 und Jörg Robert. *Einführung in die Intermedialität.* Darmstadt: WBG, 2014, S. 75.

24 Vgl. Robert, S. 27-28 und Werner Wolf. *The Musicalization of Fiction: A Study in the Theory and History of Intermediality.* Amsterdam: Rodopi, 1999, S. 42-43.

25 Zur Entwicklung seit 1967 und dem neuesten Stand der Forschung über Ekphrasis siehe: James A. W. Heffernan. „Ekphrasis: Theory." *Handbook of Intermediality.* Hg. Rippl, S. 35-49.

Sinne bezeichnet das Lexem „Ekphrasis" die (verbale) Beschreibung von realen oder imaginären Gemälden, Zeichnungen, Fotographien und Skulpturen.[26] In diesem Sinne wird Ekphrasis auch als verbale Repräsentation einer visuellen Repräsentation definiert[27], während andere von *„jegliche[r] verbale[n] Äuße-rung über ein Kunstwerk"* sprechen.[28] Die enorme technologische Wandlungs-fähigkeit optischer Medien, gerade des Films, bringt eine intermediale Ent-wicklung mit sich, an die der gegenwärtige Aufsatz im letzten Teil anknüpft. Wesentlich für die Analyse ist die Annahme, dass Ekphrasis „immer das eigene wie das fremde ‚Repräsentations'-Medium (d.h. Bilder)" reflektiert.[29] In die-sem Sinne geht Rhys explorativ mit Ekphrasis um, bindet sie doch diese Art der Beschreibung in ein visuelles Assoziationsgeflecht ein. Gleichwohl mag Antoi-nettes Beschreibung von John Alfred Vinters Gemälde „The Miller's Daughter" (1859) zunächst als klassische Ekphrasis eines reellen Kunstwerks anmuten.[30]

Am Abend des Brandanschlags sitzt Antoinette mit ihrer Mutter und dem Stiefvater, Mr. Mason, im Herrenhaus der karibischen Plantage beim typisch eng-lischen Dinner.[31] Dabei betrachtet sie ihr Lieblingsgemälde. Antoinette kommt hier die interne Fokalisierungsinstanz im Rahmen ihrer homodiegetischen Erzählweise zu. Es folgt eine Ekphrasis des Gemäldes „Die Müllerstochter".[32] Antoinette beschreibt ein „liebliches englisches Mädchen" mit „brünetten Locken", „blauen Augen" und „einem Kleid, das ihr von den Schultern gleitet".[33]

26　Vgl. Gabriele Rippl. „Introduction." *Handbook of Intermediality.* Hg. Dies., S. 1-31, S. 3; Gabriele Rippl. *Beschreibungs-Kunst: Zur Intermedialen Poetik Anglo-Ame-rikanischer Iconotexte (1880-2000).* Iconotexte. München: Wilhelm Fink, 2005, S. 56-100; Sylvia Karastathi. „Ekphrasis and the Novel/Narrative Fiction." *Hand-book of Intermediality.* Hg. Rippl, S. 92-112, S. 94 und Sandra Poppe. *Visualität in der Literatur und Film: Eine Medienkomparatistische Untersuchung Moderner Erzähltexte und Ihrer Verfilmungen.* Göttingen: Vanderhoeck & Ruprecht, 2007, S. 50-51.

27　Vgl. James A. W. Heffernan. *Museum of Words: The Poetics of Ekphrasis from Homer to Ashbery.* Chicago: University of Chicago Press, 1993, S. 3.

28　Peter Wagner zitiert in Irina O. Rajewsky. *Intermedialität.* Tübingen, Basel: A. Fran-cke, 2002, S. 196. Die Ausweitung der Ekphrasis auf Beschreibungen von Musik sind kein Bestandteil dieser Arbeit.

29　Rippl *Iconotexte*, S. 97.

30　John Alfred Vinter. „The Miller's Daughter, from Tennyson". 1859, 28 Feb 2018 http://www.wolverhamptonart.org.uk/collections/getrecord/WAGMU_OP190.

31　Nach der Abschaffung der Sklaverei im Britischen Weltreich (1833) befindet sich das soziale Umfeld der Plantage Coulibri im Umbruch; nach dem Tod ihres Vaters, des Plantagenbesitzers Cosway, ist die Lage von Antoinettes Familie, ihrer Mutter Annette, dem kleinen Bruder Pierre und ihrer loyalen Angestellten Christophine prekär. Annette wendet Elend und Armut vorläufig durch ihre Heirat mit dem Eng-länder Mr. Mason ab. Masons Übernahme von Coulibri führt zur imperialen Rück-versetzung, einer Sanierung des Geländes, neuen Bediensteten, und dem geplanten Import asiatischer Arbeitskräfte. Dies schürt den Hass der ehemals versklavten Arbeiter, doch Mason ignoriert die Warnungen seiner Frau Annette.

32　Meine Übersetzung von Rhys, S. 21.

33　Meine Übersetzung von Rhys, S. 21.

Das Attribut „englisch" zeigt an, dass diese Ikone weiblicher Schönheit ein fester Bestandteil von englischer Identität für Antoinette darstellt. Ihre Ekphrasis bezieht sich wie erwähnt auf Vinters Gemälde „The Miller's Daughter". Der
Künstler übersetzte damit das 1832 unter demselben Titel erschienene Liebes-
gedicht von Alfred Lord Tennyson in Malerei.[34] In Tennysons Gedicht erzählt
der männliche, sozial privilegierte Sprecher wie er die schöne Alice, ein Mädchen aus einfachem Hause, umwarb und trotz des Klassenunterschieds heiratete.
Das Gedicht stilisiert Alice zum viktorianischen Engel des Hauses, das heißt
eines typisch englischen Hauses, vor einer idyllischen, vorindustriell-ländlichen
Kulisse. In Vinters Ölgemälde sitzt der Verehrer, der in Tennysons Gedicht
spricht, neben der jungen Frau. Im Gegensatz zum Gedicht werden die ehren-
haften Absichten des Verehrers im Gemälde nicht klar. Die entblößte Schulter
als Zeichen der Sinnlichkeit versetzt die junge Frau im Gemälde in eine Schwebe
zwischen zukünftiger Ehefrau und momentaner Geliebten, zwischen sozialem
Aufstieg und Fall. In Rhys' Ekphrasis, Vinters Malerei wie Tennysons Gedicht
liegt die Entscheidung über dieses weibliche Schicksal in männlichen Händen
(Mr. Masons, des Verehrers und des Erzählers). Text wie Bild sind patriarchal
geprägt und reflektieren das Ungleichgewicht der Geschlechterrollen, sei es kritisch (Rhys) oder konform (Vinter und Tennyson). Dadurch entsteht ein mediales Spannungsfeld, in dem sich die verschiedenen Parteien gegenseitig bedingen,
aber weder ein mimetisches noch einseitig derivatives Verhältnis zutrifft. Diese
Tendenz haben Intermedialität von Text und Bild und Intertextualität in *Wide
Sargasso Sea* gemeinsam. Man betrachte beispielsweise die Ordnung der Erzählung und der erzählten Zeit in *Wide Sargasso Sea*: Zwar ist *Jane Eyre* (1847) vor
Wide Sargasso Sea (1966) erschienen, aber die Modifizierung der Zeitlichkeit
in *Wide Sargasso Sea* stellt eine einseitige Abhängigkeit ebenso in Frage wie die
Ekphrasis von Vinters Gemälde der Müllerstochter eine Dependenz der literarischen Visualisierung von real existierender Malerei anzweifelt. *Wide Sargasso
Sea* und *Jane Eyre* setzen sich von der Chronologie des Stoffs durch analeptische
Einschübe ab. Gerade Rochesters rückblickendes Geständnis bietet den tempo-
ralen Anknüpfungspunkt für *Wide Sargasso Sea*.[35] Somit schafft eine Anachronie
in *Jane Eyre* den zeitlichen Ausgangspunkt für *Wide Sargasso Sea*. Rhys Roman
untergräbt somit die Chronologie der erzählten Zeit. Zwar liefert *Wide Sargasso Sea* eigentlich die Vorgeschichte von *Jane Eyre*, doch die erzählte Zeit
von Rhys' Roman liegt danach: So entsteht die paradoxe Situation, in der die
Geschichte, die sich nach 1833 zuträgt, vor der Zeitspanne zwischen 1798 bis
1818 (der erzählten Zeit von *Jane Eyre*) angesiedelt ist.[36] Damit unterbindet

---

34 Vgl. Alfred Tennyson. „The Miller's Daughter." *The Works of Tennyson: The Eversley
    Edition Annotated by Alfred, Lord Tennyson.* Hg. Hallam Tennyson. London: Mac-
    millan, 1907. S. 146-55.
35 Vgl. Charlotte Brontë. *Jane Eyre: An Autobiography.* Hg. Deborah Lutz. A Norton
    Critical Edition 4. Aufl. New York: W. W. Norton, 2016 (1971), S. 268-78.
36 Vgl. Barbara Aritzi. „The Future That Has Happened: Narrative Freedom and *Déjà
    lu* in Jean Rhys's *Wide Sargasso Sea.*" *A Breath of Fresh Eyre: Intertextual and Interme-
    dial Reworkings of Jane Eyre.* Hg. Margarete Rubik und Elke Mettinger-Schartmann.
    Amsterdam: Rodopi, 2007. S. 39-48, S. 40-45.

Rhys auch auf intertextueller Ebene Fragen nach einseitiger Derivation und setzt stattdessen auf fortwährende Wechselwirkung. Dementsprechend ist auch Antoinettes Ekphrasis von Vinters Gemälde Teil eines andauernden medialen Übersetzungsprozesses von Wort und Bild. Die Beschreibung appelliert dadurch indirekt an die Leserschaft des Romans: Erstens, die bildende Kunst nicht als mimetisches Abbild der Natur oder „natürliches Zeichen" zu verstehen; zweitens, von der Paragone und den damit einhergehenden Vormachtansprüchen abzusehen und stattdessen das Wechselspiel von Wort und Bild vorauszusetzen. Die Betonung der Arbitrarität verbaler wie visueller Zeichen impliziert somit sowohl die Auflösung einer medialen Vormacht wie auch die ekphrastische Teilhabe an sozialer Konstruktion und diskursiver Macht.[37]

Wenn nun Antoinette das Bildnis der Müllerin beschreibt, deutet dies zunächst auf eine Änderung der ekphrastischen Geschlechterhierarchie hin. Traditionell kommt das kommentierende Wort und damit die Subjektposition einem männlichen Betrachter zu, „während das weibliche Geschlecht durch das stumme Bildmedium symbolisiert ist und damit [...] ein[en] Objektstatus innehat".[38] Diese Umkehrung der Geschlechterrollen liegt bereits im dreizehnten Kapitel von *Jane Eyre* vor, in dem Jane sich selbstbewusst ihren Aquarellen zuwendet und die Rolle der Kunstkritikerin übernimmt: „I will tell you, reader, what they [the watercolours] are".[39] Im Gegensatz dazu beschreibt Antoinette die Abbildung eines weiblichen Körpers, welche metonymisch mit ihrer eigenen Körperlichkeit verbunden ist. Dass diese Ekphrasis den neben der Müllerin sitzenden Verehrer in Vinters Gemälde ausspart, ist ein Indiz für Antoinettes Verinnerlichung des männlichen Blicks. Die Anwesenheit des Verehrers scheint für sie so selbstverständlich wie der weibliche Objektstatus. Letzterer weist proleptisch auf Antoinettes eigene Kommodifizierung am Ende das ersten Teils hin, als sie gegen ihren Willen mit der Rochesterfigur verheiratet wird. Des Weiteren löst sich in Antoinettes Bewusstseinsstrom der Gemälderahmen auf und verschwimmt mit der Szene der beiden Erwachsenen am Esstisch:

> Then I looked across the white tablecloth and the vase of yellow roses at Mr Mason, so sure of himself, so without a doubt English. And at my mother, so without a doubt not English, but no white nigger either.[40]

Durch diese Entgrenzung der Ekphrasis bzw. der Ausdehnung der Betrachtung erweitert sich das Geschlechterverhältnis auf kulturelle und imperialistische Spannungen. So überträgt Antoinette nicht nur den Objektstatus der Müllerstochter und deren Abhängigkeit vom Verehrer auf die eigene Mutter: „she would have died ... if she had not met him"[41]; Antoinettes Gedankenstrom verbindet diese Szene auch mit der Frage nach ihrer kulturellen Zugehörigkeit, denn als

---

37 Emery „Refiguring", S. 263.
38 Rippl *Iconotexte,* S. 99.
39 Brontë, S. 115.
40 Rhys, S. 21.
41 Rhys, S. 21.

weiße Kreolin gehört Antoinette weder zur englischen Oberschicht noch zur afro-karibischen Bevölkerungsgruppe. Antoinettes afro-karibische Ziehmutter Christophine versucht der Rochesterfigur diesen Zwiespalt auf Patois zu erklären: „She is not *béké* [eine „weiße" Person] like you, but she is *béké*, and not like us either".[42] Überhaupt deutet Vinters Müllerstochter als Ikone englischer Schönheit auf eine Facette von Antoinettes Zwischenidentität hin. Verehrt Antoinette doch das Bild der Müllerstochter und verachtet die eigene Mutter, der sie äußerlich gleicht: „Not my mother. Never had been".[43] Lieber identifiziert sich Antoinette mit dem englischen Idol als mit der kreolischen Schönheit der Mutter. Diese Ablehnung richtet sich wohl auch gegen den eigenen Körper und scheint durch die äußerliche Diskrepanz zwischen Mutter und Müllerstochter motiviert. Antoinettes verborgenes Unbehagen wird durch die Farbgestaltung dieser Ekphrasis angedeutet. Sind die Farbbeschreibungen doch ausschließlich europäisch konnotiert: Die weiße Tischdecke und gelben Rosen untermauern das brünette Haar und die blauen Augen der Müllerstochter. Ähnlich wie in Brontë stellt also die Verbalisierung von Malerei auch in Rhys' *Wide Sargasso Sea* innere Zustände dar, die sonst im Verborgenen blieben.[44] Allerdings trifft die Beschreibung der Müllerin allein Antoinettes Innenleben nicht genau.

Die generelle Suggestion von Präsenz des Romans verstärkend, bildet die Ekphrasis von Vinters Gemälde einen retardierenden Moment vor dem Anschlag auf das Herrenhaus. Antoinette fühlt sich bei diesem Abendessen ausnahmsweise sicher, doch sie liegt damit falsch. Ihr innerer Monolog vermittelt der Leserschaft den spontanen, kindlichen Gedanken, Mr. Mason habe ihr, ihrer Mutter und ihrem Bruder das Leben gerettet.[45] Tatsächlich führt Mason aber deren Tod unwissentlich herbei, indem er Annette die rechtzeitige Flucht von der Plantage Coulibri untersagt. Außerdem besteht für Antoinette auf Coulibri von jeher eine unterschwellige Bedrohung, denn als Tochter des verstorbenen Plantagenbesitzers Cosway, der seine versklavten Arbeiter ausbeutete und die Frauen darunter sexuell missbrauchte, ist sie von klein auf der Gefahr von Übergriffen ausgesetzt. Die meisten der ehemals versklavten Bewohner von Coulibri beschimpfen sie als „weiße Kakerlake".[46] Aus diesem Grund verbringt Antoinette ihre Freizeit lieber an einem einsamen Ort der Plantage inmitten von Messergras, welches ihr die Beine aufritzt. Antoinettes zerschnittener Haut kommt sowohl kulturelle wie psychoanalytische Bedeutung zu. Sie deutet metonymisch auf die historische Diskrepanz zwischen der aufklärerischen Humanisierung der Strafen im Zuge der Disziplinierung des Körpers in Europa und der Normalität von martialischen Bestrafungen in der Sklavenhaltung in der Karibik und anderen Kolonien hin.[47] Außerdem weist Antoinettes zerlöcherte Haut auf eine

---

42 Rhys, S. 93.
43 Rhys, S. 21.
44 Vgl. Karastathi, S. 101.
45 Vgl. Rhys, S. 21.
46 Rhys, S. 13.
47 Vgl. Claudia Benthien. *Haut Literaturgeschichte, Körperbilder, Grenzdiskurse.* Reinbek bei Hamburg: Rowohlt Taschenbuch, 1999, S. 92 und Michel Foucault.

diffuse, anhaltende und auf vielen Stellen verteilte Angst hin, die sich weder verorten noch umfassen lässt.[48]

Der Aufstand auf Coulibri traumatisiert Antoinette. Sie verliert den Bruder Pierre und die Mutter; sie selbst wird schwer verwundet. Ihre einzige afro-karibische Spielgefährtin Tia wirft ihr einen Stein an den Kopf. Ohne diese Wunde wäre Antoinettes subjektiver Schmerz für die Leserschaft schwer nachzuvollziehen, denn laut Elaine Scarry sind die äußere Ursache des Schmerzes (z. B. ein Hammer, Nagel, Messer oder eben ein Stein) sowie die sichtbare Verletzung (z. B. eine offene Wunde) wesentlich für die Nachvollziehbarkeit von Schmerz, selbst wenn solch konkrete Gewalteinwirkung und Verwundungen in vielen Fällen nur im übertragenen Sinne zutreffen.[49] Die Mitteilung von Schmerz erfolgt außerdem über die Darstellung der individuellen Wahrnehmung der leidenden Person.[50] Dementsprechend gestaltet sich auch die Kommunikation von Antoinettes Schmerz in der Nacht des Aufstandes: „When I was close I saw the jagged stone in her hand but I did not see her throw it. I did not feel it either, only something wet, running down my face".[51] In einem Moment sieht Antoinette den Stein in Tias Hand und im nächsten fließt ihr das Blut über die Augen. Antoinettes visuelle Wahrnehmung (Stein, Wunde, und Blut über den Augen) ersetzt die direkte Lexik des Schmerzes und macht Antoinettes Leiden umso eindrücklicher.

Schlag, Platzwunde und Sichtweise vermitteln das Trauma des Aufstands, welches Antoinettes Körpergefühl massiv und bleibend verändert. Haus und Haut, Heim und Körperlichkeit, verschränken sich in *Wide Sargasso Sea* assoziativ und zeichnen sich bei Antoinette vor allem durch ein grundlegendes verborgenes Unbehagen aus. Dieses bildlich-körperliche Erzählverfahren suggeriert also ein Gefühl umfassender Unheimlichkeit bei Antoinette. Sie wird von nun an nach einer unversehrten körperlichen Hülle wie nach einem zu Hause suchen, beides aber nicht finden:

> The house was burning, the yellow-red sky was like sunset and I knew that I would never see Coulibri again. Nothing would be left, [...] the rocking chairs and the blue sofa, the jasmine and the honeysuckle, and the picture of the Miller's Daughter.[52]

Discipline and Punish: The Birth of the Prison. Übersetz. Alan Sheridan. London: Allan Lane, 1977.

48 Vgl. Didier Anzieu. *Das Haut-Ich.* Übersetz. Meinhard Korte und Marie-Helene Lebourdaise-Weiss. Frankfurt/M.: Suhrkamp, 1991, S. 135.

49 Vgl. Elaine Scarry. „Among Schoolchildren: The Use of Body Damage to Express Physical Pain." *Pain and Its Transformations: The Interface of Biology and Culture.* Hg. Sarah Coakley und Kay Kaufman Shelemay. Cambridge, Mass.: Harvard University Press, 2007. S. 279-316, S. 280-81.

50 Vgl. Scarry, S. 290.

51 Rhys, S. 27.

52 Rhys, S. 27.

Das Gemälde war fester Bestandteil der ganzen Plantage Coulibri. Der Verlust des einen steht für den Verlust des anderen. Bemerkenswert ist dabei, dass es sich hier, wie durch die intermediale Entstehungsgeschichte von Vinters Gemälde angedeutet, nicht um einen ursprünglichen Verlust handelt. Coulibri bedeutet für Antoinette immer schon ein unheimliches Heim ebenso wie ihr die Müllerstochter unheimlich ist. Im Grunde kann Antoinette nicht verlieren, was sie vorher nie besaß. Die Ekphrasis des Gemäldes der Müllerstochter übernimmt Signalwirkung für Antoinettes Zwischendasein. Gleichzeitig antizipiert das lodernde Coulibri das Feuer auf Thornfield in Brontës Roman, auf welches das letzte Kapitel von *Wide Sargasso Sea* Bezug nimmt. Darin träumt Antoinette, wie sie das Herrenhaus in Brand setzt. Wie ein Leitmotiv erscheint Vinters Müllerstochter am Ende dieses Alptraums, was unter anderem auf die enge Beziehung von Bildern und Kindheitserinnerungen hinweist (siehe unten).[53]

In *Wide Sargasso Sea* steht der Ekphrasis des reellen Ölgemäldes Rochesters Beschreibung der imaginären Strichmännchen gegenüber, d.h. einer Zeichnung, die nur im Roman existiert und somit der Vorstellungskraft der Leserschaft überlassen bleibt. Bei dem bedeutsamen Gekritzel, welches gegen Ende des zweiten Teils erscheint, handelt es sich um eine höchst ironische Ekphrasis. Zynisch prangert sie die hegemonialen Machtverhältnisse hinter den Bildern ebenso wie hinter den Worten an. Zum Zeitpunkt der Handlung sind die meisten Bediensteten dabei, die Plantage Granbois aus Protest zu verlassen. Sie missbilligen Rochesters Verhalten gegenüber seiner Ehefrau ebenso wie seine sexuelle Ausbeutung der Hausangestellten Amelie. Die Rochesterfigur beschreibt ihr eignes Gekritzel wie folgt:

> I drank some more rum and, drinking, I drew a house surrounded by trees. A large house. I divided the third floor into rooms and in one room I drew a standing woman – a child's scribble, a dot for a head, a larger one for the body, a triangle for a skirt, slanting lines for arms and feet. But it was an English house.[54]

Im diesem englischen Haus wird ein Zimmer im dritten Stock zur Gefängniszelle für die weibliche Strichgestalt. Proleptisch bereitet die Strichfigur Leserinnen und Leser auf die Gefangenschaft Antoinettes im nächsten Teil des Romans vor. Aus der Subjektposition des sprechenden Ehemanns gleicht Antoinette einer hölzernen Marionette, wie die Rochesterfigur Antoinette nennt: „*Marionette, Antoinette, Marionetta, Antoinetta*".[55] Die rudimentäre Zeichnung kariiert die Genderkonventionen der Ekphrasis der bildenden Kunst, entbehrt sie doch jeglicher Spur von Schönheit und verweist stattdessen ausschließlich auf die Ohnmacht der weiblichen Figur. Es ist bezeichnend, dass diese Skizze Antoinettes Körper auf ein paar Striche reduziert. Die Rochesterfigur bricht

---

53 Dieser dritte Traum ist von entscheidender Bedeutung, da der Schluss des Romans offen ist. Statt des Todes der Heldin, dem typischen Schluss einer Tragödie, endet *Wide Sargasso Sea* mit diesem Alptraum.

54 Rhys, S. 98.

55 Rhys, S. 92 und vgl. S. 90.

Antoinettes Widerstand: „I forced it out".[56] Dadurch kann er mit ihrem Vermögen nach England zurückkehren und ein neues Leben beginnen, als ob es Antoinette nie gegeben hätte. Im Moment seines sadistischen Triumphs auf der karibischen Plantage Granbois beobachtet die Rochesterfigur erst verwundert und dann mit Genugtuung, dass Antoinettes Kapitulation ihren Körper stark verändert. Mit ihrem Hass verschwindet ihre Schönheit und Vitalität: „She was only a ghost".[57] Aus der Perspektive der Rochesterfigur gleicht Antoinette äußerlich einem Gespenst, einer vergessenen, ausradierten und unsichtbaren Existenz, die man an ihrem bleichen Gesicht, orientierungslosen Blick, leeren Gesten und schrillen Gelächter erkennt:

> Very soon she'll join all the others who know the secret and will not tell it. Or cannot. Or try and fail [...] They can be recognized. White faces, dazed eyes, aimless gestures, high-pitched laughter [...] She's one of them. I too can wait – for the day when she is only a memory to be avoided, locked away, and like all memories a legend.[58]

Antoinette soll ein gut gehütetes Geheimnis werden und bleiben, an welches höchstens eine orale Legende erinnert. Der ekphrastische Strichkörper bringt somit ein Paradox von Antoinettes Metamorphose zum Ausdruck: Ihr vitaler Leib verwandelt sich in eine extrem ausgezehrte Gestalt; indem sie zu Bertha Mason aus Brontës Fiktion wird, „zombifiziert" sie sich.[59]

Metonymisch verweist die Ekphrasis der Rochesterfigur mit seinen Punkten und Strichen allerdings nicht nur auf Antoinettes Verlust der eigenen Leiblichkeit, sondern auch auf das geschriebene Wort. Diese Ambiguität eröffnet die Frage, ob sich die schemenhaften Striche der Rochesterfigur auch auf die diskursive Macht der Worte beziehen. Schließlich kann diese Reduktion einer lebenden Person auf einen Strich auf Papier auch als eine Anspielung auf die konstitutive Rolle der Bürokratie bei der Durchsetzung und Archivierung der Kolonialherrschaft verstanden werden.[60] Zumal die Rochesterfigur mit ähnlich strichhaften Zeichen, nämlich durch Schreiben an Anwälte und Gouverneure, die Entmündigung und Gefangenschaft Antoinettes offiziell besiegelt und sich auf gleichem Wege seiner einzigen ernsthaften Gegnerin Christophine entledigt. Diese Ambiguität veranlasst zur Reflektion darüber, wie sowohl verbale als auch visuelle Repräsentationen im Kontext der kolonialen Vergangenheit „unsichtbare Macht [ausüben] auf die Kosten jener ‚Anderen', der Frauen, der ‚Eingeborenen', der Kolonialisierten, der Zwangsarbeiter, und Versklavten – [...], die, zur gleichen Zeit, aber in anderen Räumen, zu den Völkern ohne Geschichte

---

56 Rhys, S. 102.

57 Rhys, S. 103.

58 Rhys, S. 103.

59 Vgl. Romita Choudhury. „‚Is There a Ghost, a Zombie There?' Postcolonial Intertextuality and Jean Rhys's *Wide Sargasso Sea*." *Textual Practice* 10.2 (1996): S. 315-327, S. 325.

60 Vgl. Molly Hite. *The Other Side of the Story: Structures and Strategies of Contemporary Feminist Narrative*. Ithaca: Cornell University Press, 1989, S. 44.

wurden".[61] Einerseits verzerrt die ironische Ekphrasis der Rochesterfigur die
Affinität zur bildenden Kunst durch das verkümmerte Wesen dieses Bildes,
andererseits bezieht sie sich auf ein klassisches optisches Medium (eine Zeichnung). Daneben spielen bei diesem Roman auch bewegte Bilder eine Rolle.

Wide Sargasso Sea hat ein offenes Ende, das sich aus der Kenntnis von *Jane
Eyre* ergibt. Innerhalb der Grenzen von Rhys' Roman bleibt Antoinette in einem
Zwischendasein gefangen, ohne zu sterben. Weder tot noch lebendig bewegt sie
sich im dritten Teil in einem metafiktiven Raum aus Pappe:

> It [this world] is, I always knew, made of cardboard. [...] I have seen it before some-
> where, this cardboard world where everything is coloured brown or dark red or
> yellow that has no light in it. [...] This cardboard house where I walk at night is
> not England.[62]

Dieser materiell-mediale Raumverweis suggeriert, dass sich der Ort von Antoinettes Gefangenschaft in einer Bücherwelt befindet. Man kann davon ausgehen,
dass es sich bei der Pappe um die Buchdeckel Brontës Klassikers handelt.[63] Zu
diesem Zeitpunkt der Handlung ist Antoinette für ihren Stiefbruder Richard,
der sie aufsucht, nicht mehr erkennbar.[64] Sie selbst kennt ihren Körper auch
nicht mehr: „I don't know what I am like now".[65] Während der erste und zweite
Teil des Romans mit Hilfe von Ekphrasen Antoinettes Wahrnehmungs- und
Sichtbarkeitsverlust vorbereiten, vermittelt der dritte Teil Antoinettes Orien-
tierungslosigkeit. Darin evoziert ihr dritter Alptraum mittels eines verdeckten
kinematografischen Erzählverfahrens (im verbalen Text) die Abspaltung von
Antoinettes Geist und Körper.

Zunächst ist der Traum klar demarkiert: „That was the third time I had my
dream".[66] Gleichzeitig betont Antoinettes innerer Monolog, „I know now"[67],
die im Traum enthaltene Prolepsis, welche über den Romanschluss hinausführt.
Der Traum bricht die homodiegetische Erzählung auf und fügt Antoinettes
Erleben eine weitere ontologische Differenz hinzu. Ihre (sich nun zur Binnen-
erzählung extradiegetisch verhaltende) Stimme erzählt den Alptraum distanziert
im Präteritum. Die zusätzliche Erzählebene birgt neue relationale Interpreta-
tionsmöglichkeiten, die eine eindeutige Festlegung von Antoinettes Innen- oder
Außensicht verhindern und stattdessen eine Oszillation zwischen ihrer Eigen-
und Fremdwahrnehmung suggerieren. Verwirrt sagt sie über sich selbst: „I did

---

61 Bhabha, S. 294.
62 Rhys, S. 107.
63 Vgl. Spivak, S. 250-51; Deborah A. Kimmey. „Women, Fire, and Dangerous Things:
    Metatextuality and the Politics of Reading in Jean Rhys's *Wide Sargasso Sea*." *Women's
    Studies* 34.2 (2005): S. 113-31, S. 114 und J. Dillon Brown. „Textual Entanglement:
    Jean Rhys's Critical Discourse." *Modern Fiction Studies* 56.3 (2010): S. 568-91,
    S. 581.
64 Vgl. Rhys, S. 108.
65 Rhys, S. 107.
66 Rhys, S. 111.
67 Rhys, S. 111

not want to see the woman who they say haunts the place".[68] In diesem Traum spielen die Betrachtungsgegenstände und -räume eine wichtige Rolle, um die Verwirrung und Desorientierung Antoinettes visuell und kinästhetisch darzustellen. Teils verwandelt sich ein Raum, teils schwebt Antoinette durch ihn. Rein handlungstechnisch dient der Traum der Vorbereitung ihres Selbstmordanschlags, indem er der Gefangenen den Weg durch das Gebäude zeigt. Die Bewegung durch Treppenhaus und Zimmer ist somit wesentlich. Auffallend ist beim Einhalten dieser Bewegung, dass sich das rote Zimmer des fiktiven Herrenhauses in Tante Coras Zimmer auf Coulibri verwandelt; die Dunkelheit des einen nur mit Kerzen beleuchteten Raums koexistiert also mit der Helligkeit des anderen lichtdurchströmten Zimmers: „Suddenly I was in Aunt Cora's room. I saw the sunlight coming through the window [...] but I saw the wax candles too and I hated them".[69] Hier deutet sich die grundlegende Gemeinsamkeit von Traum und Film an. Beide besitzen die Fähigkeit zur Darstellung von Metamorphose in Bildsequenzen.[70] Die visuelle Darstellung von Gestaltwechseln ist James Heffernan zufolge seit der filmtechnischen Revolution von George Méliès 1898 nicht nur ein gemeinsames Wesensmerkmal von Film und Traum, sondern auch von Literatur und insbesondere von literarischen Beschreibungen von (imaginären wie existierenden) Filmen, d. h. von kinematografischer Ekphrasis. Manuel Puigs *El beso de la mujer araña* (1976, *Der Kuß der Spinnenfrau*[71]) ist ein Paradebeispiel dafür: Gefangen in einer winzigen Zelle, bieten (Molinas) Nacherzählungen von Filmen nicht nur eine Möglichkeit zur Verständigung zwischen den zwei ansonsten höchst gegensätzlichen Insassen, dem homosexuellen bürgerlichen Molina und dem Revolutionär Valentin, sondern die kinematografische Ekphrasis verwandelt beide in fiktive Figuren und schafft schließlich eine hybride Persönlichkeit, in der beide aufgehen.[72] Die verbale Darstellung einer visuellen Verwandlung allein macht aber keine kinematografischer Ekphrasis aus. In der englischen Literatur finden wir alptraumhafte Verwandlungen dieser Art bereits in Mary Shelleys *Frankenstein* (1818)[73] und somit vor Méliès' historischen filmtechnischen Erneuerung. Doch Rhys' immense Investition in die Darstellung von Räumen und Objekten in diesem Alptraum betont visuelles Erzählen besonders stark. Dies geschieht mit Hilfe von Farben (weiß, rot, golden), Lichtverhältnissen und Beleuchtung (z. B. die Bewegung des Kerzenlichts in der Dunkelheit), sowie von Gegenständen (Sofa, Kerzenleuchter, Bilderrahmen, Treppen, Vorhänge, Tischdecken). Über das bereits erwähnte metafiktive

---

68 Rhys, S. 111.
69 Rhys, S. 111.
70 Vgl. Heffernan „Ekphrasis Theory", S. 45-48.
71 Vgl. Manuel Puig. *Der Kuß der Spinnenfrau*. Übersetz. Anneliese Botond. Frankfurt/M.: Suhrkamp Taschenbuch, (1976) 1983.
72 Vgl. Heffernan „Ekphrasis Theory", S. 45 und Dierdra Reber. „Visual Storytelling: Cinematic Ekphrasis in the Latin American Novel of Globalization." *Novel: A Forum of Fiction* 43.1 (2010): 65-71, S. 65-66.
73 Mary Wollstonecraft Shelley. *Frankenstein: The 1818 Text, Contexts, Criticism*. Hg. Hunter, J. Paul. 2. Aufl. New York: W. W. Norton & Co., 2012.

Erzählen hinaus vermag es dieser kinematografische Stil, die Unheimlichkeit Antoinettes leiblichen Erlebens affektiv zu vermitteln.

Antoinettes Bewegungen durch den Raum im ihrem Alptraum gleichen dem Effekt der Kameraführung in den Schlusssequenzen von Alfred Hitchcocks Schwarz-Weiß-Film *Rebecca* (Selznick/United Artists, US, 1940).[74] Der Effekt, den John Fletcher den „Geist in der Maschine" nennt[75], evoziert die unheimliche Anwesenheit einer Person (Rebecca), die für den Zuschauer im Film kein einziges Mal als lebende Person zu sehen ist. Im Treppenaufgang hängt zwar ein großes, golden gerahmtes Portrait Rebeccas, aber die Frau erscheint nie leibhaftig im Film. Allein die Kameraführung verkörpert ihren Blick auf die Ereignisse auf dem Familiensitz Manderley. In der Tat ist es die Sicht der Kamera, die die körperlose Rebecca verkörpert bzw. den Zuschauern affektiv ihre unsichtbare Anwesenheit vermittelt. Wie Bertha in *Jane Eyre* ist Rebecca die erste (ermordete) Ehefrau, die die Verbindung der männlichen Hauptfigur (Maxim) mit der neuen Geliebten stört. Am Ende des Films kündigt der glühende Horizont Maxim bei der nächtlichen Heimfahrt das Feuer auf Manderley an. In den letzten zwei Minuten der Schlusseinstellung[76], als das Haus komplett in Flammen steht, bewegt sich die Kamera freischwebend erst vorbei und dann durch das brennende Fenster in den oberen Etagen des Westflügels, folgt der Bediensteten Mrs. Danvers (vgl. Grace Poole in *Wide Sargasso Sea*) bis das Dach über ihr zusammenstürzt, und setzt dann die Bewegung quer durch das lodernde Schlafzimmer fort, vorbei am Ehebett mit der bestickten Seidenbettwäsche mit der Initiale „R" bis die Kamera auf eine Feuerwand stößt und der Film endet. Es entsteht der synästhetische Eindruck, als beobachte die unsichtbare Verstorbene erst die Geschehnisse von außen, und gleite dann in das brennende Haus. Man kann die letzte Bewegung der Kamera und die Schlusseinstellung, welche sich auf die eingestickte Initiale „R" auf der Bettwäsche richtet, als Rebeccas Rückeroberung Manderleys interpretieren: Rebecca kehrt sozusagen in ihr Haus zurück als wäre es ihr Körper.[77] Die letzten zwei Seiten von Rhys' Roman beschreiben ähnlich gespenstische Bewegungen vor der gleichen Kulisse:

> I went into the hall again with the tall candle in my hand. It was then that I saw her – the ghost. The woman with streaming hair. She was surrounded by a gilt frame but I knew her. I dropped the candle I was carrying and it caught the end of the tablecloth and I saw flames shoot up. As I ran or perhaps floated or flew I called help [...].[78]

Die Lichtquelle der Kerze verweist metonymisch auf die subjektive Wahrnehmung Antoinettes. Die Eingangshalle, in die sie sich begibt, enthält ein ebenso prunkvoll gerahmtes Bild wie die in Manderley. Doch Antoinette blickt nicht

---

74 *Rebecca*. (1940) 2005. Bildtonträger. David O. Selznick, 12 April 1940.

75 Meine Übersetzung von John Fletcher. „Primal Scenes and the Female Gothic: Rebecca and Gaslight." *Screen* 36.4 (1995): S. 341-70, S. 352.

76 *Rebecca* 02:04:00-02:06:00.

77 Vgl. Fletcher, S. 354.

78 Rhys, S. 111-12.

auf das Porträt einer anderen Frau, sondern in das eigene Spiegelbild, in dem sie sich nicht wiedererkennt. Die Frau mit strömendem Haar, welches Indiz ihres Wahnsinns ist, scheint ihr so fremd, als hätte dieser Körper nichts mit ihr zu tun. Daraufhin schwebt Antoinette davon, wie es heißt, um dem Feuer auszuweichen, das ihre fallende Kerze entfacht hat. Die Flucht führt auf den Dachboden, wo sich Antoinettes Blick auf den erleuchteten nächtlichen Horizont richtet, auf den sie ihre Kindheitserinnerungen wie auf eine Leinwand projiziert: „Then I turned round and saw the sky. It was red and all my life was in it".[79] Antoinettes Schweben durch das Herrenhaus, der prunkvolle (goldene) Bilderrahmen und der feuererhellte nächtliche Horizont nähern Rhys' verbale an die visuelle und kinästhetische Erzählweise aus Hitchcocks Film an. Der Begriff des Geists in der Maschine, der ursprünglich auf eine Kritik Descartes zurückgeht, trifft auch auf Antoinettes körperlichen Zustand zu. Ebenso wie der Film vermittelt die Passage die Spaltung von Körper und Geist der Protagonistin. Während Rebecca unsichtbar bleibt, kehrt Antoinette beim Erwachen in den eigenen Körper zurück: Im Traum hört Antoinette Rufe nach Tia, aber es vergeht ein bedeutender Moment, bevor sie feststellt, dass sie sich selbst schreien hört. Antoinette erwacht, als sie im Traum vom Dach springt.[80] Allerdings überschattet der bevorstehende Selbstmord diese momentane Reinkarnation beim Aufwachen.

Im Gegensatz zu *Rebecca* bedeutet die Zerstörung von Thornfield keine Rückeroberung für Antoinette, sondern eine weitere De-platzierung. Sowohl die verdeckten intermedialen Erzählverfahren wie die Aussparung des eigentlichen Brands und Selbstmords im Roman verweisen vielmehr auf Antoinettes Zwischendasein. In *Wide Sargasso Sea* verhält sich der Alptraum am Ende des Romans zum reellen Film ähnlich wie die Ekphrasis der Müllerstochter zum reellen Gemälde. Film wie Malerei übersetzen verbale Texte annähernd: Während Hitchcocks *Rebecca* Daphne du Mauriers Roman (1938) verfilmt, überträgt Vinters Gemälde Tennysons Gedicht in Malerei. Bilder sind in diesem Roman kein Abbild einer vorgegebenen Realität, sondern Teil steter medialer Verflechtung. Rhys' Verbalisierung von Bildern birgt also eine unauflösliche mediale Verschränkung von Wort und Bild in sich. Somit kommt den medialen Zwischenräumen in *Wide Sargasso Sea* eine besondere Bedeutung zu, denn sie heben die Desintegration von Antoinettes Leib ästhetisch hervor. Bereits der erste Satz des Romans thematisiert Ausgrenzung: „They say when trouble comes close ranks, and so the white people did. But we were not in their ranks".[81] Über diese inhaltliche Dimension hinaus vermögen es die medienreflexiven Verfahren des Romans durch die Imitation der Zusammenhänge von Wahrnehmung und Sichtbarkeit, eine quasi leibhafte Erfahrung von Marginalisierung zu erzeugen.

---

79 Rhys, S. 112.
80 Vgl. Rhys, S. 111-12.
81 Rhys, S. 9.

Literaturverzeichnis

Anzieu, Didier. *Das Haut-Ich*. Übersetz. Korte, Meinhard und Marie-Helene Lebour-daise-Weiss. Frankfurt/M.: Suhrkamp, 1991.

Aritzi, Barbara. „The Future That Has Happened: Narrative Freedom and *Déjà lu* in Jean Rhys's *Wide Sargasso Sea*." *A Breath of Fresh Eyre: Intertextual and Intermedial Reworkings of Jane Eyre*. Hg. Rubik, Margarete und Elke Mettinger-Schartmann. Amsterdam: Rodopi, 2007. S. 39-48.

Benthien, Claudia. *Haut Literaturgeschichte, Körperbilder, Grenzdiskurse*. Reinbek bei Hamburg: Rowohlt Taschenbuch, 1999.

Bhabha, Homi K. *Die Verortung der Kultur*. Übersetz. Schiffmann, Michael und Jürgen Freudl. Studien zur Inter- und Multikultur. Hg. Bronfen, Elisabeth et. al. Tübingen: Stauffenburg, 2000.

Brock, Richard. „Framing Theory: Toward an Ekphrastic Postcolonial Methodology." *Cultural Critique* 77 (2011): S. 102-45.

Brontë, Charlotte. *Jane Eyre: An Autobiography*. Hg. Lutz, Deborah. A Norton Critical Edition 4. Aufl. New York: W. W. Norton, 2016 (1971).

Brosch, Renate. „Experiencing Narratives: Default and Vivid Modes of Visualization." *Poetics Today* 38.2 (2017): S. 255-72.

Brown, J. Dillon. „Textual Entanglement: Jean Rhys's Critical Discourse." *Modern Fiction Studies* 56.3 (2010): S. 568-91.

Choudhury, Romita „,Is There a Ghost, a Zombie There?' Postcolonial Intertextuality and Jean Rhys's *Wide Sargasso Sea*." *Textual Practice* 10.2 (1996): S. 315-27.

Davison, Carol Margaret. „Burning Down the Master's (Prison)-House: Revolution and Revelation in Colonial and Postcolonial Female Gothic." *Empire and the Gothic: The Politics of Genre*. Hg. Smith, Andrew und William Hughes. Basingstoke: Palgrave Macmillan, 2003. S. 136-54.

Elkin, Lauren. „,The Room and the Street: Gwen John's and Jean Rhys's Insider/Outsider Modernism." *Women: A Cultural Review* 27.3 (2016): S. 239-64.

Emery, Mary Lou. *Jean Rhys at „World's End": Novels of Colonial and Sexual Exile*. Austin: University of Texas Press, 1990.

---. *Modernism, the Visual, and Caribbean Literature*. Cambridge: Cambridge University Press, 2007.

---. „On the Veranda: Jean Rhys's Material Modernism." *Jean Rhys: Twenty-First-Century Approaches*. Hg. Johnson, Erica L. und Patricia Moran. Edinburgh: Edinburgh University Press, 2015. 59-82.

---. „Refiguring the Postcolonial Imagination: Tropes of Visuality in Writing by Rhys, Kincaid, and Cliff." *Tulsa Studies in Women's Literature* 16.2 (1997): S. 259-80.

Fletcher, John. „Primal Scenes and the Female Gothic: Rebecca and Gaslight." *Screen* 36.4 (1995): S. 341-70.

Foucault, Michel. *Discipline and Punish: The Birth of the Prison*. Übersetz. Sheridan, Alan. London: Allen Lane, 1977.

Gilbert, Sandra M., und Susan Gubar. *The Madwoman in the Attic: The Woman Writer and the Nineteenth-century Literary Imagination*. 2. Aufl. New Haven: Yale University Press, (1979) 2000.

Hars, Endre. „Postkolonialismus – Nur Arbeit Am Text?" *Arcadia* 39.1 (2004): S. 121-35.

Heffernan, James A. W. „Ekphrasis: Theory." *Handbook of Intermediality*. Hg. Rippl, Gabriele. Berlin: de Gruyter, 2015. S. 35-49.

---. *Museum of Words: The Poetics of Ekphrasis from Homer to Ashbery*. Chicago: University of Chicago Press, 1993.

Hillman, David, und Ulrika Maude. „Introduction." *The Cambridge Companion to the Body in Literature*. Hg. Hillman, David und Ulrika Maude. Cambridge Companions to Literature. Cambridge: Cambridge University Press, 2015. S. 1-9.

Rebecca. (1940) 2005. Bildtonträger. Selznick, David O., 12 April 1940.

Hite, Molly. *The Other Side of the Story : Structures and Strategies of Contemporary Feminist Narrative*. Ithaca: Cornell University Press, 1989.

Johnson, Erica L. *Home, Maison, Casa: The Politics of Location in Works by Jean Rhys, Marguerite Duras, and Erminia Dell'oro*. Madison, [N.J.]: Fairleigh Dickinson University Press, 2003.

Karastathi, Sylvia. „Ekphrasis and the Novel/Narrative Fiction." *Handbook of Intermediality*. Hg. Rippl, Gabriele. Berlin: de Gruyter, 2015. S. 92-112.

Kimmey, Deborah A. „Women, Fire, and Dangerous Things: Metatextuality and the Politics of Reading in Jean Rhys's *Wide Sargasso Sea*." *Women's Studies* 34.2 (2005): S. 113-31.

Lee, Julia Sun-Joo. „The (Slave) Narrative of ‚Jane Eyre'." *Victorian Literature and Culture* 36.2 (2008): S. 317-29.

McKee, Patricia. „Racial Strategies in *Jane Eyre*." *Victorian Literature and Culture* 37.1 (2009): S. 67-83.

Merleau-Ponty, Maurice. *Das Auge und der Geist: Philosophische Essays*. Übersetz. Arndt, Hans Werner. Philosophische Bibliothek 530. Hg. Arndt, Hans Werner. Hamburg: Felix Meiner, 1984.

Meyer, Susan. *Imperialism at Home: Race and Victorian Women's Fiction*. London: Cornell University Press, 1996.

Neumann, Birgit. „Intermedial Negotiations: Postcolonial Literatures." *Handbook of Intermediality: Literature – Image – Sound – Music*. Hg. Rippl, Gabriele. Berlin: De Gruyter, 2015. S. 512-29.

Parry, Benita. *Postcolonial Studies: A Materialist Critique*. London: Routledge, 2004.

Plate, Liedeke. *Transforming Memories in Contemporary Women's Rewriting*. Basingstoke: Palgrave Macmillan, 2011.

Poppe, Sandra. *Visualität in der Literatur und Film: Eine Medienkomparatistische Untersuchung Moderner Erzähltexte und Ihrer Verfilmungen*. Göttingen: Vandenhoeck & Ruprecht, 2007.

Puig, Manuel. *Der Kuß der Spinnenfrau*. Übersetz. Botond, Anneliese. Frankfurt/M.: Suhrkamp Taschenbuch, (1976) 1983.

Rajewsky, Irina O. *Intermedialität*. Tübingen, Basel: A. Francke, 2002.

Reber, Dierdra. „Visual Storytelling: Cinematic Ekphrasis in the Latin American Novel of Globalization." *Novel: A Forum on Fiction* 43.1 (2010): 65-71.

Rhys, Jean. *Wide Sargasso Sea*. Hg. Raiskin, Judith. New York: Norton Critical Editions, (1966) 1999.

Rippl, Gabriele. *Beschreibungs-Kunst: Zur Intermedialen Poetik Anglo-Amerikanischer Iconotexte (1880-2000)*. Iconotexte. München: Wilhelm Fink, 2005.

---. „Introduction." *Handbook of Intermediality*. Hg. Rippl, Gabriele. Berlin: de Gruyter, 2015. S. 1-31.

Robert, Jörg. *Einführung in die Intermedialität*. Darmstadt: WBG, 2014.

Scarry, Elaine. „Among Schoolchildren: The Use of Body Damage to Express Physical Pain." *Pain and Its Transformations: The Interface of Biology and Culture*. Hg.

Coakley, Sarah und Kay Kaufman Shelemay. Cambridge, Mass.: Harvard University Press, 2007. S. 279-316.

Shelley, Mary Wollstonecraft. *Frankenstein: The 1818 Text, Contexts, Criticism*. Hg. Hunter, J. Paul. 2. Aufl. New York: W. W. Norton & Co., 2012.

Spivak, Gayatri Chakravorty. „Three Women's Texts and a Critique of Imperialism." *Critical Inquiry* 2.1 (1985): S. 243-61.

Tennyson, Alfred. „The Miller's Daughter." *The Works of Tennyson: The Eversley Edition Annotated by Alfred, Lord Tennyson*. Hg. Tennyson, Hallam. London: Macmillan, 1907. S. 146-55.

Tiffin, Helen. „Post-Colonial Literatures and Counter-Discourse." *Kunapipi* 9.3 (1987): S. 17-34.

Vinter, John Alfred. „*The Miller's Daughter, from Tennyson*."1859, 28 Feb 2018 <http://www.wolverhamptonart.org.uk/collections/getrecord/WAGMU_OP190>.

Voicu, Cristina-Georgiana. *Exploring Cultural Identities in Jean Rhys' Fiction*. Berlin: De Gruyter, 2014.

Wolf, Werner. „Intermedialität." *Metzler Lexikon Literatur- und Kulturtheorie*. Hg. Nünning, Ansgar. Stuttgart: Metzler, 2001. S. 284-85.

---. *The Musicalization of Fiction: A Study in the Theory and History of Intermediality*. Amsterdam: Rodopi, 1999.